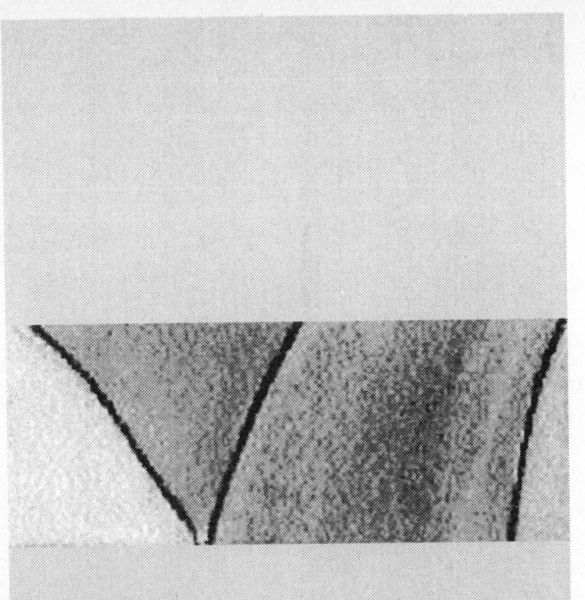

INSTRUCTOR'S RESO[illegible]UAL

AUDIOSC[illegible]
VIDEOSCRIPT
TESTING PROGRAM
TRANSPARENCY MASTERS

¡Hola, amigos!

SIXTH EDITION

Ana C. Jarvis
Chandler-Gilbert Community College

Raquel Lebredo
California Baptist University

Francisco Mena-Ayllón
University of Redlands

Houghton Mifflin Company Boston New York

Publisher: Rolando Hernández
Sponsoring Editor: Van Strength
Development Manager: Sharla Zwirek
Development Editor: Rafael Burgos-Mirabal
Editorial Assistant: Erin Kern
Project Editor: Amy Johnson
Manufacturing Manager: Florence Cadran
Senior Marketing Manager: Tina Crowley Desprez

Printed in the U.S.A.

ISBN: 0-618-33576-5

1 2 3 4 5 6 7 8 9-MA-07 06 05 04 03

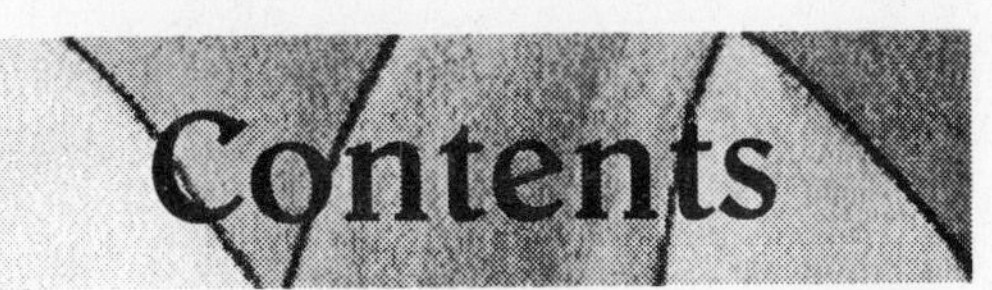

Contents

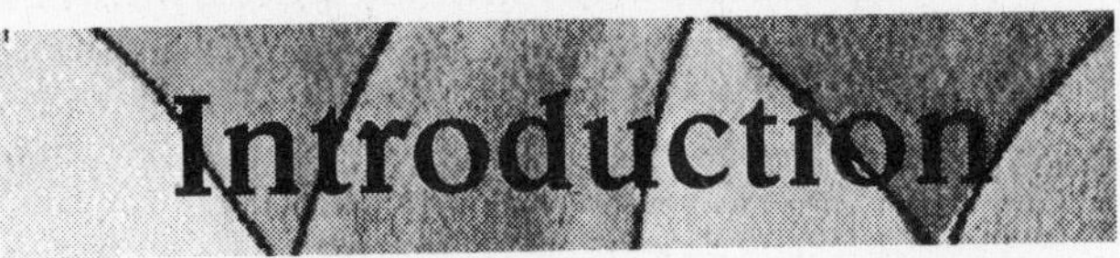

Introduction

The Instructor's Resource Manual for ***¡Hola, amigos!*** contains the following:

- Audioscript
- Videoscript
- Testing program
- Transparency masters

Audioscript

The audioscript is a written transcript of the audio program for ***¡Hola, amigos!,*** Sixth Edition, and correlates to the Laboratory Manual exercises. Answers to most lab exercises are provided in the recorded material. Answers to dictations are supplied in an answer key at the back of the Workbook/Laboratory Manual/Video Manual. The audio program is available on CDs.

Videoscript

The videoscript is a complete transcript of the ***¡Hola, amigos!*** Video. The fourteen video lessons feature footage of locations presented in the **Notas culturales** sections of the textbook and interview segments coordinated with lesson themes and functions. The footage in each lesson consists of two parts, each part being approximately two to four minutes long. In the first part students get a broad cultural overview of a particular region of the Spanish-speaking world. In the second part students will be able to see and hear Hispanics talk about their own lives as they answer questions that coordinate with the lesson's themes and functions. Both parts are designed to develop listening skills and cultural awareness as students view diverse images of the Hispanic world and Hispanic life and lifestyles.

Activities in the Workbook/Laboratory Manual/Video Manual include pre-viewing, comprehension, and expansion activities. They are designed for individual as well as pair and group work. If the video component is assigned, pair and group activities can be used for in-class follow-up or, in most cases, they can be done individually outside class.

Testing Program

The Testing Program for ***¡Hola, amigos!,*** Sixth Edition, provides two ready-to-copy versions (A and B) of all quizzes and exams. It includes quizzes for each of the fourteen lessons of the student text, midterm exams designed to be given after Lessons 3 and 10 of the textbook, and final exams to be given after completion of Lessons 7 and 14. All versions of the final exams are cumulative, although their primary focus is on new material covered after the midterm exam.

The A versions of quizzes and exams feature reading exercises in odd-numbered lessons and writing exercises in even-numbered lessons. The B versions emphasize listening skills. Culture questions have been expanded in both A and B versions of quizzes and exams to allow for greater testing of this aspect of language learning.

Each quiz and exam begins with a series of oral questions that test students' ability to comprehend spoken Spanish and to express themselves in writing. These questions appear in the Answer Key. The remaining test items verify students' control of the key vocabulary and structures contained in the lesson(s) covered by the quiz or exam, as well as reading and writing.

To facilitate grading, suggested points are given for quizzes and exams: 100 points for quizzes, 200 points for midterms, and 300 points for final exams. Correlation of point values to letter grades is left to the discretion of the individual instructor or department. Suggested points for the culture exercises are treated as extra; that is, they are not included in the 100, 200, or 300 points allotted for quizzes and tests.

Transparency Masters

The thirty-five transparency masters of artwork reproduced from the textbook enable instructors to make overhead transparencies that can be used to present the dialogues or to conduct exercises with books closed. Use of the transparencies helps to focus students' attention on the spoken word, and emphasizes the need to listen carefully to arrive at meaning, an important skill for beginning language learners to develop.

* * *

¡Hola, amigos! HM Class Prep™ with HM Testing CD-ROM

Available in Windows® and Macintosh® versions, HM ClassPrep™ provides the aforementioned instructional resources in electronic form: the audioscript, the videoscript, the testing program, and the transparency masters (as PowerPoint slides). Instructors can customize any of these resources to fit their class needs.

The **¡Hola, amigos!** HM ClassPrep™ CD also includes the application for HM Testing. Instructors can print the quizzes and exams as they are or modify them by adding, deleting, or rearranging items and their point values. Instructors can modify the content of any given question too. The application also allows instructors to create their own quizzes and tests, and gives them the option to randomly select questions from the quiz and test items. It also permits instructors to post exams to the Web or local area network (LAN) so that students can take them from any computer with WWW access.

AUDIOSCRIPT

Introduction to Spanish Sounds

Each Spanish sound will be explained briefly, and examples will be given for practice.

Pronunciation

Repeat each Spanish word after the speaker, imitating as closely as possible the correct pronunciation. Begin.

Vowels

1. **a** in Spanish sounds similar to the English *a* in the word *father*.

   alta / casa / palma / Ana / cama / Panamá / alma / apagar /

2. **e** is pronounced like the English *e* in the word *eight*.

   mes / entre / este / deje / ese / encender / teme / prender /

3. **i** has a sound similar to the English *ee* in the word *see*.

   fin / ir / sí / sin / dividir / Trini / difícil /

4. **o** is similar to the English *o* in the word *no*, but without the glide.

   toco / como / poco / roto / corto / corro / solo / loco /

5. **u** is pronounced like the English *oo* sound in the word *shoot*, or the *ue* sound in the word *Sue*.

   su / Lulú / Úrsula / cultura / un / luna / sucursal / Uruguay /

Consonants

1. Spanish **p** is pronounced in a manner similar to the English *p* sound, but without the puff of air that follows after the English sound is produced.

   pesca / pude / puedo / parte / papá / postre / piña / puente / Paco /

2. The Spanish **k** sound, represented by the letters **k; c** before **a, o, u** or a consonant (except **h**), and **qu**, is similar to the English *k* sound, but without the puff of air.

   casa / comer / cuna / clima / acción / que / quinto / queso / aunque / kiosko / kilómetro /

3. Spanish **t** is produced by touching the back of the upper front teeth with the tip of the tongue. It has no puff of air as in the English *t*.

   todo / antes / corto / Guatemala / diente / resto / tonto / roto / tanque /

4. The Spanish consonant **d** has two different sounds depending on its position. At the beginning of an utterance and after **n** or **l**, the tip of the tongue presses the back of the upper front teeth.

   día / doma / dice / dolor / dar / anda / Aldo / caldo / el deseo / un domicilio /

   In all other positions the sound of **d** is similar to the *th* sound in the English word *they*, but softer.

   medida / todo / nada / nadie / medio / puedo / moda / queda / nudo /

5. The Spanish consonant **g** is similar to the English *g* sound in the word *guy* except before **e** or **i.**

   goma / glotón / gallo / gloria / lago / alga / gorrión / garra / guerra / angustia / algo / Dagoberto /

6. The Spanish sound **j** (or **g** before **e** and **i**) is similar to a strongly exaggerated English *h* sound.

   gemir / juez / jarro / gitano / agente / juego / giro / bajo / gente /

7. There is no difference in sound between Spanish **b** and **v**. Both letters are pronounced alike. At the beginning of an utterance or after **m** or **n, b** and **v** have a sound identical to the English *b* sound in the word *boy*.

   vivir / beber / vamos / barco / enviar / hambre / batea / bueno / vestido /

When pronounced between vowels, the Spanish **b** and **v** sound is produced by bringing the lips together but not closing them, so that some air may pass through.

sábado / autobús / yo voy / su barco /

8. In most countries, Spanish **ll** and **y** have a sound similar to the English *y* sound in the word *yes*.

   el llavero / un yelmo / el yeso / su yunta / llama / yema / oye / trayecto / trayectoria / mayo / milla / bella /

   When it stands alone or is at the end of a word, Spanish **y** is pronounced like the vowel **i**.

   rey / hoy / y / doy / buey / muy / voy / estoy / soy /

9. The sound of Spanish **r** is similar to the English *dd* sound in the word *ladder*.

   crema / aroma / cara / arena / aro / harina / toro / oro / eres / portero /

10. Spanish **rr** and also **r** in an initial position and after **n, l,** or **s** are pronounced with a very strong trill. This trill is produced by bringing the tip of the tongue near the alveolar ridge and letting it vibrate freely while the air passes through the mouth.

    rama / carro / Israel / cierra / roto / perro / alrededor / rizo / corre / Enrique /

11. Spanish **s** is represented in most of the Spanish world by the letters **s, z,** and **c** before **e** or **i.** The sound is very similar to the English sibilant *s* in the word *sink*.

    sale / sitio / presidente / signo / salsa / seda / suma / vaso / sobrino / ciudad / cima / canción / zapato / zarza / cerveza / centro /

12. The letter **h** is silent in Spanish.

    hoy / hora / hilo / ahora / humor / huevo / horror / almohada /

13. Spanish **ch** is pronounced like the English *ch* in the word *chief*.

    hecho / chico / coche / Chile / mucho / muchacho / salchicha /

14. Spanish **f** is identical in sound to the English *f*.

    difícil / feo / fuego / forma / fácil / fecha / foto / fueron /

15. Spanish **l** is similar to the English *l* in the word *let*.

    dolor / lata / ángel / lago / sueldo / los / pelo / lana / general / fácil /

16. Spanish **m** is pronounced like the English *m* in the word *mother*.

    mano / moda / mucho / muy / mismo / tampoco / multa / cómoda /

17. In most cases, Spanish **n** has a sound similar to the English *n*.

    nada / nunca / ninguno / norte / entra / tiene / sienta /

    The sound of Spanish **n** is often affected by the sounds that occur around it. When it appears before **b, v,** or **p,** it is pronounced like an **m.**

    tan bueno / toman vino / sin poder / un pobre / comen peras / siguen bebiendo /

18. Spanish **ñ** is similar to the English *ny* sound in the word *canyon*.

    señor / otoño / ñoño / uña / leña / dueño / niños / años /

19. Spanish **x** has two pronunciations depending on its position. Between vowels the sound is similar to English *ks*.

    examen / exacto / boxeo / éxito / oxidar / oxígeno / existencia /

    When it occurs before a consonant, Spanish **x** sounds like *s*.

    expresión / explicar / extraer / excusa / expreso / exquisito / extremo /

    When **x** appears in **México** or in other words of Mexican origin, it is pronounced like the Spanish letter **j.**

Linking

In spoken Spanish, the different words in a phrase or sentence are not pronounced as isolated elements, but are combined together. This is called *linking.*

Pepe come pan.
Tomás toma leche.
Luis tiene la llave.
La mano de Roberto.

1. The final consonant of a word is pronounced together with the initial vowel of the following word.

   Carlos‿anda
   un‿ángel
   el‿otoño
   unos‿estudios‿interesantes

2. A diphthong is formed between the final vowel of a word and the initial vowel of the following word. A triphthong is formed when there is a combination of three vowels.

   su‿hermana
   tu‿escopeta
   Roberto‿y Luis
   negocio‿importante
   lluvia‿y nieve
   ardua‿empresa

3. When the final vowel of a word and the initial vowel of the following word are identical, they are pronounced slightly longer than one vowel.

   Ana‿alcanza lo‿olvido
   tiene‿eso Ada‿atiende

   The same rule applies when two identical vowels appear within a word.

   crees Teherán coordinación

4. When the final consonant of a word and the initial consonant of the following word are the same, they are pronounced like one consonant with slightly longer than normal duration.

   el‿lado tienes‿sed
   Carlos‿salta

LECCIÓN 1

I. Pronunciación

Listen and repeat the following words, paying close attention to the pronunciation of vowels. Remember to keep the vowel sounds short and clear. Begin.

sí / no / de / tu / me / chica / muchacho / tiza / clase / alto / cubano / inglés / simpático / ¿cómo? / mapa

Now, listen and repeat the following phrases, paying close attention to the vowel sounds. Begin.

Mucho gusto. / El gusto es mío. / ¿Cómo te llamas? / ¿De dónde eres? / Necesito el reloj. / Hasta mañana. / ¿Cómo se llama usted? /

II. Diálogos: El primer día

The dialogues will be read first without pauses. Pay close attention to the speakers' intonation and pronunciation patterns.

En la Universidad de Puebla, en México.
La profesora Vargas habla con María Inés Vega, una alumna.

María Inés —Buenas tardes, señora.
Profesora —Buenas tardes, señorita. ¿Cómo se llama usted?
María Inés —Me llamo María Inés Vega.
Profesora —Mucho gusto, señorita Vega.
María Inés —El gusto es mío.
Profesora —¿Cuál es su número de teléfono, señorita?
María Inés —Cinco-cero-siete-cuatro-dos-nueve-ocho.
Profesora —¿Cuál es su dirección?
María Inés —Juárez, número diez.

En la clase, María Inés habla con Pedro.

Pedro —Buenos días. ¿Cómo te llamas?
María Inés —Me llamo María Inés Vega. ¿Y tú?
Pedro —Pedro Morales.
María Inés —¿De dónde eres, Pedro? ¿De México?
Pedro —Sí, soy mexicano. Y tú, ¿eres norteamericana?
María Inés —No, yo soy cubana. Soy de La Habana.

Daniel habla con Sergio.

Sergio —Hola, Daniel. ¿Qué tal?
Daniel —Bien, ¿y tú? ¿Qué hay de nuevo?
Sergio —No mucho.
Daniel —Oye, tu nueva compañera de clase es muy bonita.
Sergio —¿Ana? Sí, es una chica bonita, inteligente y muy simpática. Es alta y delgada...
Daniel —¡Caramba! ¡Es perfecta! ¿De dónde es?
Sergio —Es de la Ciudad de México. Bueno, me voy.
Daniel —Adiós. Saludos a Ana.

El doctor Martínez habla con los estudiantes.

Roberto —Buenas noches, profesor. ¿Cómo está usted?
Profesor —Bien, ¿y usted?
Roberto —Muy bien. Profesor, ¿cómo se dice "de nada" en inglés?
Profesor —Se dice "you're welcome"
María —¿Qué quiere decir "I'm sorry"?
Profesor —Quiere decir "lo siento".
María —Muchas gracias.
Profesor —De nada. Hasta mañana.
María —¿Hay clases mañana, profesor?
Profesor —Sí, señorita.
Maria —Muy bien. Hasta mañana.

Now the dialogues will be read with pauses for you to repeat what you hear. Imitate the speakers' intonation and pronunciation patterns.

En la clase María Inés habla con Pedro.

María Inés —Buenas tardes señora. /
Profesora —Buenas tardes, señorita. / ¿Cómo se llama usted? /
María Inés —Me llamo / María Inés Vega. /
Profesora —Mucho gusto, señorita Vega. /
María Inés —El gusto es mío. /
Profesora —¿Cuál es / su número de teléfono, / señorita? /
María Inés —Cinco - cero - siete - / cuatro - dos - nueve - ocho. /
Profesora —¿Cuál es su dirección? /
María Inés —Juárez, número diez. /
Pedro —Buenos días. / ¿Cómo te llamas? /
María Inés —Me llamo María Inés Vega. / ¿Y tú? /
Pedro —Pedro Morales. /

María Inés —¿De dónde eres, Pedro? / ¿De México? /
Pedro —Sí, soy mexicano. / ¿Y tú, eres norteamericana? /
María Inés —No, yo soy cubana. / Soy de La Habana. /

Daniel habla con Sergio.

Sergio —Hola, Daniel. / ¿Qué tal? /
Daniel —Bien, ¿y tú? / ¿Qué hay de nuevo? /
Sergio —No mucho. /
Daniel —Oye, tu nueva compañera de clase / es muy bonita. /
Sergio —¿Ana? Sí, es una chica bonita, / inteligente y muy simpática. / Es alta y delgada... /
Daniel —¡Caramba! ¡Es perfecta! / ¿De dónde es? /
Sergio —Es de la Ciudad de México. / Bueno, me voy. /
Daniel —Adiós. / Saludos a Ana.

El doctor Martínez habla con los estudiantes.

Roberto —Buenas noches, profesor. / ¿Cómo está usted? /
Profesor —Bien, ¿y usted? /
Roberto —Muy bien. / Profesor, / ¿cómo se dice "de nada" en inglés? /
Profesor —Se dice "you're welcome" /
María —¿Qué quiere decir "I'm sorry"? /
Profesor —Quiere decir "lo siento". /
María —Muchas gracias. /
Profesor —De nada. / Hasta mañana. /
María —¿Hay clases mañana, profesor? /
Profesor —Sí, señorita. /
María —Muy bien. / Hasta mañana. /

III. Preguntas y respuestas

The speaker will ask several questions based on the dialogues. Answer each question, always omitting the subject. The speaker will verify your response. Repeat the correct answer. Begin.

1. ¿La profesora Vargas habla con una alumna o con un profesor? / Habla con una alumna. /
2. ¿La alumna es María Inés Vega o María Inés Ruiz? / Es María Inés Vega. /
3. ¿María Inés habla con Juan o con Pedro? / Habla con Pedro. /
4. ¿Pedro es norteamericano o es mexicano? / Es mexicano. /
5. ¿María Inés es de México o es de La Habana? / Es de La Habana. /
6. ¿Ana es la compañera de clase de Daniel o de Sergio? / Es la compañera de clase de Sergio. /
7. ¿Ana es de la Ciudad de México o de La Habana? / Es de la Ciudad de México. /
8. ¿El doctor Martínez habla con los profesores o con los estudiantes? / Habla con los estudiantes. /

IV. Puntos para recordar

A. Repeat each noun you hear, adding the appropriate definite article. The speaker will verify your response. Repeat the correct answer. Follow the model. Begin.

MODELO: libro / *el libro* /

1. cuadernos / los cuadernos /
2. mano / la mano /
3. ventanas / las ventanas /
4. escritorio / el escritorio /
5. borrador / el borrador /
6. hombres / los hombres /
7. plumas / las plumas /
8. profesores / los profesores /
9. lápiz / el lápiz /
10. luz / la luz /
11. mapa / el mapa /
12. reloj / el reloj /
13. día / el día /
14. sillas / las sillas /
15. papel / el papel /

B. Repeat each noun you hear, adding the appropriate indefinite article. The speaker will verify your response. Repeat the correct answer. Follow the model. Begin.

MODELO: pluma / *una pluma* /

1. ventana / una ventana /
2. señor / un señor /
3. escritorios / unos escritorios /
4. lápices / unos lápices /
5. tiza / una tiza /
6. computadoras / unas computadoras /
7. silla / una silla /
8. señoritas / unas señoritas /
9. cuaderno / un cuaderno /
10. mapas / unos mapas /
11. bolígrafo / un bolígrafo /
12. mochilas / unas mochilas /

C. The speaker will name a series of people and places. Using the appropriate form of the verb, say where the people are from. The speaker will verify your response. Repeat the correct answer. Follow the model. Begin.

MODELO: Ud. / California /
Ud. es de California. /

1. nosotros / Madrid /
Nosotros somos de Madrid. /

2. ellos / Colombia /
   Ellos son de Colombia. /
3. tú / México /
   Tú eres de México. /
4. Jorge / Chile /
   Jorge es de Chile. /
5. yo / Argentina /
   Yo soy de Argentina. /
6. Uds. / Cuba /
   Uds. son de Cuba. /

D. The speaker will read several sentences, and will provide a cue for each one. Substitute the cue you hear in each sentence, making all necessary changes. The speaker will verify your response. Repeat the correct answer. Follow the model. Begin.

MODELO: El hombre es cubano. (mujeres) /
Las mujeres son cubanas. /

1. El lápiz es rojo. (plumas) /
   Las plumas son rojas. /
2. La mujer es mexicana. (hombres) /
   Los hombres son mexicanos. /
3. El señor es norteamericano. (señorita) /
   La señorita es norteamericana. /
4. La silla es blanca. (mesas) /
   Las mesas son blancas. /
5. La pluma es negra. (lápices) /
   Los lápices son negros. /
6. La mujer es alta. (hombres) /
   Los hombres son altos. /

V. Díganos

The speaker will ask you some questions. Answer, using the cues provided and always omitting the subject. The speaker will verify your response. Repeat the correct answer. Follow the model. Begin.

MODELO: —¿Miguel es alto? (sí) /
—Sí, es alto. /

1. ¿Es usted estudiante? (sí) /
   Sí, soy estudiante. /
2. ¿Es usted de Chile? (no, de California) /
   No, soy de California. /
3. ¿De dónde es el profesor? (de Cuba) /
   Es de Cuba. /
4. ¿La profesora es simpática? (sí) /
   Sí, es simpática. /
5. ¿El profesor habla inglés? (no, español) /
   No, habla español. /
6. ¿Cómo se dice "*desk*" en español? (escritorio) /
   Se dice "escritorio". /
7. ¿Qué quiere decir "de nada"? (*you're welcome*) /
   Quiere decir "*you're welcome*". /
8. ¿Los estudiantes son inteligentes? (sí) /
   Sí, son inteligentes. /

VI. Ejercicios de comprensión

A. Open your lab manual to Section VI. You will hear three statements about each picture. Circle the letter of the statement that best corresponds to the picture. The speaker will verify your response.

1. a. Quiere decir "*I'm sorry*".
   b. Quiere decir "*You're welcome*".
   c. Quiere decir "*How do you do?*" /

The answer is a: Quiere decir "*I'm sorry*".

2. a. Eva es mexicana.
   b. Eva es norteamericana.
   c. Eva es cubana. /

The answer is b: Eva es norteamericana.

3. a. Son profesores.
   b. Son doctores.
   c. Son alumnos. /

The answer is c: Son alumnos.

4. a. Se dice "pizarra".
   b. Se dice "reloj".
   c. Se dice "borrador". /

The answer is b: Se dice "reloj".

5. a. Buenas noches, señorita.
   b. Buenas tardes, señorita.
   c. Buenos días, señorita. /

The answer is c: Buenos días, señorita.

B. You will now hear some statements. Circle **L** if the statement is logical (**lógico**) or **I** if it is illogical (**ilógico**). The speaker will verify your response.

1. Soy norteamericano; soy de La Habana. / Ilógico /
2. "Silla" quiere decir "*chair*". / Lógico /
3. La doctora Rojas es profesora. / Lógico /
4. Hay una alumna y diez profesores en la clase. / Ilógico /
5. El escritorio es blanco. / Lógico /
6. Cinco y cinco son diez. / Lógico /
7. Ricky Martin es muy guapo. / Lógico /
8. El profesor habla con la ventana. / Ilógico /

C. Listen carefully to the dialogue, and then answer the questions, omitting the subjects. The speaker will confirm your response. Repeat the correct response.

Sr. Vigo —Buenos días, señorita.
Srta. Méndez —Buenos días, señor Vigo.
Sr. Vigo —¿De dónde es usted, señorita Méndez?
Srta. Méndez —Yo soy de México. ¿De dónde es usted?
Sr. Vigo —Yo soy de Cuba.
Srta. Méndez —¿Y la profesora Torres? ¿Ella es cubana?
Sr. Vigo —No, ella es norteamericana.
Srta. Méndez —Es muy simpática.
Sr. Vigo —Sí, y muy inteligente.

Now answer the speaker's questions. Begin.

1. ¿La Srta. Méndez es de Cuba o de México? / Es de México. /
2. ¿El Sr. Vigo es de Cuba o de Chile? / Es de Cuba. /
3. ¿La profesora Torres es norteamericana o cubana? / Es norteamericana. /
4. ¿La profesora Torres es bonita o simpática? / Es muy simpática. /
5. ¿La profesora Torres es inteligente o no? / Sí, es inteligente. /

VII. Para escuchar y escribir

A. Now open your lab manual to Secion VII. The speaker will dictate ten numbers. Each number will be repeated twice. Write them, using numerals rather than words. Begin.

1. / 10 /
2. / 7 /
3. / 3 /
4. / 6 /
5. / 2 /
6. / 5 /
7. / 8 /
8. / 1 /
9. / 4 /
10. / 0 /

B. The speaker will read five sentences. Each sentence will be read twice. After the first reading, write what you have heard. After the second reading, check your work and fill in what you have missed. Begin.

1. ¿Cómo se llama usted? /
2. El gusto es mío. /
3. El escritorio es marrón. /
4. ¿Qué hay de nuevo? /
5. Ella es una chica alta y delgada. /

END OF LESSON 1

LECCIÓN 2

I. Pronunciación

Listen and repeat the following sentences, paying close attention to linking. Begin.

1. Termina‿en‿agosto. /
2. Este semestre‿estudio‿historia. /
3. Deseo‿una botella de‿agua. /
4. Aquí‿está‿el‿libro. /
5. Felipe‿y‿Ana‿hablan‿inglés. /
6. Necesitamos‿su‿horario. /

II. Diálogos: ¿Qué clases tomamos?

The dialogues will be read first without pauses. Pay close attention to the speakers' intonation and pronunciation patterns.

Cuatro estudiantes de Latinoamérica hablan de sus clases en la Universidad de California en Los Ángeles.

Pedro, un muchacho argentino, habla con su amigo Jorge, un chico de Colombia.

Pedro —¿Qué asignaturas tomas este semestre, Jorge?
Jorge —Tomo matemáticas, inglés, historia y química. ¿Y tú?
Pedro —Yo estudio biología, física, literatura y también español.
Jorge —¿Es difícil la clase de física?
Pedro —No, todas mis clases son fáciles.
Jorge —¿Tú trabajas en la cafetería?
Pedro —No, trabajo en el laboratorio de lenguas.
Jorge —¿Y Adela? ¿Dónde trabaja ella?
Pedro —Ella y Susana trabajan en la biblioteca.
Jorge —¿Cuántas horas trabajan?
Pedro —Tres horas al día. Los lunes, miércoles y viernes.
Jorge —¿Trabajan en el verano?

Pedro —No, en junio, julio y agosto no trabajan.

Elsa y Dora conversan en la cafetería. Elsa es rubia, de ojos azules y Dora es morena, de ojos verdes.

Elsa —¿Qué deseas tomar?
Dora —Una taza de café. ¿Y tú?
Elsa —Un vaso de leche.
Dora —Oye, necesito mi horario de clases.
Elsa —Aquí está. ¿Cuántas clases tomas este semestre?
Dora —Cuatro. A ver..., ¿A qué hora es la clase de historia? ¿En qué aula es?
Elsa —Es a las nueve, en el aula número 78.
Dora —¿Qué hora es?
Elsa —Son las ocho y media.
Dora —¡Caramba! Me voy.
Elsa —¿Por qué?
Dora —Porque ya es tarde.
Elsa —¿A qué hora terminas hoy?
Dora —Termino a la una. Ah, ¿con quién estudias hoy?
Elsa —Con Eva, mi compañera de cuarto.

Now the dialogues will be read with pauses for you to repeat what you hear. Imitate the speakers' intonation patterns.

Pedro —¿Qué asignaturas tomas / este semestre, Jorge? /
Jorge —Tomo matemáticas, / inglés, / historia y química. / ¿Y tú? /
Pedro —Yo estudio biología, / física, / literatura y / también español. /
Jorge —¿Es difícil / tu clase de física? /
Pedro —No, todas mis clases / son fáciles. /
Jorge —¿Tú trabajas en la cafetería? /
Pedro —No, trabajo / en el laboratorio de lenguas. /
Jorge —¿Y Adela? / ¿Dónde trabaja ella? /
Pedro —Ella y Susana trabajan / en la biblioteca. /
Jorge —¿Cuántas horas trabajan? /
Pedro —Tres horas al día. / Los lunes, / miércoles y viernes.
Jorge —¿Trabajan / en el verano? /
Pedro —No, en junio, / julio y agosto / no trabajan. /

Elsa —¿Qué deseas tomar? /
Dora —Una taza de café. / ¿Y tú? /
Elsa —Un vaso de leche. /
Dora —Oye, necesito / mi horario de clases. /
Elsa —Aquí está. / ¿Cuántas clases tomas / este semestre? /
Dora —Cuatro. A ver... / ¿A qué hora es / la clase de historia? / ¿En qué aula es?
Elsa —Es a las nueve, / en el aula / número 78.
Dora —¿Qué hora es? /
Elsa —Son las ocho y media. /
Dora —¡Caramba! / Me voy. /
Elsa —¿Por qué? /
Dora —Porque ya es tarde. /
Elsa —¿A qué hora / terminas hoy? /
Dora —Termino a la una. / Ah, ¿con quién estudias hoy? /
Elsa —Con Eva, / mi compañera de cuarto. /

III. Preguntas y respuestas

The speaker will ask several questions based on the dialogues. Answer each question, always omitting the subject. The speaker will verify your response. Repeat the correct answer. Begin.

1. ¿Pedro habla con Jorge o con Elsa? / Habla con Jorge. /
2. ¿Jorge toma química o física? / Toma química. /
3. ¿Pedro toma literatura o historia? / Toma literatura. /
4. ¿Pedro trabaja en la cafetería o en el laboratorio de lenguas? / Trabaja en el laboratorio de lenguas. /
5. ¿Adela y Susana trabajan en la cafetería o en la biblioteca? / Trabajan en la biblioteca. /
6. ¿Trabajan ocho horas o tres horas al día? / Trabajan tres horas al día. /
7. ¿Susana y Adela trabajan o no trabajan en el verano? / No trabajan en el verano. /
8. ¿Elsa es rubia o morena? / Es rubia.
9. ¿Elsa desea tomar café o leche? / Desea tomar leche. /
10. ¿La clase de historia es a las nueve o a las diez? / Es a las nueve. /
11. ¿Dora termina a las doce o a la una? / Termina a la una. /
12. ¿Elsa estudia con Eva o con Dora? / Estudia con Eva. /

IV. Puntos para recordar

A. The speaker will ask several questions. Answer each one, always choosing the first possibility. The speaker will verify your response. Repeat the correct answer. Follow the model. Begin.

MODELO: —¿Ud. habla inglés o español? / *—Hablo inglés. /*

1. ¿El profesor trabaja en la universidad o en un laboratorio? /

Trabaja en la universidad. /

2. ¿Uds. estudian español o física? /
Estudiamos español. /
3. ¿Los profesores conversan en la cafetería o en la clase? /
Conversan en la cafetería. /
4. ¿Ud. necesita un lápiz o una pluma? /
Necesito un lápiz. /
5. ¿La clase termina a las diez o a las once? /
Termina a las diez. /
6. ¿Uds. toman leche o café? /
Tomamos leche. /
7. ¿Ud. desea tomar biología o física? /
Deseo tomar biología. /
8. ¿La profesora habla español o inglés? /
Habla español. /

B. Answer each question you hear, using the cue provided. Pay special attention to the use of interrogative words. The speaker will verify your response. Repeat the correct answer. Follow the model. Begin.

MODELO: —¿Dónde trabajas? (en el laboratorio de lenguas) /
—Trabajo en el laboratorio de lenguas. /

1. ¿Qué estudian Uds.? (español) /
Estudiamos español. /
2. ¿Dónde estudian Uds.? (en la biblioteca) /
Estudiamos en la biblioteca. /
3. ¿Quién habla español? (la profesora) /
La profesora habla español. /
4. ¿Cuándo estudian Uds.? (por la mañana) /
Estudiamos por la mañana. /
5. ¿Cuántos libros necesita Ud.? (cuatro) /
Necesito cuatro libros. /

C. Answer each question you hear in the negative, always omitting the subject. The speaker will verify your response. Repeat the correct answer. Follow the model. Begin.

MODELO: —¿Elsa trabaja por la mañana? /
—No, no trabaja por la mañana. /

1. ¿Tú trabajas en el verano? /
No, no trabajo en el verano. /
2. ¿Ellos hablan español? /
No, no hablan español. /
3. ¿Son de Arizona ellos? /
No, no son de Arizona. /
4. ¿Necesitan Uds. el cesto de papeles? /
No, no necesitamos el cesto de papeles. /
5. ¿Tú tomas café? /
No, no tomo café. /
6. ¿Toma Ud. física este semestre? /
No, no tomo física este semestre. /

D. Answer each question you hear, using the cue provided. The speaker will verify your response. Repeat the correct answer. Follow the model. Begin.

MODELO: —¿De dónde es tu profesora? (Honduras) /
—Mi profesora es de Honduras. /

1. ¿Dónde trabaja tu profesor? (Quito) /
Mi profesor trabaja en Quito. /
2. ¿De dónde es la profesora de Uds.? (Costa Rica) /
Nuestra profesora es de Costa Rica. /
3. ¿Tu profesor necesita su libro? (sí) /
Sí, mi profesor necesita su libro. /
4. ¿Tú necesitas tus libros? (sí) /
Sí, necesito mis libros. /
5. ¿Los profesores de Uds. hablan español? (no) /
No, nuestros profesores no hablan español. /
6. ¿Qué días son tus clases? /
Mis clases son los miércoles. /

E. Repeat each word you hear, adding the appropriate definite article. The speaker will verify your response. Repeat the correct answer. Follow the model. Begin.

MODELO: universidad / *la universidad* /

1. lecciones / las lecciones /
2. programa / el programa /
3. borradores / los borradores /
4. libertad / la libertad /
5. televisión / la televisión /
6. clases / las clases /
7. problemas / los problemas /
8. café / el café /
9. idioma / el idioma /
10. noches / las noches /

F. You will hear several questions. The person asking these questions is always a day ahead. Respond saying the correct day. The speaker will verify your response. Repeat the correct answer. Follow the model.

MODELO: —¿Hoy es lunes? /
—No, hoy es domingo. /

1. ¿Hoy es miércoles? / No, hoy es martes. /
2. ¿Hoy es domingo? / No, hoy es sábado. /
3. ¿Hoy es viernes? / No, hoy es jueves. /
4. ¿Hoy es martes? / No, hoy es lunes. /
5. ¿Hoy es sábado? / No, hoy es viernes. /
6. ¿Hoy es jueves? / No, hoy es miércoles. /

G. The speaker will name a month. State the season in which the month falls. The speaker will verify your response. Repeat the correct answer. Follow the model.

MODELO: diciembre / *el invierno* /

1. octubre / el otoño /
2. abril / la primavera /
3. febrero / el invierno /
4. agosto / el verano /
5. mayo / la primavera /
6. noviembre / el otoño /
7. enero / el invierno /
8. junio / el verano /
9. marzo / la primavera /
10. septiembre / el otoño /
11. julio / el verano /

H. The speaker will name a day of the year. Say its date. The speaker will verify your response. Repeat the correct answer. Follow the model.

MODELO: Veterans Day / *el once de noviembre* /

1. New Year's Day / el primero de enero /
2. Valentine's Day / el catorce de febrero /
3. the first day of spring / el veintiuno de marzo /
4. the first day of summer / el veintiuno de junio /
5. Independence Day / el cuatro de julio /
6. the last day of August / el treinta y uno de agosto /
7. the first day of autumn / el veintidós de septiembre /
8. Columbus Day / el doce de octubre /
9. Halloween / el treinta y uno de octubre /
10. Christmas / el veinticinco de diciembre /

V. Díganos

The speaker will ask you some questions. Answer them, always omitting the subject and using the cues provided. The speaker will verify your response. Repeat the correct answer. Follow the model.

MODELO: —¿Estudia Ud. por la mañana? (por la tarde) /
—No, estudio por la tarde. /

1. ¿Cuántas clases toma Ud. este semestre? (dos) /
   Tomo dos clases este semestre. /
2. ¿Qué asignaturas toma Ud.? (historia y español) /
   Tomo historia y español. /
3. ¿A qué hora es la clase de español? (a las nueve) /
   La clase de español es a las nueve. /
4. ¿Ud. estudia biología? (no) /
   No, no estudio biología. /
5. ¿Dónde trabaja Ud.? (en la biblioteca) /
   Trabajo en la biblioteca. /
6. ¿Cuántas horas al día trabaja Ud.? (cuatro) /
   Trabajo cuatro horas al día. /
7. ¿Uds. estudian en el verano? (no) /
   No, no estudiamos en el verano. /
8. Por la mañana, ¿Ud. toma leche o café? (café) /
   Por la mañana tomo café. /

VI. Ejercicios de comprensión

A. Open your lab manual to Section VI. You will hear three statements about each picture. Circle the letter of the statement that best corresponds to the picture. The speaker will verify your response.

1. a. Dora toma matemáticas este semestre.
   b. Dora toma literatura este semestre.
   c. Dora toma inglés este semestre. /

   The answer is a: Dora toma matemáticas este semestre.

2. a. Sofía estudia en el laboratorio de lenguas.
   b. Sofía estudia en la biblioteca.
   c. Sofía estudia en la cafetería. /

   The answer is b: Sofía estudia en la biblioteca.

3. a. Oscar toma química.
   b. Oscar toma literatura.
   c. Oscar toma biología. /

   The answer is b: Oscar toma literatura.

4. a. Fernando desea un vaso de leche.
   b. Fernando desea el horario de clases.
   c. Fernando desea una taza de café. /

   The answer is c: Fernando desea una taza de café.

5. a. Es la una y media.
   b. Son las dos menos cuarto.
   c. Es la una. /

   The answer is a: Es la una y media.

B. You will now hear some statements. Circle **L** if the statement is logical (**lógico**) or **I** if it is illogical (**ilógico**). The speaker will verify your response.

1. Elsa trabaja en el verano. Trabaja en julio y agosto. / Lógico /
2. Ana estudia a Picasso en la clase de química. / Ilógico /

3. Nosotros estudiamos en la biblioteca. / Lógico /
4. Yo trabajo treinta horas al día. / Ilógico /
5. La clase de historia es por la mañana. Es a las tres. / Ilógico /
6. Roberto desea un jugo de naranja. / Lógico /
7. Los estudiantes conversan en la cafetería. / Lógico /
8. Deseo una taza de café. / Lógico /
9. Hoy es lunes. Mañana es jueves. / Ilógico /
10. Estudiamos a Washington en la clase de música. / Ilógico /

C. Listen carefully to the dialogue, and then answer the questions, omitting the subjects. The speaker will confirm your response. Repeat the correct response.

Pablo —¿Qué deseas tomar, Alicia? ¿Una taza de café?
Alicia —No, un jugo de naranja, por favor.
Pablo —Oye, ¿tú trabajas hoy?
Alicia —No, yo no trabajo los viernes.
Pablo —¿Tú tomas una clase de química este semestre?
Alicia —Sí, con la Dra. Molina. ¡Y es muy difícil!
Pablo —Yo tomo literatura. Es muy fácil.
Alicia —Oye, Pablo, ¿qué hora es?
Pablo —Son las diez y media.
Alicia —Caramba. Me voy porque es tarde. Hasta luego.
Pablo —Hasta luego.

Now answer the speaker's questions.

1. ¿Alicia desea tomar café o jugo de naranja? / Desea tomar jugo de naranja. /
2. ¿Alicia trabaja o no trabaja los viernes? / No trabaja los viernes. /
3. ¿Alicia toma química con el Dr. Parra o con la Dra. Molina? / Toma química con la Dra. Molina. /
4. Para Alicia, ¿la química es fácil o difícil? / Es difícil. /
5. ¿Pablo toma historia o literatura? / Toma literatura. /
6. ¿Son las diez y media o las once y media? / Son las diez y media. /

VII. Para escuchar y escribir

A. Now open your lab manual to Section VII. The speaker will dictate twelve numbers. Each number will be read twice. Write them, using numerals rather than words.

1. 89 /
2. 22 /
3. 56 /
4. 45 /
5. 15 /
6. 37 /
7. 72 /
8. 61 /
9. 50 /
10. 100 /
11. 17 /
12. 94 /

B. The speaker will read five sentences. Each sentence will be read twice. After the first reading, write what you have heard. After the second reading, check your work and fill in what you have missed.

1. ¿Qué asignatura toman ustedes? /
2. Ana estudia en la biblioteca. /
3. Nosotros trabajamos en el laboratorio de lenguas. /
4. Necesito el horario de clases. /
5. Rita es rubia de ojos verdes. /

END OF LESSON 2

LECCIÓN 3

I. Pronunciación

Listen and repeat the following words, paying close attention to the pronunciation of **b** and **v.** Begin.

béisbol / vinagre / abuelo / lavar / llevar / basura / venir / escoba / vivir / bueno / lavadora / Benavente

Now listen and repeat the following sentences, paying close attention to the pronunciation of **b** and **v.** Begin.

1. La nueva biblioteca es buena. /
2. Víctor y Beatriz beben una botella de vino blanco. /
3. Roberto Vera vive bien en Nevada. /
4. Los jueves y los viernes, Beto y yo navegamos la red. /
5. Verónica Barrios viene el sábado veintinueve.

II. Diálogos: Un día muy ocupado

The dialogues will be read first without pauses. Pay close attention to the speakers' intonation and pronunciation patterns.

Luis y Olga Rojas son cubanos, pero ahora viven en Miami con sus hijos Alina y Luisito. Alina tiene catorce años y Luisito tiene dieciséis. Los padres de Luis vienen a pasar este fin de semana con ellos, y hoy es un día muy ocupado porque tienen muchas cosas que hacer: limpiar la casa, preparar la comida, lavar la ropa, cortar el césped...

Luis —Alina, tienes que barrer la cocina, limpiar el baño y pasar la aspiradora.

Alina —Ahora no, porque tengo que llevar la ropa a la tintorería. (A Luisito) ¿De dónde vienes?

Luisito —Vengo de la casa de Oscar. Mamá, tengo hambre. ¿Qué hay para comer?

Olga —En el refrigerador hay congrí.

Luis —No, eso es para esta noche. ¿Por qué no comes un sándwich?

Alina —Bueno... pero primero debes sacar la basura y barrer el garaje. Aquí está la escoba.

Luisito —(Abre la ventana.) Tengo calor. ¿Hay limonada? Tengo sed.

Alina —¿Por qué no bebes agua?

Luis —¡Luisito! El garaje.

Luisito —Ya voy, pero no es justo.

Mientras Olga plancha las camisas de Luisito, Luis sacude los muebles del dormitorio y de la sala y después lava los platos.

Por la noche

Olga —¿A qué hora vienen tus padres?

Luis —A las siete. Llegan dentro de media hora.

Olga —Tengo que poner la mesa. Luisito, dame esos platos.

Luis —¿Preparo la ensalada? Luisito, dame el aceite y el vinagre.

Luisito —Un momento... ¿A qué hora es el juego de béisbol?

Olga —A las siete, pero a esa hora llegan tus abuelos.

Al rato tocan a la puerta y Alina corre a abrir.

Now the dialogues will be read with pauses for you to repeat what you hear. Imitate the speakers' intonation and pronunciation patterns.

Luis —Alina, tienes que barrer la cocina, / limpiar el baño / y pasar la aspiradora. /

Alina —Ahora no, / porque tengo que llevar la ropa / a la tintorería. / ¿De dónde vienes? /

Luisito —Vengo de la casa de Oscar. / Mamá, tengo hambre. / ¿Qué hay para comer? /

Olga —En el refrigerador hay congrí. /

Luis —No, eso es para esta noche. / Por qué no comes un sándwich? /

Alina —Bueno... pero primero / debes sacar la basura / y barrer el garaje. / Aquí está la escoba. /

Luisito —Tengo calor. / ¿Hay limonada? / Tengo sed. /

Alina —¿Por qué no bebes agua? /

Luis —¡Luisito! El garaje. /

Luisito —Ya voy, pero no es justo. /

Olga —¿A qué hora vienen tus padres? /

Luis —A las siete. / Llegan dentro de media hora. /

Olga —Tengo que poner la mesa. / Luisito, dame esos platos. /

Luis —¿Preparo la ensalada? / Luisito, dame el aceite y el vinagre.

Luisito —Un momento. / ¿A qué hora es / el juego de béisbol? /

Olga —A las siete, / pero a esa hora / llegan tus abuelos. /

III. Preguntas y respuestas

The speaker will ask several questions based on the dialogues. Answer each question, always omitting the subject. The speaker will verify your response. Repeat the correct answer. Begin.

1. ¿Luis y Olga Rojas tienen cinco hijos o dos hijos? /
   Tienen dos hijos. /
2. ¿Hoy vienen los padres de Luis o los padres de Olga? /
   Vienen los padres de Luis. /
3. ¿Alina tiene que barrer la cocina o cortar el césped? /
   Tiene que barrer la cocina. /
4. ¿Luisito viene de la casa de Jorge o de la casa de Oscar? /
   Viene de la casa de Oscar. /
5. ¿Luisito tiene hambre o tiene sueño? /
   Tiene hambre. /
6. ¿Luisito debe pasar la aspiradora o sacar la basura? /
   Debe sacar la basura. /
7. ¿Luisito necesita la tostadora o la escoba? /
   Necesita la escoba. /
8. ¿Luisito desea beber limonada o agua? /
   Desea beber limonada. /

9. ¿Luisito tiene calor o tiene frío? /
Tiene calor. /
10. ¿Olga plancha las camisas o sacude los muebles? /
Plancha las camisas. /
11. ¿Los padres de Luis vienen a las ocho o a las siete? /
Vienen a las siete. /
12. ¿Luis necesita el aceite y el vinagre o los platos? /
Necesita el aceite y el vinagre. /

IV. Puntos para recordar

A. The speaker will ask several questions. Answer each one, using the cue provided. The speaker will verify your response. Repeat the correct answer. Follow the model.

MODELO: —¿Qué bebes tú? (café) /
—Bebo café. /

1. ¿Dónde comen ustedes? (en nuestra casa) /
Comemos en nuestra casa. /
2. ¿Dónde vives tú? (en la calle Figueroa) /
Vivo en la calle Figueroa. /
3. ¿Qué debes barrer? (la cocina) /
Debo barrer la cocina. /
4. ¿Qué sacuden ustedes? (los muebles) /
Sacudimos los muebles. /
5. ¿Cuándo corres tú? (por la mañana) /
Corro por la mañana. /
6. ¿Qué bebe Luisito? (limonada) /
Bebe limonada. /

B. The speaker will name a series of objects and their owners. Using the verb **ser,** say to whom the items belong. The speaker will verify your response. Repeat the correct answer. Follow the model.

MODELO: la plancha / Elena /
Es la plancha de Elena. /

1. la camisa / Jorge /
Es la camisa de Jorge. /
2. la casa / Olga /
Es la casa de Olga. /
3. los muebles / Carlos /
Son los muebles de Carlos. /
4. la licuadora / Mario /
Es la licuadora de Mario. /
5. la cafetera / Rita /
Es la cafetera de Rita. /

C. The speaker will read some sentences. Change each sentence according to the new subject. The speaker will verify your response. Repeat the correct answer. Follow the model.

MODELO: Ella viene a las ocho. (Uds.) /
Uds. vienen a las ocho. /

1. María no tiene los platos. (yo) /
Yo no tengo los platos. /
2. Olga viene de la tintorería. (nosotros) /
Nosotros venimos de la tintorería. /
3. Carlos viene con su abuelo. (tú) /
Tú vienes con tu abuelo. /
4. Ellos tienen las camisas. (nosotros) /
Nosotros tenemos las camisas. /
5. Mis padres vienen hoy. (yo) /
Yo vengo hoy. /
6. Uds. tienen la ropa. (tú) /
Tú tienes la ropa. /

D. Say what the people mentioned have to do. The speaker will verify your response. Repeat the correct answer. Follow the model.

MODELO: Rosa / abrir la puerta
Rosa tiene que abrir / la puerta.

1. Carlos y yo / limpiar la casa /
Carlos y yo tenemos que limpiar la casa. /
2. tú / barrer la cocina /
Tú tienes que barrer la cocina. /
3. Ana y Luis / sacudir los muebles /
Ana y Luis tienen que sacudir los muebles. /
4. nosotros / sacar la basura /
Nosotros tenemos que sacar la basura. /
5. José / cortar el césped /
José tiene que cortar el césped. /

E. Use expressions with **tener** to say how the people described in each statement feel according to the situation. The speaker will verify your response. Repeat the correct answer. Follow the model.

MODELO: I am in Alaska in January. /
Yo tengo mucho frío. /

1. My friend and I haven't eaten for twenty hours. /
Tenemos mucha hambre. /
2. My son needs to get to the game right away. /
Mi hijo tiene mucha prisa. /
3. Your throat is very dry. /
Tú tienes mucha sed. /
4. Carlos hasn't slept for thirty hours. /
Carlos tiene mucho sueño. /
5. The girls are going through a dark alley and they hear footsteps. /
Las chicas tienen mucho miedo. /
6. Marta is in the Arizona desert in August. /
Marta tiene mucho calor. /

F. The speaker will give you demonstrative adjectives and nouns. Change the demonstrative adjective with each new noun. The speaker will verify your response. Repeat the correct answer. Follow the model.

MODELO: este hombre / (mujer) /
esta mujer /

1. estos vasos (copas) /
estas copas /
2. aquel señor (señora) /
aquella señora /
3. ese plato (bolígrafos) /
esos bolígrafos /
4. esas licuadoras (cafetera) /
esa cafetera /
5. aquellas lavadoras (muebles) /
aquellos muebles /

V. Díganos

The speaker will ask you some questions. Answer them, using the cues provided. The speaker will verify your response. Repeat the correct answer. Follow the model.

MODELO: —¿Usted vive en Miami? (no) /
—No, no vivo en Miami. /

1. ¿Usted tiene hijos? (sí, dos) /
Sí, tengo dos hijos. /
2. ¿Usted tiene que limpiar la casa? (sí, mañana) /
Sí, tengo que limpiar la casa mañana. /
3. ¿Ud. lleva la ropa a la tintorería? (no) /
No, no llevo la ropa a la tintorería. /
4. ¿Ud. viene de la casa de una amiga? (sí) /
Sí, vengo de la casa de una amiga. /
5. ¿Ud. bebe limonada? (no, jugo de naranja) /
No, bebo jugo de naranja. /
6. ¿Qué come Ud. por la noche? (sándwiches y ensalada) /
Como sándwiches y ensalada. /
7. ¿Corre Ud. por la mañana? (no, por la noche) /
No, corro por la noche. /
8. ¿Tiene Ud. hambre? (no, sed) /
No, tengo sed. /
9. ¿Qué necesita Ud. para barrer? (la escoba) /
Necesito la escoba. /
10. ¿Qué tiene que planchar Ud.? (las camisas) /
Tengo que planchar las camisas. /

VI. Ejercicios de comprensión

A. Open your lab manual to Section VI. You will hear three statements about each picture. Circle the letter of the statement that best corresponds to the picture. The speaker will verify your response.

1. a. Eva plancha la ropa.
b. Eva corre a abrir la puerta.
c. Eva abre la ventana.

The answer is b: Eva corre a abrir la puerta.

2. a. Raúl corta el césped.
b. Raúl pasa la aspiradora.
c. Raúl lava los platos.

The answer is a: Raúl corta el césped.

3. a. Rosa sacude los muebles.
b. Rosa pone la mesa.
c. Rosa barre la cocina.

The answer is c: Rosa barre la cocina.

4. a. Los padres de Ana vienen este fin de semana.
b. Los padres de Ana trabajan el domingo.
c. Los padres de Ana estudian los sábados.

The answer is a: Los padres de Ana vienen este fin de semana.

5. a. Beto lleva la ropa a la tintorería.
b. Beto limpia el baño.
c. Beto saca la basura.

The answer is c: Beto saca la basura.

B. You will now hear some statements. Circle **L** if the statement is logical (**lógico**) or **I** if it is illogical (**ilógico**). The speaker will verify your response.

1. No vienen el sábado porque ellos trabajan los fines de semana. / (Lógico)
2. Necesito comer porque tengo mucho sueño. / (Ilógico)
3. Tengo que llevar el césped a la tintorería. / (Ilógico)
4. Hay una ensalada en el refrigerador. / (Lógico)
5. Abre la ventana porque tiene mucho calor. / (Lógico)
6. Necesito la escoba para poner la mesa. / (Ilógico)
7. Luis plancha los platos. I (Ilógico)
8. Necesito la plancha para barrer el garaje. / (Ilógico)
9. Eva necesita el aceite y el vinagre para la ensalada. / (Lógico)
10. Hay sándwiches en la lavadora. / (Ilógico)

C. Listen carefully to the dialogue and then answer the questions, omitting the subjects. The speaker will confirm your response. Repeat the correct answer.

Diana —¿Tienes hambre, Víctor?
Víctor —Sí, ¿qué hay en el refrigerador?

Diana —Una ensalada.
Víctor —¡Ay, Diana! ¡Ensalada los sábados! ¡Ensalada los domingos! ¡Ensalada los lunes!
Diana —Bueno... hay un sándwich...
Víctor —Gracias. Oye... necesito planchar mi camisa azul.
Diana —Primero tienes que cortar el césped y pasar la aspiradora.
Víctor —No... tengo mucho calor...
Diana —¿Deseas beber limonada o agua?
Víctor —No, un vaso de cerveza.

Now answer the speaker's questions.

1. ¿Víctor tiene hambre o tiene miedo? / Tiene hambre. /
2. En el refrigerador, ¿hay congrí o hay una ensalada? / Hay una ensalada. /
3. ¿Víctor desea comer ensalada o un sándwich? / Desea comer un sándwich. /
4. ¿Víctor necesita planchar su camisa azul o su camisa blanca? / Necesita planchar su camisa azul. /
5. ¿Víctor tiene que cortar el césped o lavar los platos? / Tiene que cortar el césped. /
6. ¿Tiene que barrer la cocina o pasar la aspiradora? / Tiene que pasar la aspiradora. /
7. ¿Víctor tiene frío o tiene calor? / Tiene calor. /
8. ¿Víctor desea beber limonada o cerveza? / Desea beber cerveza. /

VII. Para escuchar y escribir

A. Now open your lab manual to Section VII. The speaker will dictate twelve numbers. Each number will be read twice. Write them, using numerals rather than words.

1. 589 /	5. 215 /	9. 650 /
2. 322 /	6. 937 /	10. 4.112 /
3. 1.000 /	7. 438 /	11. 7.960 /
4. 796 /	8. 143 /	12. 13.870 /

B. The speaker will read five sentences. Each sentence will be read twice. After the first reading, write what you have heard. After the second reading, check your work and fill in what you have missed. Begin.

1. Tienen muchas cosas que hacer. /
2. Hoy es un día muy ocupado. /
3. Tengo que llevar la ropa a la tintorería. /
4. Primero debes sacar la basura y barrer. /
5. Luis sacude los muebles del dormitorio. /

END OF LESSON 3

LECCIÓN 4

I. Pronunciación

Listen and repeat the following words, paying close attention to the pronunciation of the consonant **c**. Begin.

club / café / capital / camarero / cansado / cuñado / concierto / conocer / cerca / cine / información / decidir /

Now listen and repeat the following sentences, paying close attention to the pronunciation of the consonant **c**. Begin.

1. Clara conversa con Claudia. /
2. La camarera come en el café. /
3. César va al cine y al club. /
4. Graciela come a las cinco. /
5. Celia conduce con Carmen. /

II. Diálogos: Actividades para un fin de semana

The dialogues will be read first without pauses. Pay close attention to the speakers' intonation and pronunciation patterns.

Lupe y su esposo Raúl planean varias actividades para el fin de semana. La pareja vive en San Juan, la capital de Puerto Rico.

Lupe —Esta noche estamos invitados a ir al teatro con tu mamá y con tus tíos.
Raúl —¿Por qué no llevamos también a mi hermana?
Lupe —No, hoy ella va al cine con su novio y después van a visitar a doña Ana.
Raúl —Ah, sí... la madrina de Héctor. Ah, manaña vienen tus padres a comer, ¿no?

Lupe —Sí, y después vamos todos al club a jugar al tenis.
Raúl —No me gusta jugar al tenis. ¿Por qué no vamos a nadar?
Lupe —Pero yo no sé nadar bien...
Raúl —Tienes que aprender, Lupita.
Lupe —Es verdad... Bueno, vamos a la piscina, y por la noche vamos al concierto.
Raúl —Perfecto. Oye, tengo mucha hambre. ¿Hay algo para comer?
Lupe —Sí, tenemos queso, frutas y esos sándwiches de jamón y queso que están en la mesa.

Al día siguiente, Carmen, la hermana de Raúl, está en un café al aire libre con su novio.

Carmen —¿Qué hacemos esta tarde? ¿Adónde vamos…? ¿Vamos a patinar?
Héctor —No sé… Estoy cansado y tengo ganas de ver el juego de béisbol.
Carmen —Bueno, vamos al estadio y por la noche vamos al club.
Héctor —No, mi jefe da una fiesta esta noche y estamos invitados.
Carmen —¡Ay, Héctor! Yo no conozco a tu jefe. Además vive muy lejos.
Héctor —¡Yo conduzco! ¿Por qué no vamos a la fiesta un rato y después vamos al club a bailar?
Carmen —¡Buena idea! Oye, ¿comemos algo?
Héctor —Sí, voy a llamar al camarero. ¿Qué vas a comer?
Carmen —Un sándwich de jamón y queso. ¿Y tú?
Héctor —Yo voy a comer una tortilla. En este café hacen unas tortillas muy buenas.
Carmen —Oye, ¿tomamos un refresco?
Héctor —Sí, una Coca-Cola.

Now the dialogues will be read with pauses for you to repeat what you hear. Imitate the speakers' intonation patterns.

Lupe —Esta noche / estamos invitados / a ir al teatro / con tu mamá / y con tus tíos. /
Raúl —¿Por qué no llevamos / también a mi hermana? /
Lupe —No, hoy ella va al cine / con su novio / y después / van a visitar / a doña Ana. /
Raúl —Ah, sí... / la madrina de Héctor. / Ah, mañana / vienen tus padres / a comer, ¿no? /
Lupe —Sí, y después / vamos todos al club / a jugar al tenis. /
Raúl —No me gusta / jugar al tenis. / ¿Por qué no vamos / a nadar? /
Lupe —Pero yo no sé / nadar bien. /
Raúl —Tienes que aprender, / Lupita. /
Lupe —Bueno, vamos a la piscina, / y por la noche / vamos al concierto. /
Raúl —Perfecto. / Oye, tengo mucha hambre. / ¿Hay algo para comer? /
Lupe —Sí, tenemos queso, frutas / y esos sándwiches / de jamón y queso / que están en la mesa. /

Carmen —¿Qué hacemos esta tarde? / ¿Adónde vamos…? / ¿Vamos a patinar? /
Héctor —No sé… / Estoy cansado / y tengo ganas de ver / el juego de béisbol. /
Carmen —Bueno, vamos al estadio / y por la noche / vamos al club. /
Héctor —No, mi jefe / da una fiesta esta noche / y estamos invitados. /
Carmen —¡Ay, Héctor! / Yo no conozco a tu jefe. / Además vive muy lejos. /
Héctor —Yo conduzco. / ¿Por que no vamos / a la fiesta un rato / y después vamos / al club a bailar? /
Carmen —¡Buena idea! / Oye, ¿comemos algo? /
Héctor —Sí, voy a llamar / al camarero. / ¿Qué vas a comer? /
Carmen —Un sándwich de jamón y queso. / ¿Y tú? /
Héctor —Yo voy a comer / una tortilla. / En este café / hacen unas tortillas / muy buenas. /
Carmen —Oye, / ¿tomamos un refresco? /
Héctor —Sí, una Coca-Cola. /

III. Preguntas y respuestas

The speaker will ask several questions based on the dialogues. Answer each question, omitting the subject whenever possible. The speaker will verify your response. Repeat the correct answer. Begin.

1. ¿Lupe y Raúl planean actividades para el verano o para el fin de semana? /
   Planean actividades para el fin de semana. /
2. ¿La pareja vive en Puerto Rico o en Miami? /
   Vive en Puerto Rico. /
3. ¿Planean ir al teatro por la tarde o por la noche? /
   Planean ir al teatro por la noche. /
4. ¿Mañana vienen a comer los padres de Lupe o los padres de Raúl? /
   Vienen a comer los padres de Lupe. /
5. ¿Lupe tiene que aprender a nadar bien o a jugar al tenis? /

Tiene que aprender a nadar bien. /

6. ¿Raúl desea comer o tomar algo? /
   Desea comer algo. /
7. ¿Carmen es la hermana o la tía de Raúl? /
   Es la hermana de Raúl. /
8. ¿Héctor tiene ganas de ver el juego de béisbol o de patinar? /
   Tiene ganas de ver el juego de béisbol. /
9. ¿Quién da una fiesta, el jefe de Héctor o la novia de Héctor? /
   El jefe de Héctor da una fiesta. /
10. Después de la fiesta, ¿van al club o al cine? /
    Van al club. /
11. ¿Carmen come un sándwich de jamón o de jamón y queso? /
    Come un sándwich de jamón y queso. /
12. ¿Carmen y Héctor toman un refresco o toman leche? /
    Toman un refresco. /

IV. Puntos para recordar

A. The speaker will ask several questions. Answer each one, using the cue provided. The speaker will verify your response. Repeat the correct answer. Follow the model.

MODELO: —¿A qué hora sales de tu casa? (a las siete) /
—*Salgo de mi casa a las siete.* /

1. ¿Tú haces la comida? (sí) /
   Sí, yo hago la comida. /
2. ¿Tú conoces San Juan? (no) /
   No, no conozco San Juan. /
3. ¿A quién ves los domingos? (a mi hermana) /
   Veo a mi hermana. /
4. ¿Sabes nadar? (sí, muy bien) /
   Sí, sé nadar muy bien. /
5. ¿Qué traes para comer? (jamón y queso) /
   Traigo jamón y queso. /
6. ¿Tú conduces un Ford o un Toyota? (un Ford) /
   Conduzco un Ford. /
7. ¿Dónde pones los refrescos? (en el refrigerador) /
   Pongo los refrescos en el refrigerador. /

B. The speaker will give you some cues. Use them to say what or whom the people mentioned know or what they know how to do, using **saber** or **conocer**. The speaker will verify your response. Repeat the correct answer. Follow the model.

MODELO: yo / al novio de Alina /
Yo conozco al novio de Alina. /

1. nosotros / dónde vive ella /
   Nosotros sabemos dónde vive ella. /
2. yo / dónde está la biblioteca /
   Yo sé dónde está la biblioteca. /
3. tú / al esposo de la profesora /
   Tú conoces al esposo de la profesora. /
4. Carmen / nadar /
   Carmen sabe nadar. /
5. ellos / Puerto Rico /
   Ellos conocen Puerto Rico. /
6. mi hermana / patinar /
   Mi hermana sabe patinar. /

C. Answer each question you hear in the negative, using the cues provided and the personal **a** as needed. The speaker will confirm your response. Repeat the correct answer. Follow the model.

MODELO: —¿Llamas a Rosa? (Marta) /
—*No, llamo a Marta.* /

1. ¿Llevas a tu hermano? (padres) /
   No, llevo a mis padres. /
2. ¿Llamas un taxi? (mi esposo) /
   No, llamo a mi esposo. /
3. ¿Deseas un refresco? (café) /
   No, deseo café. /
4. ¿Conoces a Carlos? (su hermana) /
   No, conozco a su hermana. /
5. ¿Comes frutas? (queso) /
   No, como queso. /

D. The speaker will ask several questions. Answer each one, using the cue provided. The speaker will verify your response. Repeat the correct answer. Follow the model.

MODELO: —¿De quién es el libro? (el profesor) /
—*Es del profesor.* /

1. ¿De dónde vienen Uds.? (el teatro) /
   Venimos del teatro. /
2. ¿A quién conocen ellos? (Sr. Vargas) /
   Conocen al Sr. Vargas. /
3. ¿De dónde viene Patricia? (la biblioteca) /
   Viene de la biblioteca. /
4. ¿A quién llamas tú? (Srta. García) /
   Llamo a la Srta. García. /
5. ¿De quién es el escritorio? (el señor Vega) /
   Es del señor Vega. /
6. ¿A quién llevas a la fiesta? (el hermano de Eva) /
   Llevo al hermano de Eva. /

E. The speaker will give you some cues. Use them to say where the people mentioned are, how they are, what they give, or where they go. The speaker will verify your response. Repeat the correct answer. Follow the model.

MODELO: Jorge / al cine /
Jorge va al cine. /

1. Teresa / cansada /
Teresa está cansada. /
2. nosotros / en la universidad /
Nosotros estamos en la universidad. /
3. mis tíos / una fiesta /
Mis tíos dan una fiesta. /
4. mi jefe / al teatro /
Mi jefe va al teatro. /
5. los estudiantes / en el estadio /
Los estudiantes están en el estadio. /
6. yo / muchas fiestas /
Yo doy muchas fiestas. /
7. mis padres / al juego de béisbol /
Mis padres van al juego de béisbol. /
8. yo / a la piscina /
Yo voy a la piscina. /
9. nosotros / nuestro número de teléfono /
Nosotros damos nuestro número de teléfono. /
10. yo / en la clase de español /
Yo estoy en la clase de español. /

F. The speaker will ask several questions. Answer each one, using the cue provided. The speaker will verify your response. Repeat the correct answer. Follow the model.

MODELO: —¿Con quién vas a bailar? (Daniel) /
—Voy a bailar con Daniel. /

1. ¿A quién van a llevar Uds.? (Silvia) /
Vamos a llevar a Silvia. /
2. ¿Cuándo vas a dar la fiesta? (el sábado) /
Voy a dar la fiesta el sábado. /
3. ¿Dónde van a estar Uds. mañana? (en el club) /
Vamos a estar en el club. /
4. ¿A quién vas a llevar a la fiesta? (a María) /
Voy a llevar a María. /
5. ¿Qué vas a comer? (una tortilla) /
Voy a comer una tortilla. /
6. ¿Qué van a tomar ellos? (refrescos) /
Van a tomar refrescos. /

V. Díganos

The speaker will ask you some questions. Answer them, using the cues provided. The speaker will verify your response. Repeat the correct answer. Follow the model. Begin.

MODELO: —¿Qué planea Ud. para el fin de semana? (varias actividades) /
—Planeo varias actividades para el fin de semana. /

1. ¿Qué tiene Ud. ganas de hacer hoy? (nadar) /
Hoy tengo ganas de nadar. /
2. ¿Hoy va al cine o al teatro? (cine) /
Hoy voy al cine. /
3. ¿Le gusta jugar al tenis? (no) /
No, no me gusta jugar al tenis. /
4. ¿Va Ud. a ver un juego de béisbol esta noche? (no) /
No, no voy a ver un juego de béisbol esta noche. /
5. ¿Ud. sabe patinar? (sí) /
Sí, sé patinar. /
6. ¿Qué toma Ud. cuando tiene sed? (refrescos) /
Tomo refrescos cuando tengo sed. /
7. ¿A quién va a llamar Ud. mañana? (mis padres) /
Mañana voy a llamar a mis padres. /
8. ¿Vive Ud. lejos de la universidad? (sí) /
Sí, vivo lejos de la universidad. /

VI. Ejercicios de comprensión

A. Open your lab manual to Section VI. You will hear three statements about each picture. Circle the letter of the statement that best corresponds to the picture. The speaker will verify your response.

1. a. Rita va a llamar a su jefe.
b. Rita va a llamar a su hermano.
c. Rita va a llamar al camarero. /

The answer is c: Rita va a llamar al camarero.

2. a. Ernesto está en el estadio.
b. Ernesto está en la piscina.
c. Ernesto está en el cine. /

The answer is b: Ernesto está en la piscina.

3. a. Sara tiene ganas de comer frutas.
b. Sara tiene ganas de ir a patinar.
c. Sara tiene que trabajar esta noche. /

The answer is b: Sara tiene ganas de ir a patinar.

4. a. Los estudiantes están en una fiesta.
   b. Los estudiantes están en la cocina.
   c. Los estudiantes están en un café al aire libre. /

   The answer is c: Los estudiantes están en un café al aire libre.

5. a. Elsa sabe conducir.
   b. Elsa sabe nadar.
   c. Elsa sabe bailar. /

   The answer is a: Elsa sabe conducir.

6. a. La pareja está en un concierto.
   b. La pareja está en el cine.
   c. La pareja está en un club. /

   The answer is c: La pareja está en un club.

B. You will now hear some statements. Circle **L** if the statement is logical (**lógico**) or **I** if it is illogical (**ilógico**). The speaker will verify your response.

1. Yo voy a patinar en la piscina. / Ilógico /
2. No voy al club el sábado porque trabajo los fines de semana. / Lógico /
3. Tengo hambre. Tengo ganas de comer algo. / Lógico /
4. Vamos al cine para jugar al tenis. / Ilógico /
5. Baila muy bien. Tiene que aprender a bailar. / Ilógico /
6. Mi mamá es la hija de mi abuela. / Lógico /
7. Hoy damos una fiesta. Tenemos muchos invitados. / Lógico /
8. El tío de mi papá es mi abuelo. / Ilógico /
9. El hijo de mi hermana es mi sobrino. /Lógico /
10. Vamos al estadio porque tengo ganas de bailar. / Ilógico /

C. Listen carefully to the dialogue, and then answer the questions, omitting the subjects. The speaker will confirm your response. Repeat the correct response.

Mary —Jorge, ¿vas a visitar a tu madrina hoy?

Jorge —No, el domingo. Hoy estoy muy ocupado.

Mary —¿Qué tienes que hacer?

Jorge —Tengo que trabajar. Oye, Mary, / ¿deseas ir a nadar mañana?

Mary —No, porque Estela da una fiesta y yo estoy invitada.

Jorge —¿Y por qué no estoy invitado yo?

Mary —No sé. Ah, ¿por qué no vamos a patinar esta noche?

Jorge —Perfecto. A las siete estoy en tu casa.

Now answer the speaker's questions.

1. ¿Jorge va a visitar a su madrina hoy o el domingo? /
   Va el domingo. /
2. ¿Jorge está ocupado o está cansado? /
   Está ocupado. /
3. ¿Hoy Jorge tiene que estudiar o tiene que trabajar? /
   Tiene que trabajar. /
4. ¿Mary está invitada a un concierto o a una fiesta? /
   Está invitada a una fiesta. /
5. ¿Jorge está invitado o no está invitado? /
   No está invitado. /
6. ¿Mary desea ir a patinar o a jugar al tenis? /
   Desea ir a patinar. /
7. ¿Jorge va a estar en casa de Mary a las siete o a las ocho? /
   Va a estar en casa de Mary a las siete. /

VII. Para escuchar y escribir

Now open your lab manual to Section VII. The speaker will read five sentences. Each sentence will be read twice. After the first reading, write what you have heard. After the second reading, check your work and fill in what you have missed. Begin.

1. Esta noche estamos invitados a ir al teatro. /
2. Hoy ella va al cine con su novio. /
3. Vamos a la piscina y después vamos al concierto. /
4. Planean varias actividades para el fin de semana. /
5. ¿Por qué no vamos a la fiesta un rato? /

END OF LESSON 4

LECCIÓN 5

I. Pronunciación

Listen and repeat the following words, paying close attention to the pronunciation of the consonants **g, j,** and **h**. Begin.

grupo / llegar / seguro / grande / geografía / general / ojo / bajo / joven / mejor / juego / ahora / hermoso / hermana / hambre /

Now listen and repeat the following sentences, paying close attention to the pronunciation of the consonants **g, j,** and **h**. Begin.

1. Gerardo y Gustavo Herrera son bajos.
2. Julia González es joven y hermosa.
3. Mi hermano Héctor es muy generoso.
4. Jorge y yo no hablamos hasta el jueves.
5. El grupo de Jamaica llega ahora.

II. Diálogos: Una fiesta de bienvenida

The dialogues will be read first without pauses. Pay close attention to the speakers' intonation and pronunciation patterns.

Eva, la hermana menor de Luis, llega hoy a Caracas, la capital de Venezuela, y él y sus amigos dan una fiesta para ella. Luis llama por teléfono a su amiga Estela.

Luis —Hola, ¿Estela? Habla Luis.
Estela —Hola, ¿qué tal, Luis?
Luis —Bien. Oye, vamos a dar una fiesta de bienvenida para Eva. ¿Quieres venir? Es en la casa de mi primo Jorge.
Estela —Sí, cómo no. ¿Cuándo es?
Luis —El próximo sábado. Empieza a las ocho de la noche.
Estela —Gracias por la invitación. ¿Juan y Olga van también?
Luis —No estoy seguro, pero creo que piensan ir, si no están ocupados.
Estela —¿Andrés va a llevar sus discos compactos y sus cintas?
Luis —Sí, pero el estéreo de Jorge no es muy bueno.
Estela —Si quieres, llevo mi estéreo. Es mejor que el de ustedes.
Luis —¡Magnífico! Hasta el sábado, entonces.

En la fiesta, Pablo y Estela están conversando. Pablo es joven, moreno, guapo y mucho más alto que Estela. Ella es una muchacha bonita, de pelo negro y ojos castaños, delgada y de estatura mediana. Ahora están hablando de Sandra.

Estela —Pablo, tienes que conocer a Sandra, mi compañera de cuarto. Es una chica norteamericana que está estudiando español aquí.
Pablo —¿Cómo es? ¿Alta... baja...? ¿Es tan hermosa como tú?
Estela —¡Es muy linda! Es pelirroja de ojos verdes. ¡Y es muy simpática!
Pablo —Pero, ¿es inteligente? Y, lo más importante... ¿tiene dinero?
Estela —Sí, es rica; y es la más inteligente del grupo. Habla italiano y francés...
Pablo —Es perfecta para mí. ¿Está aquí?
Estela —No, está en casa porque está enferma.
Pablo —¡Qué lástima! ¡Oye! Están sirviendo las bebidas. ¿Quieres ponche?
Estela —No, prefiero un refresco, pero primero quiero bailar contigo.
Pablo —Bueno, vamos a bailar. Están tocando una salsa.
Estela —Sí, y después vamos a comer los entremeses. ¡Están riquísimos!

Now the dialogues will be read with pauses for you to repeat what you hear. Imitate the speakers' intonation and pronunciation patterns.

Luis —Hola, ¿Estela? / Habla Luis. /
Estela —Hola, ¿qué tal, Luis? /
Luis —Bien. / Oye, vamos a dar / una fiesta de bienvenida / para Eva. / ¿Quieres venir? / Es en la casa de mi primo Jorge. /
Estela —Sí, cómo no. / ¿Cuándo es? /
Luis —El próximo sábado. / Empieza a las ocho de la noche. /
Estela —Gracias por la invitación. / ¿Juan y Olga van también? /
Luis —No estoy seguro, / pero creo que piensan ir / si no están ocupados. /
Estela —¿Andrés va a llevar / sus discos compactos y sus cintas? /
Luis —Sí, pero el estéreo de Jorge / no es muy bueno. /

Estela —Si quieres, llevo mi estéreo. / Es mejor que el de ustedes. /

Luis —¡Magnífico! / Hasta el sábado, entonces. /

Estela —Pablo, tienes que conocer a Sandra, / mi compañera de cuarto. / Es una chica norteamericana / que está estudiando español aquí. /

Pablo —¿Cómo es? / ¿Alta... baja...? / ¿Es tan hermosa como tú? /

Estela —¡Es muy linda! / Es pelirroja de ojos verdes. / ¡Y es muy simpática! /

Pablo —Pero, ¿es inteligente? / Y, lo más importante... / ¿tiene dinero? /

Estela —Sí, es rica; / y es la más inteligente del grupo. / Habla italiano y francés... /

Pablo —Es perfecta para mí. / ¿Está aquí? /

Estela —No, esta en casa / porque está enferma. /

Pablo —¡Qué lástima! / ¡Oye! Están sirviendo las bebidas. / ¿Quieres ponche? /

Estela —No, prefiero un refresco, / pero primero quiero bailar contigo. /

Pablo —Bueno, vamos a bailar. / Están tocando una salsa. /

Estela —Sí, y después / vamos a comer los entremeses. / ¡Están riquísimos! /

III. Preguntas y respuestas

The speaker will ask several questions based on the dialogues. Answer each question, always omitting the subject. The speaker will verify your response. Repeat the correct answer. Begin.

1. ¿Eva es la hermana o la novia de Luis? /
   Es la hermana de Luis. /
2. ¿Luis da una fiesta para Eva o para Estela? /
   Da una fiesta para Eva. /
3. ¿Luis llama por teléfono a Estela o a Eva? /
   Llama por teléfono a Estela. /
4. ¿La fiesta es el próximo sábado o el próximo viernes? /
   Es el próximo sábado. /
5. ¿La fiesta empieza a las ocho o a las nueve de la noche? /
   Empieza a las ocho de la noche. /
6. ¿Andrés va a llevar sus discos compactos o su estéreo? /
   Va a llevar sus discos compactos. /
7. ¿Pablo es rubio o moreno? /
   Es moreno. /
8. ¿Estela tiene ojos verdes o castaños? /
   Tiene ojos castaños. /
9. ¿Estela es alta o de estatura mediana? /
   Es de estatura mediana. /
10. ¿Sandra es la hermana o la compañera de cuarto de Estela? /
    Es la compañera de cuarto de Estela. /
11. ¿Sandra está en la fiesta o está en su casa? /
    Está en su casa. /
12. ¿Estela prefiere beber ponche o un refresco? /
    Prefiere beber un refresco. /
13. ¿Estela quiere bailar con Pablo o con Luis? /
    Quiere bailar con Pablo.
14. ¿Están tocando una salsa o un tango? /
    Están tocando una salsa.

IV. Puntos para recordar

A. The speaker will provide a subject, an infinitive, and additional items. Use them to describe what the people mentioned are doing *now.* The speaker will verify your response. Repeat the correct answer. Follow the model.

MODELO: yo / hablar / español /
Yo estoy hablando español. /

1. ellos / comer / ensalada /
   Ellos están comiendo ensalada. /
2. Ana / dormir / aquí /
   Ana está durmiendo aquí. /
3. tú / leer / un libro /
   Tú estás leyendo un libro. /
4. nosotros / servir / refrescos /
   Nosotros estamos sirviendo refrescos. /
5. ella / pedir / las cintas /
   Ella está pidiendo las cintas. /
6. ustedes / escribir / en inglés /
   Ustedes están escribiendo en inglés. /

B. Combine the phrases you hear, using the appropriate forms of **ser** or **estar** to form sentences. The speaker will verify your response. Repeat the correct answer. Follow the model.

MODELO: la ciudad / hermosa /
La ciudad es hermosa. /

1. mi hermana / inteligente /
   Mi hermana es inteligente. /
2. los muchachos / muy altos /
   Los muchachos son muy altos. /
3. el camarero / en el café /
   El camarero está en el café. /
4. el teléfono / de plástico /
   El teléfono es de plástico. /
5. yo / muy cansado /
   Yo estoy muy cansado. /

6. el señor / de Chile /
   El señor es de Chile. /
7. mi esposa / trabajando /
   Mi esposa está trabajando. /
8. el señor Paz / profesor de español /
   El señor Paz es profesor de español. /
9. la fiesta / en el club /
   La fiesta es en el club. /

C. The speaker will read several sentences, and will provide a verb cue for each one. Substitute the new verb in each sentence, making all necessary changes. The speaker will verify your response. Repeat the correct answer. Follow the model.

MODELO: Nosotros deseamos ir. (querer) /
Nosotros queremos ir. /

1. La clase es a las ocho. (comenzar) /
   La clase comienza a las ocho. /
2. Yo deseo beber ponche. (preferir) /
   Yo prefiero beber ponche. /
3. Nosotros deseamos ir al partido. (pensar) /
   Nosotros pensamos ir al partido. /
4. ¿Tú deseas bailar con Gustavo? (querer) /
   ¿Tú quieres bailar con Gustavo? /
5. La fiesta es a las nueve. (empezar) /
   La fiesta empieza a las nueve. /
6. Ud. trabaja mucho. (pensar) /
   Ud. piensa mucho. /

D. The speaker will ask you some questions. Answer them, using the cues provided. The speaker will verify your response. Repeat the correct answer. Follow the model.

MODELO: —¿Quién es la más inteligente de la clase? (Elsa) /
—Elsa es la más inteligente de la clase. /

1. ¿Quién es el mayor de tus hermanos? (Carlos) /
   Carlos es el mayor de mis hermanos. /
2. ¿Cuál es el mejor hotel? (el hotel Madrid) /
   El hotel Madrid es el mejor hotel. /
3. ¿Ricardo es más alto que tú? (sí) /
   Sí, Ricardo es más alto que yo. /
4. ¿Quién es la chica más bonita de la clase? (Alicia) /
   Alicia es la chica más bonita de la clase. /
5. ¿Tu amigo es menos inteligente que tú? (sí) /
   Sí, mi amigo es menos inteligente que yo. /
6. ¿Tú hablas español tan bien como el profesor? (no) /
   No, yo no hablo español tan bien como el profesor. /
7. ¿Tus padres son más ricos que tú? (sí) /
   Sí, mis padres son más ricos que yo. /
8. ¿El restaurante Italia es tan bueno como el restaurante México? (no) /
   No, el restaurante Italia no es tan bueno como el restaurante México. /
9. ¿Tú tienes tantos libros como el profesor? (no) /
   No, yo no tengo tantos libros como el profesor. /

E. The speaker will ask you some questions. Answer them in the negative. The speaker will verify your response. Repeat the correct answer.

MODELO: —¿Vas a la fiesta conmigo? /
—No, no voy a la fiesta contigo. /

1. ¿Los discos compactos son para mí? /
   No, no son para ti. /
2. ¿Tus padres van al club contigo? /
   No, no van conmigo. /
3. ¿El estéreo es para ustedes? /
   No, no es para nosotros. /
4. ¿La invitación es para ti? /
   No, no es para mí. /
5. ¿Tú vas al estadio con ellos? /
   No, no voy con ellos. /

V. Díganos

The speaker will ask you some questions. Answer them, using the cues provided. The speaker will verify your response. Repeat the correct answer. Begin.

1. ¿Tú eres menor o mayor que tu mejor amigo? (mayor) /
   Soy mayor que mi mejor amigo. /
2. ¿Tu mejor amiga es rubia o pelirroja? (pelirroja) /
   Es pelirroja. /
3. ¿Tu padre es más alto o más bajo que tú? (más alto) /
   Es más alto que yo. /
4. ¿Quién es el más inteligente de la clase? (Carlos) /
   El más inteligente de la clase es Carlos. /
5. ¿Tú tienes ojos castaños, azules o verdes? (castaños) /
   Tengo ojos castaños. /
6. ¿A qué hora empieza la fiesta de la universidad? (a las siete) /
   Empieza a las siete. /
7. En una fiesta, ¿tú prefieres bailar o conversar? (conversar) /
   Prefiero conversar. /
8. ¿Tú quieres beber cerveza o un refresco? (un refresco) /
   Quiero beber un refresco. /

VI. Ejercicios de comprensión

A. Open your lab manual to Section VI. You will hear three statements about each picture. Circle the letter of the statement that best corresponds to the picture. The speaker will verify your response.

1. a. Ana llama por teléfono a Pablo.
   b. Pablo llama por teléfono a Ana.
   c. Pablo no tiene teléfono. /

   The answer is a: Ana llama por teléfono a Pablo.

2. a. Ricardo quiere el estéreo de Eva.
   b. Ricardo quiere ir a bailar con Eva.
   c. Ricardo quiere ir al cine con Eva. /

   The answer is b: Ricardo quiere ir a bailar con Eva.

3. a. Eva no quiere ir a la fiesta de Diego.
   b. Eva piensa ir a la fiesta de Diego.
   c. Eva prefiere no ir a la fiesta de Diego. /

   The answer is b: Eva piensa ir a la fiesta de Diego.

4. a. Eduardo prefiere beber café.
   b. Eduardo prefiere beber vino.
   c. Eduardo prefiere beber cerveza. /

   The answer is c: Eduardo prefiere beber cerveza.

5. a. Elsa va a la biblioteca.
   b. Elsa va al laboratorio de lenguas.
   c. Elsa va a una fiesta. /

   The answer is c: Elsa va a una fiesta.

6. a. Rita es tan alta como Pedro.
   b. Rita es menor que Pedro.
   c. Rita es más alta que Pedro. /

   The answer is b: Rita es menor que Pedro.

B. You will now hear some statements. Circle **L** if the statement is logical (**lógico**) or **I** if it is illogical (**ilógico**). The speaker will verify your response.

1. Carlos tiene ojos anaranjados. / Ilógico /
2. Yo soy mayor que mis padres. / Ilógico /
3. Sergio da una fiesta de bienvenida para su compañero de cuarto. / Lógico /
4. Las chicas y los muchachos están esquiando. / Lógico /
5. Ella vive en mi apartamento; es mi compañera de cuarto. / Lógico /
6. Sara no es alta ni baja; es de estatura mediana. / Lógico /
7. Pablo tiene pelo azul y ojos amarillos. / Ilógico /
8. Vamos a un museo para montar a caballo. / Ilógico /
9. Las chicas quieren bailar con Pablo porque él no baila bien. / Ilógico /
10. Tienen mucho trabajo; están muy ocupados. / Lógico /

C. Listen carefully to the dialogue, and then answer the questions, omitting the subjects. The speaker will verify your response. Repeat the correct answer.

Adrián —Laura, ¿vas a la fiesta que da Jaime para su primo?
Laura —Sí, estoy invitada. Es el sábado, ¿no?
Adrián —Sí, es en el club Miramar y empieza a las ocho.
Laura —¿Quieres ir conmigo?
Adrián —Sí. ¿A qué hora voy a tu casa?
Laura —A las siete y media.
Adrián —Muy bien.
Laura —Oye, Adrián... Tú conoces al primo de Jaime. ¿Cómo es?
Adrián —Es alto y delgado. Es muy inteligente. Bueno... no es tan inteligente como yo...

Now answer the speaker's questions.

1. ¿La fiesta es para el primo de Jaime o para el primo de Adrián? /
   Es para el primo de Jaime. /
2. ¿La fiesta es el viernes o el sábado? /
   Es el sábado. /
3. ¿La fiesta es en la casa de Jaime o es en el club Miramar? /
   Es en el club Miramar. /
4. ¿La fiesta empieza a las ocho o a las nueve? /
   Empieza a las ocho. /
5. ¿Laura quiere ir a la fiesta con Adrián o con Jaime? /
   Quiere ir con Adrián. /
6. ¿Adrián va a la casa de Laura a las siete o a las siete y media? /
   Va a las siete y media. /
7. ¿El primo de Jaime es alto o bajo? /
   Es alto.

VII. Para escuchar y escribir

Now open your lab manual to Section VII. The speaker will read five sentences. Each sentence will be read twice. After the first reading, write what you have heard. After the second reading, check your work and fill in what you have missed. Begin.

1. Luis da una fiesta de bienvenida. /
2. ¿Tú vas a llevar tus cintas? /
3. Elsa tiene pelo negro y ojos castaños. /
4. Es muy inteligente y muy simpática. /
5. Están tocando una salsa. /

END OF LESSON 5

LECCIÓN 6

I. Pronunciación

Listen and repeat the following words, paying close attention to the pronunciation of the consonants **ll** and **ñ**. Begin.

llevar / allí / sello / estampilla / ventanilla / llamar / amarillo / mañana / castaño / español / señora / otoño /

Now listen and repeat the following sentences, paying close attention to the pronunciation of the consonants **ll** and **ñ**. Begin.

1. Los sellos del señor Peña están allí. /
2. La señorita Acuña es de España. /
3. La señora va a llamar mañana. /
4. El señor Llanos llega en el otoño. /
5. Venden estampillas en esa ventanilla.

II. Diálogos: En el banco y en la oficina de correos

The dialogues will be read first without pauses. Pay close attention to the speakers' intonation and pronunciation patterns.

En el Banco de América, en la Ciudad de Panamá.

Son las diez de la mañana y Alicia entra en el banco. No tiene que hacer cola porque no hay mucha gente.

Cajero —¿En qué puedo servirle, señorita?
Alicia —Quiero abrir una cuenta de ahorros. ¿Qué interés pagan?
Cajero —Pagamos el tres por ciento.
Alicia —¿Puedo usar el cajero automático para sacar mi dinero en cualquier momento?
Cajero —Sí, pero si saca el dinero, puede perder parte del interés.
Alicia —Bueno… ahora deseo cobrar este cheque.
Cajero —¿Cómo quiere el dinero?
Alicia —Cien balboas en efectivo. Voy a depositar mil en mi cuenta corriente.
Cajero —Necesito el número de su cuenta.
Alicia —Un momento… No encuentro mi talonario de cheques y no recuerdo el número…
Cajero —No importa. Yo lo busco en la computadora.
Alicia —Ah, ¿dónde consigo cheques de viajero?
Cajero —Los venden en la ventanilla número dos.

En otro departamento, Alicia pide información sobre un préstamo.

En la oficina de correos.

Hace quince minutos que Alicia está en la oficina de correos haciendo cola cuando por fin llega a la ventanilla. Allí compra estampillas y pide información.

Alicia —Deseo mandar estas cartas por vía aérea.
Empleado —¿Quiere mandarlas certificadas?
Alicia —Sí, por favor. ¿Cuánto es?
Empleado —Diez balboas, señorita.
Alicia —También necesito estampillas para tres tarjetas postales.
Empleado —Aquí las tiene.
Alicia —Gracias. ¿Cuánto cuesta enviar un giro postal a México?
Empleado —Veinte balboas. ¿Algo más, señorita?
Alicia —Nada más, gracias.

Alicia sale de la oficina de correos, toma un taxi y vuelve a su casa.

Now the dialogues will be read with pauses for you to repeat what you hear. Imitate the speakers' intonation patterns.

Cajero	—¿En qué puedo servirle, / señorita? /
Alicia	—Quiero abrir / una cuenta de ahorros. / ¿Qué interés pagan? /
Cajero	—Pagamos el tres por ciento. /
Alicia	—¿Puedo usar el cajero automático / para sacar mi dinero / en cualquier momento? /
Cajero	—Sí, pero si saca el dinero, / puede perder / parte del interés. /
Alicia	—Bueno… ahora deseo / cobrar este cheque. /
Cajero	—¿Cómo quiere el dinero? /
Alicia	—Cien balboas / en efectivo. / Voy a depositar mil / en mi cuenta corriente. /
Cajero	—Necesito el número / de su cuenta. /
Alicia	—Un momento… / No encuentro / mi talonario de cheques / y no recuerdo / el número… /
Cajero	—No importa. / Yo lo busco en la computadora. /
Alicia	—Ah, ¿dónde consigo / cheques de viajero? /
Cajero	—Los venden / en la ventanilla / número dos. /

Alicia	—Deseo mandar / estas cartas / por vía aérea. /
Empleado	—¿Quiere mandarlas / certificadas? /
Alicia	—Sí, por favor. / ¿Cuánto es? /
Empleado	—Diez balboas, / señorita. /
Alicia	—También necesito estampillas / para tres tarjetas postales. /
Empleado	—Aquí las tiene. /
Alicia	—Gracias. / ¿Cuánto cuesta enviar / un giro postal / a México? /
Empleado	—Veinte balboas. / ¿Algo más, / señorita? /
Alicia	—Nada más, / gracias. /

III. Preguntas y respuestas

The speaker will ask several questions based on the dialogues. Answer each question, always omitting the subject. The speaker will verify your response. Repeat the correct answer. Begin.

1. ¿Alicia quiere abrir una cuenta corriente o una cuenta de ahorros? /
   Quiere abrir una cuenta de ahorros. /
2. ¿Alicia quiere el dinero en un cheque o en efectivo? /
   Quiere el dinero en efectivo. /
3. ¿El cajero puede buscar el número de la cuenta o el talonario de cheques? /
   Puede buscar el número de la cuenta. /
4. ¿Alicia pide información sobre un préstamo o sobre una cuenta corriente? /
   Pide información sobre un préstamo. /
5. ¿Alicia está bailando o está haciendo cola? /
   Está haciendo cola. /
6. ¿Alicia compra estampillas en la oficina de correos o en el banco? /
   Compra estampillas en la oficina de correos. /
7. ¿Alicia desea mandar las cartas por taxi o por vía aérea? /
   Desea mandar las cartas por vía aérea. /
8. ¿Alicia manda una tarjeta postal o tres? /
   Manda tres. /
9. ¿Alicia quiere mandar un giro postal a México o a Guatemala? /
   Quiere mandar un giro postal a México. /
10. ¿Alicia vuelve a casa o va a la biblioteca? /
    Vuelve a casa. /

IV. Puntos para recordar

A. The speaker will ask several questions. Answer each one, using the cue provided. The speaker will verify your response. Repeat the correct answer. Follow the model.

MODELO: —¿Recuerdas el número de tu cuenta? (no) /
—No, no recuerdo el número de mi cuenta. /

1. ¿Cuánto cuestan los cheques de viajero? (no mucho) /
   No cuestan mucho. /
2. ¿Cuándo puedes ir al banco? (mañana) /
   Puedo ir al banco mañana. /
3. ¿Recuerdas la dirección del señor Vega? (no) /
   No, no recuerdo la dirección del señor Vega. /
4. ¿A qué hora vuelven Uds. a casa? (a las cinco) /
   Volvemos a casa a las cinco. /
5. ¿Duermes bien? (sí)
   Sí, duermo bien.

B. The speaker will ask several questions. Answer each one, using the cue provided. The speaker will verify your response. Repeat the correct answer. Follow the model.

MODELO: —¿Qué sirven Uds. por la mañana? (café) /
—Servimos café. /

1. ¿Dónde consigues tú cheques de viajero? (en el banco) /
   Consigo cheques de viajero en el banco. /

2. Cuando Uds. necesitan dinero, ¿piden un préstamo? (sí) /
   Sí, cuando necesitamos dinero, pedimos un préstamo. /
3. ¿Qué dicen ellos del Banco de América? (que es muy bueno) /
   Dicen que es muy bueno. /
4. ¿Tú dices que sí? (sí) /
   Sí, yo digo que sí. /
5. ¿Dónde consiguen Uds. estampillas? (en el correo)
   Conseguimos estampillas en el correo. /

C. Answer each of the following questions in the affirmative, using the appropriate direct object pronoun. The speaker will verify your response. Repeat the correct answer. Follow the model.

MODELO: —¿Necesitas las estampillas? /
—Sí, las necesito. /

1. ¿Mandas los giros postales hoy? /
   Sí, los mando hoy. /
2. ¿Llamas al cajero? /
   Sí, lo llamo. /
3. ¿Te llevan ellos al banco? /
   Sí, me llevan al banco. /
4. ¿Tienes el número de tu cuenta? /
   Sí, lo tengo. /
5. ¿Ella los lleva a Uds. a la oficina de correos? /
   Sí, nos lleva a la oficina de correos. /
6. ¿Tú compras los cheques de viajero en el banco? /
   Sí, los compro en el banco. /
7. ¿Tú vas a mandar la carta hoy? /
   Sí, voy a mandarla hoy. /
8. ¿El empleado lo busca a Ud.? /
   Sí, me busca. /

D. Change each of the following sentences to the negative. The speaker will verify your response. Repeat the correct answer. Follow the model.

MODELO: Necesito algo. /
No necesito nada. /

1. Yo siempre voy también. /
   Yo nunca voy tampoco. /
2. Hay alguien conmigo. /
   No hay nadie conmigo. /
3. Vamos al banco o a la oficina de correos. /
   No vamos ni al banco ni a la oficina de correos. /
4. Tengo algunos libros en español. /
   No tengo ningún libro en español. /

E. Answer each question you hear, using the cue provided. The speaker will verify your response. Repeat the correct answer. Follow the model.

MODELO: —¿Cuánto tiempo hace que Ud. vive aquí? (diez años) /
—Hace diez años que vivo aquí. /

1. ¿Cuánto tiempo hace que Ud. estudia español? (seis meses) /
   Hace seis meses que estudio español. /
2. ¿Cuánto tiempo hace que Ud. está en esta universidad? (un año) /
   Hace un año que estoy en esta universidad. /
3. ¿Cuánto tiempo hace que Ud. está en la clase? (diez minutos) /
   Hace diez minutos que estoy en la clase. /
4. ¿Cuánto tiempo hace que Ud. no come? (cinco horas) /
   Hace cinco horas que no como. /
5. ¿Cuánto tiempo hace que Ud. no llama a su amigo? (tres días) /
   Hace tres días que no llamo a mi amigo. /

V. Díganos

The speaker will ask you some questions. Answer them, always omitting the subject and using the cues provided. The speaker will verify your response. Repeat the correct answer. Follow the model. Begin.

MODELO: —¿En qué banco tiene Ud. su dinero? (Banco de América) /
—Tengo mi dinero en el Banco de América. /

1. ¿Tiene Ud. una cuenta corriente? (no, de ahorros) /
   No, tengo una cuenta de ahorros. /
2. ¿Recuerda Ud. el número de su cuenta? (no) /
   No, no recuerdo el número de mi cuenta. /
3. Cuando Ud. va al banco, ¿siempre tiene que hacer cola? (sí) /
   Sí, cuando voy al banco siempre tengo que hacer cola. /
4. ¿Tiene Ud. su talonario de cheques con Ud.? (sí, siempre) /
   Sí, siempre tengo mi talonario de cheques conmigo. /
5. ¿Tiene Ud. una cuenta conjunta? (sí, con mi hermano) /
   Sí, tengo una cuenta conjunta con mi hermano. /
6. ¿Sabe Ud. el saldo de su cuenta? (sí) /
   Sí, sé el saldo de mi cuenta. /
7. ¿Piensa Ud. pedir un préstamo? (sí) /
   Sí, pienso pedir un préstamo. /

8. ¿Manda Ud. muchas tarjetas postales? (no) / No, no mando muchas tarjetas postales. /
9. ¿Ud. siempre envía sus cartas por vía aérea? (sí) / Sí, siempre envío mis cartas por vía aérea. /
10. ¿Manda Ud. todas sus cartas certificadas? (no) / No, no mando todas mis cartas certificadas. /

VI. Ejercicios de comprensión

A. Open your lab manual to Section VI. You will hear three statements about each picture. Circle the letter of the statement that best corresponds to the picture. The speaker will verify your response.

1. a. Las chicas hacen cola en el banco.
   b. El banco está cerrado.
   c. Son las diez y media. /

   The answer is b: El banco está cerrado.

2. a. Luisa necesita su talonario de cheques.
   b. Luisa está en el banco, hablando con el empleado.
   c. Luisa está en la oficina de correos. /

   The answer is b: Luisa está en el banco, hablando con el empleado.

3. a. Olga no encuentra las estampillas.
   b. Olga quiere el dinero en efectivo.
   c. Olga no recuerda el número de su cuenta. /

   The answer is c: Olga no recuerda el número de su cuenta.

4. a. El señor Vera necesita tres estampillas.
   b. El señor Vera quiere una cuenta de ahorros.
   c. El señor Vera está en el banco. /

   The answer is a: El señor Vera necesita tres estampillas.

5. a. Gerardo quiere mandar un giro postal.
   b. Gerardo quiere mandar una carta certificada.
   c. Gerardo quiere mandar una tarjeta postal. /

   The answer is c: Gerardo quiere mandar una tarjeta postal.

6. a. Ada va a pedir un préstamo.
   b. Ada va a enviar una carta.
   c. Ada va a abrir una cuenta. /

   The answer is b: Ada va a enviar una carta.

B. You will now hear some statements. Circle **L** if the statement is logical (**lógico**) or **I** if it is illogical (**ilógico**). The speaker will verify your response.

1. Voy a la oficina de correos para pedir un préstamo. / Ilógico /
2. Tengo que hacer cola porque hoy no hay nadie en el banco. / Ilógico /
3. No puedo ir al club contigo porque tengo que hacer muchas diligencias. / Lógico /
4. En el banco pagan un interés del 150 por ciento. / Ilógico /
5. Deseo mandar estas cartas por taxi. / Ilógico /
6. Necesito estampillas para enviar estas tarjetas postales. / Lógico /
7. Voy a depositar 1.000 dólares en mi cuenta corriente. / Lógico /
8. Tengo que firmar el cheque para poder cobrarlo. / Lógico /
9. Si hay muchas personas en el banco tenemos que hacer cola. / Lógico /
10. Tengo mucho dinero en el banco. El saldo de mi cuenta es de diez dólares. / Ilógico /

C. Listen carefully to the dialogue, and then answer the questions, omitting the subjects. The speaker will confirm your response. Repeat the correct response.

Srta. Díaz —Quiero cobrar este cheque.
Cajero —Primero debe firmar el cheque. ¿Cómo quiere el dinero?
Srta. Díaz —En efectivo.
Cajero —Muy bien. ¿Tiene el número de su cuenta?
Srta. Díaz —No, no lo tengo y no lo recuerdo.
Cajero —Yo puedo buscarlo en la computadora.
Srta. Díaz —Necesito saber el saldo de mi cuenta de ahorros.
Cajero —Un momento, por favor. Tiene 1.500 dólares.
Srta. Díaz —Ah, yo quiero solicitar un préstamo.
Cajero —Tiene que ir a la ventanilla número tres, señorita.

Now answer the speaker's questions.

1. ¿Qué quiere hacer la señorita Díaz? / Quiere cobrar un cheque. /
2. ¿Qué debe hacer primero? / Debe firmar el cheque. /
3. ¿Cómo quiere la señorita Díaz el dinero? / Lo quiere en efectivo. /
4. ¿Ella tiene el número de su cuenta? / No, no lo tiene. /

5. ¿Recuerda el número de la cuenta? / No, no lo recuerda. /
6. ¿Qué puede hacer el cajero? / Puede buscar el número en la computadora. /
7. ¿Qué necesita saber la señorita Díaz? / Necesita saber el saldo de su cuenta de ahorros. /
8. ¿Cuánto dinero tiene ella en su cuenta de ahorros? / Tiene 1.500 dólares. /
9. ¿Qué quiere solicitar la señorita Díaz? / Quiere solicitar un préstamo. /
10. ¿Adónde debe ir para solicitar el préstamo? / Debe ir a la ventanilla número tres. /

VII. Para escuchar y escribir

Now open your lab manual to Section VII. The speaker will read five sentences. Each sentence will be read twice. After the first reading, write what you have heard. After the second reading, check your work and fill in what you have missed. Begin.

1. Quiero mandar las cartas por vía aérea. /
2. ¿Cuánto cuesta enviar un giro postal a México? /
3. Está comprando estampillas y pidiendo información. /
4. Alicia no encuentra el talonario de cheques. /
5. Necesito estampillas para tres tarjetas postales. /

END OF LESSON 6

LECCIÓN 7

I. Pronunciación

Listen and repeat the following words, paying close attention to the pronunciation of the consonants **l, r,** and **rr**. Begin.

chaleco / pantalón / liquidación / lavarse / calzar / par / zapatería / vestirse / cinturón / ropa / rubio / rico / ahorrar / corriente / correo / correr /

Now listen and repeat the following sentences, paying close attention to the pronunciation of the consonants **l, r,** and **rr**. Begin.

1. Los calcetines son baratos. /
2. Julio calza el número cuarenta. /
3. La zapatería está a la derecha. /
4. Raúl no ahorra mucho dinero. /
5. Rita quiere abrir una cuenta corriente. /

II. Diálogos: De compras

The dialogues will be read first without pauses. Pay close attention to the speakers' intonation and pronunciation patterns.

Aurora Ibarra es estudiante de ingeniería. Es de Puerto Limón, Costa Rica, pero el año pasado se mudó a San José. Hoy se levantó muy temprano, se bañó, se lavó la cabeza y se preparó para ir de compras.

En la tienda París, que hoy tiene una gran liquidación, Aurora está hablando con la dependienta en el departamento de señoras.

Aurora —Me gusta esa blusa rosada. ¿Cuánto cuesta?
Dependienta —Siete mil colones. ¿Qué talla usa Ud.?
Aurora —Talla treinta y ocho. ¿Dónde puedo probarme la blusa?
Dependienta —Hay un probador a la derecha y otro a la izquierda.
Aurora —También voy a probarme este vestido y esa falda.
Dependienta —¿Necesita un abrigo? Hoy tenemos una gran liquidación de abrigos.
Aurora —¡Qué lástima! Ayer compré uno… ¿La ropa interior y las pantimedias también están en liquidación?
Dependienta —Sí, le damos un veinte por ciento de descuento.

Aurora compró la blusa y la falda, pero decidió no comprar el vestido. Después fue a la zapatería para comprar un par de sandalias y una cartera. Cuando salió de la zapatería fue a hacer varias diligencias y no volvió a su casa hasta muy tarde.

Enrique está en una zapatería porque necesita un par de zapatos y unas botas.

Empleado —¿Qué número calza Ud.?
Enrique —Calzo el cuarenta y dos.

Empleado —*(Le prueba unos zapatos.)* ¿Le gustan?
Enrique —Sí, me gustan, pero me aprietan un poco; son muy estrechos.
Empleado —¿Quiere unos más anchos?
Enrique —Sí, y unas botas del mismo tamaño, por favor.
Empleado —*(Le trae las botas y los zapatos.)* Estas botas son de muy buena calidad.
Enrique —*(Piensa mientras se viste.)* Los zapatos me quedan bien, pero las botas me quedan grandes.

Después de pagar los zapatos, Enrique fue al departamento de caballeros de una tienda muy elegante. Allí compró un traje, un pantalón, una camisa, dos corbatas y un par de calcetines. Después, volvió a su casa, cargado de paquetes.

Enrique —*(Piensa mientras se viste.)* Fue una suerte encontrar este traje tan elegante y tan barato. Me lo voy a poner para ir a la fiesta de Ana María. Empieza a las nueve, así que no tengo que llegar antes de las diez...

Now the dialogues will be read with pauses for you to repeat what you hear. Imitate the speakers' intonation patterns.

Aurora —Me gusta / esa blusa rosada. / ¿Cuánto cuesta? /
Dependienta —Siete mil colones. / ¿Qué talla usa Ud.? /
Aurora —Talla treinta y ocho. / ¿Dónde puedo / probarme la blusa? /
Dependienta —Hay un probador / a la derecha / y otro / a la izquierda. /
Aurora —También voy a probarme / este vestido / y esa falda. /
Dependienta —¿Necesita un abrigo? / Hoy tenemos / una gran liquidación / de abrigos. /
Aurora —¡Qué lástima! / Ayer compré uno… / ¿La ropa interior / y las pantimedias / también están / en liquidación? /
Dependienta —Sí, le damos / un veinte por ciento / de descuento. /

Empleado —¿Qué número / calza Ud.? /
Enrique —Calzo el cuarenta y dos. /
Empleado —¿Le gustan? /
Enrique —Sí, me gustan, / pero me aprietan / un poco; / son muy estrechos. /
Empleado —¿Quiere unos más anchos? /
Enrique —Sí, y unas botas / del mismo tamaño, / por favor. /
Empleado —Estas botas son / de muy buena calidad. /
Enrique —Los zapatos / me quedan bien, / pero las botas / me quedan grandes. /

Enrique —Fue una suerte encontrar / este traje tan elegante / y tan barato. / Me lo voy a poner / para ir a la fiesta / de Ana María. / Empieza a las nueve, / así que no tengo que llegar / antes de las diez... /

III. Preguntas y respuestas

The speaker will ask several questions based on the dialogues. Answer each question, always omitting the subject. The speaker will verify your response. Repeat the correct answer. Begin.

1. ¿Aurora es de Puerto Limón o de San José? /
   Es de Puerto Limón. /
2. ¿Aurora se bañó por la mañana o por la tarde? /
   Se bañó por la mañana. /
3. ¿Aurora usa talla treinta y ocho o talla cuarenta? /
   Usa talla treinta y ocho. /
4. ¿Hay uno o dos probadores? /
   Hay dos probadores. /
5. En la tienda París, ¿dan un treinta o un veinte por ciento de descuento? /
   Dan un veinte por ciento de descuento. /
6. ¿Aurora compró la falda o el vestido? /
   Compró la falda. /
7. ¿Aurora fue a la zapatería o a la oficina de correos? /
   Fue a la zapatería. /
8. ¿Aurora volvió a su casa muy tarde o muy temprano? /
   Volvió a su casa muy tarde. /
9. ¿Enrique calza el treinta y nueve o el cuarenta y dos? /
   Calza el cuarenta y dos. /
10. ¿Los zapatos son anchos o son estrechos? /
    Son estrechos. /
11. ¿Enrique compró los zapatos o las botas? /
    Compró los zapatos. /
12. ¿Enrique compró dos trajes o dos corbatas? /
    Compró dos corbatas. /

IV. Puntos para recordar

A. The speaker will make several statements. Change each statement by making the verb preterit. The speaker will verify your response. Repeat the correct answer. Follow the model.

MODELO: Yo trabajo con ellos. /
Yo trabajé con ellos. /

1. Yo hablo con los empleados. /
   Yo hablé con los empleados. /
2. Tú compras los zapatos. /
   Tú compraste los zapatos. /
3. Ella come en la cafetería. /
   Ella comió en la cafetería. /
4. Nosotros volvemos temprano. /
   Nosotros volvimos temprano. /
5. Ellos le escriben. /
   Ellos le escribieron. /
6. Yo llego a las dos. /
   Yo llegué a las dos. /
7. Tú cierras la puerta. /
   Tú cerraste la puerta. /
8. Ana lee ese libro. /
   Ana leyó ese libro. /

B. The speaker will ask several questions. Change each question by making the verb preterit. The speaker will verify your response. Repeat the correct answer. Follow the model.

MODELO: ¿Adónde van ellos? /
¿Adónde fueron ellos? /

1. ¿Tú vas a la tienda? /
   ¿Tú fuiste a la tienda? /
2. ¿Daniel va contigo? /
   ¿Daniel fue contigo? /
3. ¿Van a la zapatería también? /
   ¿Fueron a la zapatería también? /
4. ¿Tú y yo vamos por la mañana? /
   ¿Tú y yo fuimos por la mañana? /
5. ¿Ellos van a la oficina de correos? /
   ¿Ellos fueron a la oficina de correos? /
6. ¿Tú eres empleada de esa tienda? /
   ¿Tú fuiste empleada de esa tienda? /
7. ¿Ella es la mejor empleada? /
   ¿Ella fue la mejor empleada? /
8. ¿Yo le doy dinero? /
   ¿Yo le di dinero? /
9. ¿Tú das una fiesta? /
   ¿Tú diste una fiesta? /
10. ¿Ellos dan mucho dinero? /
    ¿Ellos dieron mucho dinero? /

C. The speaker will ask several questions. Answer each one, using the cue provided. Pay special attention to the use of indirect object pronouns. The speaker will verify your response. Repeat the correct answer. Follow the model.

MODELO: —¿Tú le escribiste a tu papá? (sí) /
—Sí, le escribí. /

1. ¿Qué le compraste a tu amigo? (una corbata) /
   Le compré una corbata. /
2. ¿Qué me compraste? (ropa interior) /
   Te compré ropa interior. /
3. ¿Qué te compraron tus amigos? (un par de zapatos) /
   Me compraron un par de zapatos. /
4. ¿Qué nos compraste a Carlos y a mí? (botas) /
   Les compré botas. /
5. ¿Tú les diste dinero a tus padres? (no) /
   No, no les di dinero a mis padres. /
6. ¿Tus padres le dieron dinero a tu amigo? (sí) /
   Sí, mis padres le dieron dinero a mi amigo. /

D. Answer each question you hear, always choosing the first possibility. The speaker will verify your response. Repeat the correct answer. Follow the model.

MODELO: —¿Te gusta más la corbata roja o la corbata negra? /
—Me gusta más la corbata roja. /

1. ¿Te gustan más las botas negras o las botas blancas? /
   Me gustan más las botas negras. /
2. ¿A tu amiga le gusta más el vestido o la falda? /
   Le gusta más el vestido. /
3. ¿A Uds. les gusta más la cartera gris o la cartera azul? /
   Nos gusta más la cartera gris. /
4. ¿A tus padres les gusta más tomar café o tomar té? /
   Les gusta más tomar café. /
5. ¿A tu amigo le gustan más los zapatos o las botas? /
   Le gustan más los zapatos. /

E. Answer each question you hear, using the cue provided. The speaker will verify your response. Repeat the correct answer. Follow the model.

MODELO: —¿A qué hora te levantas tú? (a las siete) /
—Me levanto a las siete. /

1. ¿A qué hora se acuestan Uds.? (a las diez) /
   Nos acostamos a las diez. /

2. ¿Te bañas por la mañana o por la noche? (por la mañana) /
Me baño por la mañana. /
3. ¿Puedes bañarte y vestirte en diez minutos? (no) /
No, no puedo bañarme y vestirme en diez minutos. /
4. ¿Tu papá se afeita todos los días? (sí) /
Sí, se afeita todos los días. /
5. ¿Tú te pones botas, zapatos o sandalias? (zapatos) /
Me pongo zapatos. /
6. En la clase, ¿tus amigos se sientan cerca de la pizarra o cerca de la puerta? (cerca de la puerta) /
Se sientan cerca de la puerta. /
7. ¿Dónde puedo probarme el abrigo? (en el probador) /
Puedes probarte el abrigo en el probador. /
8. ¿Siempre te quitas los zapatos en la clase? (no, nunca) /
No, nunca me quito los zapatos en la clase. /
9. ¿Tú te aburres en la clase? (no) /
No, no me aburro en la clase. /
10. ¿Ustedes se divierten en las fiestas? (sí, mucho) /
Sí, nos divertimos mucho en las fiestas. /

V. Díganos

The speaker will ask you some questions. Answer them, using the cues provided. The speaker will verify your response. Repeat the correct answer. Begin.

MODELO: —¿A qué hora se despiertan ustedes? (a las cinco y media) /
—*Nos despertamos a las cinco y media. /*

1. ¿A qué hora se levantó usted hoy? (a las seis) /
Me levanté a las seis hoy. /
2. ¿A qué hora se acostó usted? (a las once) /
Me acosté a las once. /
3. ¿Se lavó usted la cabeza cuando se bañó? (sí) /
Sí, me lavé la cabeza cuando me bañé. /
4. ¿A qué hora salió usted de su casa hoy? (a las siete y media) /
Salí de mi casa a las siete y media. /
5. ¿Le gusta ir de compras? (sí) /
Sí, me gusta ir de compras. /
6. ¿Le gusta comprar en liquidaciones? (sí, mucho) /
Sí, me gusta mucho comprar en liquidaciones. /
7. ¿Le dieron un descuento en la tienda? (no) /
No, no me dieron un descuento en la tienda. /
8. ¿Prefiere usted usar zapatos, sandalias o botas? (zapatos) /
Prefiero usar zapatos. /
9. ¿Qué número calza usted? (el nueve) /
Calzo el nueve. /
10. ¿Usa usted zapatillas cuando está en su casa? (sí) /
Sí, uso zapatillas cuando estoy en mi casa. /
11. ¿Su mamá usa calcetines o pantimedias? (pantimedias) /
Usa pantimedias. /

VI. Ejercicios de comprensión

A. Open your lab manual to Section VI. You will hear three statements about each picture. Circle the letter of the statement that best corresponds to the picture. The speaker will verify your response.

1. a. Isabel se prueba una blusa rosada.
b. Isabel usa talla cinco.
c. Isabel calza el cinco. /

The answer is b: Isabel usa talla cinco.

2. a. Luz va a ir a la oficina de correos.
b. Luz va a ir a la zapatería.
c. Luz va a ir a la cafetería. /

The answer is b: Luz va a ir a la zapatería.

3. a. Carlos va a comprar un traje y una corbata.
b. Carlos va a comprar un par de botas.
c. Carlos va a comprar un pantalón y un par de calcetines. /

The answer is c: Carlos va a comprar un pantalón y un par de calcetines.

4. a. Graciela se prueba el vestido.
b. Graciela se baña.
c. Graciela se levanta a las ocho. /

The answer is b: Graciela se baña.

5. a. Carmen quiere probarse los zapatos.
b. Carmen quiere probarse las blusas.
c. Carmen quiere probarse las faldas. /

The answer is c: Carmen quiere probarse las faldas.

6. a. La falda es más cara que el vestido.
b. Hoy tienen una liquidación en la tienda.
c. El vestido es más barato que la falda. /

The answer is b: Hoy tienen una liquidación en la tienda.

7. a. Las sandalias le van a quedar chicas.
   b. Las sandalias son muy anchas.
   c. Las sandalias le van a quedar grandes. /

   The answer is a: Las sandalias le van a quedar chicas.

8. a. Teresa se va a probar una falda negra.
   b. Teresa se va a probar una falda blanca.
   c. Teresa se va a probar una blusa blanca. /

   The answer is b: Teresa se va a probar una falda blanca.

9. a. Jorge se pone las botas nuevas para ir a la fiesta.
   b. Jorge se pone las sandalias nuevas para ir a la fiesta.
   c. Jorge se pone el traje nuevo para ir a la fiesta. /

   The answer is c: Jorge se pone el traje nuevo para ir a la fiesta.

B. You will now hear some statements. Circle **L** if the statement is logical (**lógico**) or **I** if it is illogical (**ilógico**). The speaker will verify your response.

1. Elsa se levantó muy temprano; se levantó a las once de la mañana. / Ilógico /
2. Rocío es muy delgada; usa talla sesenta. / Ilógico /
3. Compré pantimedias para mi mamá. / Lógico /
4. Pagué menos por el vestido porque me dieron un descuento. / Lógico /
5. Hace mucho frío. Me voy a poner el abrigo. / Lógico /
6. Los zapatos me quedan muy grandes; me aprietan mucho. / Ilógico /
7. Voy a ponerme el pijama y las zapatillas para bañarme. / Ilógico /
8. Uso bufanda y abrigo en invierno. / Lógico /
9. Fue una suerte no tener nada para comer. / Ilógico /
10. No compré nada en la tienda. Llegué a casa cargada de paquetes. / Ilógico /

C. Now listen carefully to the dialogue and then answer the questions, omitting the subjects. The speaker will verify your response. Repeat the correct answer.

Marta —¿Por qué no le compramos un camisón a mamá?
Pablo —¡Ay no, Marta! A ella le va a gustar más ese vestido azul. ¡Y está en venta!
Marta —A mamá no le gusta el color azul.
Pablo —Bueno, tú compras algo para tu mamá y yo voy a ir a la zapatería.
Marta —¿Qué vas a comprar?
Pablo —Un par de botas. Las botas que tengo ahora me aprietan un poco.
Marta —Voy contigo, Pablo. Yo necesito comprar unas sandalias.
Pablo —¿No le vas a comprar el camisón a tu mamá?
Marta —No, le voy a comprar una cartera.

Now answer the speaker's questions.

1. ¿Qué quiere comprarle Marta a su mamá? / Quiere comprarle un camisón. /
2. ¿Qué prefiere comprarle Pablo? / Prefiere comprarle el vestido azul. /
3. ¿Ahora el vestido cuesta más o menos? / Cuesta menos. /
4. ¿Qué color no le gusta a la mamá de Marta? / No le gusta el color azul. /
5. ¿Adónde va a ir Pablo? / Va a ir a la zapatería. /
6. ¿Qué va a comprar? / Va a comprar un par de botas. /
7. ¿Qué va a hacer Marta? / Va a ir con Pablo. /
8. ¿Qué necesita Marta? / Necesita un par de sandalias. /
9. ¿Marta le va a comprar el camisón a su mamá? / No, no le va a comprar el camisón. /
10. ¿Qué le va a comprar? / Le va a comprar una cartera. /

VII. Para escuchar y escribir

Now open your lab manual to Section VII. The speaker will read five sentences. Each sentence will be read twice. After the first reading, write what you have heard. After the second reading, check your work and fill in what you have missed. Begin.

1. La tienda tiene una gran liquidación hoy. /
2. Necesito ropa interior y pantimedias. /
3. Los zapatos me aprietan un poco, pero me gustan mucho. /
4. Voy a probarme este vestido y esta falda. /
5. Le damos un veinte por ciento de descuento. /

END OF LESSON 7

LECCIÓN 8

I. Pronunciación

Listen and repeat the following sentences, paying close attention to your pronunciation and intonation. Begin.

1. Irene necesita ir a la carnicería. /
2. ¿Compraste el periódico hoy? /
3. ¿Puedo pagar con tarjeta de crédito? /
4. Debes comprar huevos y vegetales. /
5. Prefiero el mercado al aire libre. /
6. Paco preparó un pastel de manzanas. /

II. Diálogos: En el supermercado

The dialogues will be read first without pauses. Pay close attention to the speakers' intonation and pronunciation patterns.

Beto y Sara están comprando comestibles y otras cosas en un supermercado en Lima.

Beto —No necesitamos lechuga ni tomates porque ayer Rosa compró muchos vegetales.
Sara —¿Ella vino al mercado ayer?
Beto —Sí, ayer hizo muchas cosas: limpió el piso, fue a la farmacia…
Sara —Hizo una torta… Oye, necesitamos mantequilla, azúcar y cereal.
Beto —También dijiste que necesitábamos dos docenas de huevos.
Sara —Sí. ¡Ah! ¿Mamá vino ayer?
Beto —Sí, te lo dije anoche. Nos trajo unas revistas y unos periódicos. Ah, ¿tenemos papel higiénico?
Sara —No. También necesitamos lejía, detergente y jabón.
Beto —Bueno, tenemos que apurarnos. Rosa me dijo que sólo podía quedarse con los niños hasta las cinco.
Sara —Pues, generalmente se queda hasta más tarde... Oye, ¿dónde pusiste la tarjeta de crédito?
Beto —Creo que la dejé en casa… ¡No, aquí está!

Cuando Beto y Sara iban para su casa, vieron a Rosa y a los niños, que estaban jugando en el parque. La verdad es que Rosa, más que una criada, es parte de la familia.

Irene y Paco están en un mercado al aire libre.

Irene —Tú estuviste aquí anteayer. ¿No compraste manzanas?
Paco —Sí, pero se las di a la tía Marta. Ella las quería usar para hacer un pastel.
Irene —Necesitamos manzanas, naranjas, peras, uvas y duraznos para la ensalada de frutas.
Paco —También tenemos que comprar carne y pescado. Vamos ahora a la carnicería y a la pescadería.
Irene —Y a la panadería para comprar pan. Tu tía no tuvo tiempo de ir ayer.
Paco —Oye, necesitamos zanahorias, papas, cebollas y…
Irene —¡Y nada más! No tenemos mucho dinero…
Paco —Es verdad… Desgraciadamente gastamos mucho la semana pasada.
Irene —¿Sabes si tu hermano consiguió el préstamo que pidió?
Paco —Sí, se lo dieron.
Irene —¡Menos mal!

Now the dialogues will be read with pauses for you to repeat what you hear. Imitate the speakers' intonation patterns.

Beto —No necesitamos / lechuga ni tomates / porque ayer Rosa compró / muchos vegetales. /
Sara —¿Ella vino al mercado ayer? /
Beto —Sí, ayer hizo muchas cosas: / limpió el piso, / fue a la farmacia… /
Sara —Hizo una torta… / Oye, necesitamos mantequilla, / azúcar y cereal. /
Beto —También dijiste / que necesitábamos / dos docenas de huevos. /
Sara —Sí. / ¡Ah! ¿Mamá vino ayer? /
Beto —Sí, te lo dije anoche… / Nos trajo unas revistas / y unos periódicos. / Ah, ¿tenemos papel higiénico? /
Sara —No. También necesitamos lejía, / detergente y jabón. /
Beto —Bueno, / tenemos que apurarnos. / Rosa me dijo / que sólo podía quedarse / con los niños / hasta las cinco. /

Sara —Pues, generalmente / se queda hasta más tarde... / Oye, ¿dónde pusiste / la tarjeta de crédito? /

Beto —Creo que la dejé en casa… / ¡No, aquí está! /

Irene —Tú estuviste aquí anteayer. / ¿No compraste manzanas? /

Paco —Sí, / pero se las di a la tía Marta. / Ella las quería usar / para hacer un pastel. /

Irene —Necesitamos manzanas, / naranjas, / peras, / uvas y duraznos / para la ensalada de frutas. /

Paco —También tenemos que comprar carne / y pescado. / Vamos ahora / a la carnicería / y a la pescadería. /

Irene —Y a la panadería / para comprar pan. / Tu tía / no tuvo tiempo / de ir ayer.

Paco —Oye, / necesitamos zanahorias, / papas, cebollas y… /

Irene —¡Y nada más! / No tenemos mucho dinero… /

Paco —Es verdad… / Desgraciadamente / gastamos mucho / la semana pasada. /

Irene —¿Sabes si tu hermano / consiguió el préstamo / que pidió? /

Paco —Sí, se lo dieron. /

Irene —¡Menos mal! /

III. Preguntas y respuestas

The speaker will ask several questions based on the dialogues. Answer each question, always omitting the subject. The speaker will verify your response. Repeat the correct answer. Begin.

1. ¿Beto y Sara están en un supermercado o en un mercado al aire libre? /
   Están en un supermercado. /
2. ¿Ayer Rosa compró carne o vegetales? /
   Compró vegetales. /
3. ¿Ayer Rosa fue a la zapatería o fue a la farmacia? /
   Fue a la farmacia. /
4. ¿Sara dijo que necesitaba dos docenas de huevos o cuatro docenas? /
   Dijo que necesitaba dos docenas de huevos. /
5. ¿Rosa sólo podía quedarse con los niños hasta las tres o hasta las cinco? /
   Sólo podía quedarse con los niños hasta las cinco. /
6. ¿Beto tiene la tarjeta de crédito o la dejó en casa? /
   Tiene la tarjeta de crédito. /
7. ¿Paco comió las manzanas o se las dio a su tía? /
   Se las dio a su tía. /
8. ¿Irene va a hacer una ensalada de lechuga o de frutas? /
   Va a hacer una ensalada de frutas. /
9. ¿Paco quiere comprar pescado o papel higiénico? /
   Quiere comprar pescado. /
10. ¿Irene fue a la panadería ayer o tiene que ir hoy? /
    Tiene que ir hoy. /
11. ¿Irene y Paco gastaron mucho o poco la semana pasada? /
    Gastaron mucho la semana pasada. /
12. ¿El hermano de Paco consiguió el préstamo o no lo consiguió? /
    Lo consiguió. /

IV. Puntos para recordar

A. You will hear several statements in the present tense. Change the verbs in each sentence from the present to the preterit. The speaker will verify your response. Repeat the correct answer. Follow the model.

MODELO: Están allí. /
Estuvieron allí. /

1. No puedo ir. / No pude ir. /
2. Tengo que trabajar. / Tuve que trabajar. /
3. Dicen que sí. / Dijeron que sí. /
4. Hace el pan. / Hizo el pan. /
5. No lo sabe. / No lo supo. /
6. Tú conduces bien. / Tú condujiste bien. /
7. Lo ponemos en la mesa. / Lo pusimos en la mesa. /
8. No quiere comer. / No quiso comer. /
9. Lo traducen al inglés. / Lo tradujeron al inglés. /
10. Lo traen cuando vienen. / Lo trajeron cuando vinieron. /

B. The speaker will ask several questions. Answer each one, using the cue provided and replacing the direct object with the corresponding direct object pronoun. The speaker will verify your response. Repeat the correct answer. Follow the model.

MODELO: —¿Quién te trajo las peras? (Teresa) /
—Me las trajo Teresa. /

1. ¿A quién le diste el dinero? (a Carlos) /
   Se lo di a Carlos. /

2. ¿Quién les trajo a Uds. los comestibles? (mi mamá) /
Nos los trajo mi mamá. /
3. ¿Tú les compraste el cereal a los niños? (sí) /
Sí, yo se lo compré. /
4. ¿Cuándo te mandaron la carne? (ayer) /
Me la mandaron ayer. /
5. ¿Dónde me compraste el pastel? (en la panadería) /
Te lo compré en la panadería. /
6. ¿Quién le pagó la comida a Javier? (su papá) /
Se la pagó su papá. /

C. Change each sentence you hear, substituting the new subject given. The speaker will verify your response. Repeat the correct answer. Follow the model.

MODELO: Yo serví la comida. (Jorge) /
Jorge sirvió la comida. /

1. Nosotros no conseguimos un descuento. (mis padres) /
Mis padres no consiguieron un descuento. /
2. Me divertí mucho en la fiesta. (Lupe) /
Lupe se divirtió mucho en la fiesta. /
3. Tú seguiste hablando. (Sergio y Carlos) /
Sergio y Carlos siguieron hablando. /
4. Pedimos pescado. (mi amigo) /
Mi amigo pidió pescado. /
5. Yo no dormí bien. (Uds.) /
Uds. no durmieron bien. /
6. Anoche me sentí mal. (mi hija) /
Anoche mi hija se sintió mal. /

D. Change each of the sentences you hear to the imperfect tense. The speaker will verify your response. Repeat the correct answer. Follow the model.

MODELO: Hablo español. /
Hablaba español. /

1. Voy con ellos. /
Iba con ellos. /
2. Ella es mi profesora. /
Ella era mi profesora. /
3. Comen melocotones. /
Comían melocotones. /
4. Nunca los ves. /
Nunca los veías. /
5. Gastan mucho dinero. /
Gastaban mucho dinero. /
6. Siempre nos apuramos. /
Siempre nos apurábamos. /
7. Yo limpio la casa. /
Yo limpiaba la casa. /
8. Ud. juega bien al tenis. /
Ud. jugaba bien al tenis. /

E. Change each adjective you hear to an adverb. The speaker will verify your response. Repeat the correct answer. Follow the model.

MODELO: fácil / *fácilmente* /

1. rápido / rápidamente /
2. general / generalmente /
3. reciente / recientemente /
4. completo / completamente /
5. raro / raramente /
6. lento y claro / lenta y claramente /

V. Díganos

The speaker will ask you some questions. Answer them, always omitting the subject and using the cues provided. The speaker will verify your response. Repeat the correct answer. Follow the model. Begin.

MODELO: —¿En qué mercado compra Ud.? (mercado al aire libre) /
—*Compro en un mercado al aire libre.* /

1. ¿Qué días va Ud. al supermercado? (los sábados) /
Voy al supermercado los sábados. /
2. ¿Qué vegetales le gustan a Ud.? (lechuga y tomate) /
Me gustan la lechuga y el tomate. /
3. ¿Qué dijo Ud. que necesitaba? (una docena de huevos) /
Dije que necesitaba una docena de huevos. /
4. ¿Prefiere Ud. leer revistas o periódicos? (revistas) /
Prefiero leer revistas. /
5. ¿Con qué limpió Ud. el piso del baño? (detergente) /
Limpié el piso del baño con detergente. /
6. ¿Dónde estuvo Ud. anoche? (en mi casa) /
Anoche estuve en mi casa. /
7. ¿Adónde fue Ud. para comprar pescado? (pescadería) /
Fui a la pescadería para comprar pescado. /
8. ¿Cuánto dinero gastó Ud. la semana pasada? (200 dólares) /
La semana pasada gasté 200 dólares. /

VI. Ejercicios de comprensión

A. Open your lab manual to Section VI. You will hear three statements about each picture. Circle the letter of the statement that best corresponds to the picture. The speaker will verify your response.

1. a. Carlos piensa ir a la pescadería.
   b. Carlos va a comer pollo.
   c. Carlos necesita lejía. /

   The answer is a: Carlos piensa ir a la pescadería.

2. a. Ángel está comprando naranjas.
   b. Ángel va a hacer una ensalada de frutas.
   c. Ángel está en la carnicería. /

   The answer is b: Ángel va a hacer una ensalada de frutas.

3. a. Rita limpió el piso ayer.
   b. Rita fue a la farmacia ayer.
   c. Rita compró queso ayer. /

   The answer is a: Rita limpió el piso ayer.

4. a. La señora Díaz necesita duraznos para la ropa.
   b. La señora Díaz necesita pan para la ropa.
   c. La señora Díaz necesita lejía para la ropa. /

   The answer is c: La señora Díaz necesita lejía para la ropa.

5. a. Raquel tuvo que comprar vegetales ayer.
   b. Raquel compró detergente ayer.
   c. Raquel trajo huevos ayer. /

   The answer is a: Raquel tuvo que comprar vegetales ayer.

6. a. Luis se quedó en casa anoche.
   b. Luis tuvo que apurarse.
   c. Luis compró comestibles. /

   The answer is a: Luis se quedó en casa anoche.

B. You will now hear some statements. Circle **L** if the statement is logical (**lógico**) or **I** if it is illogical (**ilógico**). The speaker will verify your response.

1. Voy a comprar pollo y camarones para hacer una ensalada de frutas. / Ilógico /
2. Estaban comprando comestibles en la farmacia. / Ilógico /
3. No compró chuletas porque no pudo ir al supermercado. / Lógico /
4. Es tarde. Tenemos que apurarnos. / Lógico /
5. Necesitamos papel higiénico para el baño. / Lógico /
6. Compramos apio y pepino para hacer una torta. / Ilógico /
7. Me gusta el cereal con cebollas. / Ilógico /
8. Los niños estaban jugando en el parque. / Lógico /
9. Hoy es sábado; anteayer fue domingo. / Ilógico /
10. Trajo piña y cerezas para hacer una ensalada de vegetales. / Ilógico /

C. Listen carefully to the dialogue, and then answer the questions, omitting the subjects. The speaker will confirm your response. Repeat the correct response.

Antonio —Victoria, necesitamos carne, pollo y pescado.
Victoria —Tía Eva fue a la pescadería ayer y trajo salmón.
Antonio —Bueno, yo puedo ir al supermercado más tarde.
Victoria —Ah, Antonio, tía Eva quiere hacer un pastel y me dijo que necesitaba manzanas.
Antonio —Yo se las compro.
Victoria —Oye, llamó tu papá; consiguió el préstamo.
Antonio —¡Se lo dieron! Magnífico.
Victoria —Sí, tuvo que ir al banco y por eso no pudo llevar a los niños al parque.
Antonio —Tú y yo podemos llevarlos esta tarde. Oye, tengo hambre.
Victoria —¿Quieres una fruta? Hay cerezas y fresas.
Antonio —No, quiero un perro caliente o una hamburguesa.

Now answer the speaker's questions.

1. ¿Qué dice Antonio que necesitan?
   Dice que necesitan carne, pollo y pescado.
2. ¿Qué trajo la tía de Victoria de la pescadería?
   Trajo salmón.
3. ¿Qué quiere hacer la tía de Victoria?
   Quiere hacer un pastel.
4. ¿Qué dijo que necesitaba?
   Dijo que necesitaba manzanas.
5. ¿Qué consiguió el papá de Antonio?
   Consiguió el préstamo.
6. ¿Adónde tuvo que ir?
   Tuvo que ir al banco.
7. ¿Pudo llevar a los niños al parque?
   No, no pudo llevarlos.
8. ¿Cuándo pueden llevarlos Antonio y Victoria?
   Pueden llevarlos esta tarde.

9. ¿Qué frutas hay?
   Hay cerezas y fresas.
10. ¿Qué quiere comer Antonio?
   Quiere un perro caliente o una hamburguesa.

VII. Para escuchar y escribir

Now open your lab manual to Section VII. The speaker will read five sentences. Each sentence will be read twice. After the first reading, write what you have heard. After the second reading, check your work and fill in what you have missed. Begin.

1. Necesitamos mantequilla y azúcar. /
2. Compramos lejía, detergente y jabón. /
3. Tenemos que ir a la carnicería y a la pescadería. /
4. Tuve que comprar zanahorias y cebollas. /
5. La semana pasada gastamos mucho dinero. /

END OF LESSON 8

I. Pronunciación

Listen and repeat the following sentences, paying close attention to your pronunciation and intonation. Begin.

1. De postre, queremos flan. /
2. Quiero pan tostado con mermelada. /
3. ¿Qué recomienda el camarero? /
4. ¿Nos puede traer la cuenta? /
5. El cordero asado está riquísimo. /
6. Celebran su aniversario el sábado. /

II. Diálogos: En el restaurante

The dialogues will be read first without pauses. Pay close attention to the speakers' intonation and pronunciation patterns.

Pilar y su esposo Víctor están de vacaciones en Colombia, y hace dos días que llegaron a Bogotá, donde piensan estar por un mes.

Anoche casi no durmieron porque fueron al teatro y luego a un club nocturno para celebrar su aniversario de bodas. Ahora están en el café de un hotel internacional, listos para desayunar. El mozo les trae el menú.

Víctor —Quiero dos huevos fritos, jugo de naranja, café y pan con mantequilla.

Mozo —Y Ud., señora, ¿quiere lo mismo?

Pilar —No, yo sólo quiero café con leche y pan tostado con mermelada.

Víctor —¿Por qué no comes huevos con tocino o chorizo y panqueques?

Pilar —No, porque a la una vamos a almorzar en casa de los Acosta. Hoy es el cumpleaños de Armando.

Víctor —Es verdad. Y esta noche vamos a ir a cenar a un restaurante. Yo quiero probar algún plato típico de Colombia.

Por la tarde Víctor llamó por teléfono desde el hotel al restaurante La Carreta y preguntó a qué hora se abría. Hizo reservaciones para las nueve, pero llegaron tarde porque había mucho tráfico.

En el restaurante.

Mozo —Quiero recomendarles la especialidad de la casa: biftec con langosta, arroz y ensalada. De postre, flan con crema.

Pilar —No, yo quiero sopa de pescado y pollo asado con puré de papas. De postre, helado.

Víctor —Para mí chuletas de cordero, papa al horno, no, perdón, papas fritas y ensalada. De postre, un pedazo de pastel.

El mozo anotó el pedido y se fue para la cocina.

Pilar —Mi abuela hacía unos pasteles riquísimos. Cuando yo era chica, siempre iba a su casa para comer pasteles.

Víctor —Yo no veía mucho a la mía porque vivía en el campo, pero ella cocinaba muy bien también.

Después de cenar, siguieron hablando un rato. Luego Víctor pidió la cuenta, la pagó y le dejó una buena propina al mozo. Cuando salieron hacía frío y tuvieron que tomar un taxi para ir al hotel. Eran las once cuando llegaron.

Now the dialogues will be read with pauses for you to repeat what you hear. Imitate the speakers' intonation patterns.

Víctor —Quiero dos huevos fritos, / jugo de naranja, / café y pan con mantequilla. /

Mozo —Y Ud., señora, / ¿quiere lo mismo? /

Pilar —No, yo sólo quiero / café con leche / y pan tostado con mermelada. /

Víctor —¿Por qué no comes / huevos con tocino / o chorizo y panqueques? /

Pilar —No, porque a la una / vamos a almorzar / en casa de los Acosta. / Hoy es el cumpleaños / de Armando. /

Víctor —Es verdad. / Y esta noche / vamos a ir a cenar / a un restaurante. / Yo quiero probar / algún plato típico / de Colombia. /

Mozo —Quiero recomendarles / la especialidad de la casa: / biftec con langosta, / arroz y ensalada. / De postre, / flan con crema. /

Pilar —No, yo quiero sopa de pescado y / pollo asado / con puré de papas. / De postre, helado. /

Víctor —Para mí chuletas de cordero, / papa al horno, / no, perdón, / papas fritas y ensalada. / De postre, / un pedazo de pastel. /

Pilar —Mi abuela hacía / unos pasteles riquísimos. / Cuando yo era chica, / siempre iba a su casa / para comer pasteles. /

Víctor —Yo no veía / mucho a la mía / porque vivía en el campo, / pero ella cocinaba / muy bien también. /

III. Preguntas y respuestas

Now the speaker will ask several questions based on the dialogues. Answer each question, omitting the subject whenever possible. The speaker will verify your response. Repeat the correct answer. Begin.

1. ¿Hace dos días o dos semanas que Pilar y Víctor llegaron a Bogotá? /
   Hace dos días que llegaron a Bogotá. /
2. ¿Fueron al cine o al teatro para celebrar su aniversario? /
   Fueron al teatro. /
3. ¿Víctor quiere huevos fritos o panqueques? /
   Quiere huevos fritos. /
4. ¿Pilar va a comer pan con mermelada o huevos con tocino? /
   Va a comer pan con mermelada. /
5. ¿Pilar y Víctor van a almorzar en el restaurante o en casa de los Acosta? /
   Van a almorzar en casa de los Acosta. /
6. ¿La especialidad del restaurante es biftec con langosta o pollo asado? /
   Es biftec con langosta. /
7. ¿Víctor pide la especialidad de la casa o chuletas de cordero? /
   Pide chuletas de cordero. /
8. ¿Víctor quiere papa al horno o papas fritas? /
   Quiere papas fritas. /
9. De postre, ¿Víctor quiere pastel o flan con crema? /
   Quiere pastel. /
10. Cuando Pilar era chica, ¿iba a casa de su abuela para cocinar o para comer pasteles? /
    Iba para comer pasteles. /
11. ¿Los abuelos de Víctor vivían en el campo o vivían en la ciudad? /
    Vivían en el campo. /
12. ¿Quién pagó la cuenta, Víctor o Pilar? /
    Víctor pagó la cuenta. /

IV. Puntos para recordar

A. The speaker will ask several questions. Answer each one, using the cue provided. Pay special attention to the use of **por** or **para** in each question. The speaker will verify your response. Repeat the correct answer. Follow the model.

MODELO: —¿Para quién es el biftec? (Rita) /
—El biftec es para Rita. /

1. ¿Cuánto pagaste por el helado? (tres dólares) /
   Pagué tres dólares por el helado. /
2. ¿Por cuánto tiempo te vas a quedar en Lima? (quince días) /
   Me voy a quedar en Lima por quince días. /
3. ¿Para cuándo necesitas el bolso de mano? (mañana) /
   Necesito el bolso de mano para mañana. /
4. ¿Qué día sales para Caracas? (el lunes) /
   Salgo para Caracas el lunes. /
5. ¿Te gusta más escribir o llamar por teléfono? (llamar por teléfono) /
   Me gusta más llamar por teléfono. /
6. ¿La langosta es para ti? (sí) /
   Sí, es para mí. /

7. ¿Tu amiga no va contigo por no tener dinero o por no tener tiempo? (dinero) /
No va conmigo por no tener dinero. /
8. ¿Los muchachos salieron por la ventana o por la puerta? (la puerta) /
Salieron por la puerta. /

B. The speaker will ask several questions. Answer each one **sí** or **no**. The speaker will verify your response. Repeat the correct answer. Follow the model.

MODELO: —¿En Chicago hace mucho viento? /
—Sí, hace mucho viento. /

1. ¿En Denver nieva mucho en el invierno? /
Sí, nieva mucho. /
2. ¿En Phoenix hace frío en el verano? /
No, no hace frío. /
3. ¿En Alaska hace calor en el invierno? /
No, no hace calor. /
4. ¿En Oregón llueve frecuentemente? /
Sí, llueve frecuentemente. /
5. ¿Generalmente hace buen tiempo en Los Ángeles? /
Sí, generalmente hace buen tiempo. /

C. The speaker will ask several questions. Answer each one, using the cue provided. Pay special attention to the use of the preterit or the imperfect. The speaker will verify your response. Repeat the correct answer. Follow the model.

MODELO: —¿En qué idioma te hablaban tus padres? (en inglés) /
—Me hablaban en inglés. /

1. ¿Dónde vivían ustedes cuando eran chicos? (en el campo) /
Vivíamos en el campo. /
2. ¿Adónde iban de vacaciones? (a México) /
Íbamos a México. /
3. ¿Tú veías a tus abuelos frecuentemente? (no) /
No, no veía a mis abuelos frecuentemente. /
4. ¿Qué te gustaba comer cuando eras chico o chica? (biftec con puré de papas) /
Me gustaba comer biftec con puré de papas. /
5. ¿Dónde almorzaste ayer? (en la cafetería) /
Almorcé en la cafetería. /
6. ¿Qué comiste? (pollo y papas fritas) /
Comí pollo y papas fritas. /
7. ¿Quién hizo la comida en tu casa anoche? (yo) /
Yo hice la comida anoche. /
8. ¿Qué hora era cuando tú llegaste a la clase ayer? (las ocho) /
Eran las ocho cuando llegué a la clase ayer. /
9. ¿Qué estaba haciendo el profesor cuando llegaste? (escribiendo) /
Estaba escribiendo cuando llegué. /
10. ¿Qué les dijo el profesor ayer? (que teníamos un examen) /
Nos dijo que teníamos un examen. /

D. Answer each question you hear using the cue provided. The speaker will verify your response. Repeat the correct answer. Follow the model.

MODELO: —¿Cuánto tiempo hace que tú llegaste? (veinte minutos) /
—Hace veinte minutos que llegué. /

1. ¿Cuánto tiempo hace que te levantaste? (dos horas) /
Hace dos horas que me levanté. /
2. ¿Cuánto tiempo hace que comiste? (una hora) /
Hace una hora que comí. /
3. ¿Cuánto tiempo hace que fuiste de vacaciones? (dos meses) /
Hace dos meses que fui de vacaciones. /
4. ¿Cuánto tiempo hace que empezaste a estudiar español? (un año) /
Hace un año que empecé a estudiar español. /
5. ¿Cuánto tiempo hace que Uds. tuvieron un examen? (tres días) /
Hace tres días que tuvimos un examen. /

E. Answer each question you hear, using the cue provided. The speaker will verify your response. Repeat the correct answer. Follow the model.

MODELO: —Mis zapatos son negros. ¿Y los tuyos? (blancos) /
—Los míos son blancos. /

1. Mi camisa es roja. ¿Y la tuya? (azul) /
La mía es azul. /
2. Mi pantalón está aquí. ¿Y el de Jorge? (allí) /
El suyo está allí. /
3. Mis botas son anchas. ¿Y las tuyas? (estrechas) /
Las mías son estrechas. /
4. Las corbatas de Carlos son caras. ¿Y las de ustedes? (baratas) /
Las nuestras son baratas. /
5. Las sandalias de Ana están aquí. ¿Y las mías? (en tu casa) /
Las tuyas están en tu casa. /

V. Díganos

The speaker will ask you some questions. Answer them, using the cues provided. The speaker will verify your response. Repeat the correct answer. Begin.

MODELO: —¿Cuánto tiempo hace que Ud. llegó a la universidad? (dos horas) /
—*Hace dos horas que llegué a la universidad.* /

1. ¿Durmió Ud. bien anoche? (sí, muy bien) /
Sí, dormí muy bien anoche. /
2. ¿Qué desayunó Ud. hoy? (huevos y tocino) /
Desayuné huevos y tocino hoy. /
3. ¿Hacía frío cuando Ud. salió de su casa hoy? (sí) /
Sí, hacía frío cuando salí de mi casa hoy. /
4. ¿Dónde va a almorzar Ud. mañana? (en un restaurante mexicano) /
Voy a almorzar en un restaurante mexicano. /
5. ¿Llamó Ud. por teléfono para hacer reservaciones? (no) /
No, no llamé por teléfono para hacer reservaciones. /
6. ¿Qué va a pedir de postre? (flan con helado) /
Voy a pedir flan con helado. /
7. ¿Cuánto le va a dejar de propina al mozo? (diez dólares) /
Le voy a dejar diez dólares de propina. /

VI. Ejercicios de comprensión

A. Open your lab manual to Section VI. You will hear three statements about each picture. Circle the letter of the statement that best corresponds to the picture. The speaker will verify your response.

1. a. De postre, Nora va a pedir flan.
b. De postre, Nora va a pedir helado.
c. De postre, Nora va a pedir un pedazo de pastel. /

The answer is b: De postre, Nora va a pedir helado.

2. a. Hace veinte minutos que Celia espera.
b. Hace media hora que Celia espera.
c. Hace una hora que Celia espera. /

The answer is c: Hace una hora que Celia espera.

3. a. Alicia está de vacaciones en el campo.
b. Alicia está de vacaciones en la ciudad.
c. Alicia está trabajando en el campo. /

The answer is a: Alicia está de vacaciones en el campo.

4. a. Lola quiere celebrar su aniversario en el restaurante.
b. Lola quiere celebrar su aniversario en el teatro.
c. Lola quiere celebrar su aniversario en el club nocturno. /

The answer is c: Lola quiere celebrar su aniversario en el club nocturno.

5. a. Ellos cenan en la cafetería.
b. Ellos cenan en su casa.
c. Ellos cenan en un café al aire libre. /

The answer is b: Ellos cenan en su casa.

6. a. Ana estaba cenando.
b. Ana estaba desayunando.
c. Ana estaba almorzando. /

The answer is b: Ana estaba desayunando.

7. a. Mi abuela cocinó ayer.
b. Mi abuela se divirtió mucho.
c. Mi abuela durmió todo el día. /

The answer is a: Mi abuela cocinó ayer.

8. a. Yolanda va a pedir chuletas de cordero.
b. Yolanda va a pedir langosta.
c. Yolanda va a pedir pescado. /

The answer is c: Yolanda va a pedir pescado.

9. a. Héctor anota el pedido.
b. Héctor pide la cuenta.
c. Héctor le deja una propina al mozo. /

The answer is c: Héctor le deja una propina al mozo.

B. You will now hear some statements. Circle **L** if the statement is logical (**lógico**) or **I** if it is illogical (**ilógico**). The speaker will verify your response.

1. Hoy es viernes; llegué el martes. Hace tres días que llegué. / Lógico /
2. El mozo nos recomendó la especialidad de la casa. / Lógico /
3. Mi prima tiene cinco años. Ayer celebró su aniversario de bodas. / Ilógico /
4. Yo no veía mucho a mis abuelos porque ellos vivían en el campo y yo vivía en la ciudad. / Lógico /
5. De postre quiero chuletas de cordero. / Ilógico /
6. El mozo pagó la cuenta y nos dejó una propina. / Ilógico /
7. El clima es seco; llueve mucho. / Ilógico /

8. Tomaron un taxi porque llovía mucho. / Lógico /
9. Van a darle una fiesta porque hoy es su cumpleaños. / Lógico /
10. El cielo está nublado; probablemente va a llover. / Lógico /

C. Now listen carefully to the dialogue and then answer the speaker's questions, omitting the subjects. The speaker will verify your response. Repeat the correct answer.

Celia —Pedro, ¿qué hora era cuando los niños se levantaron?
Pedro —Eran las diez. Desayunaron muy bien: tocino, huevos fritos, jugo de naranja y pan con mantequilla.
Celia —¡Perfecto! ¿Les dijiste que hoy venían sus abuelos?
Pedro —Sí. ¡Ah! Mis padres llegan a las tres y los tuyos llegan a las ocho de la noche.
Celia —¿Tú ya almorzaste?
Pedro —Sí, hace dos horas. Comí un biftec y, de postre, flan con crema.
Celia —Yo traje chuletas de cordero para esta noche.
Pedro —A mi papá le gustan mucho. Cuando éramos chicos, mamá las hacía a menudo.
Celia —Pues a mis padres también les gustan. Oye, ¿los chicos fueron a nadar?
Pedro —No, Celia, hoy hace frío...

Now answer the speaker's questions.

1. ¿Qué hora era cuando los chicos se levantaron? / Eran las diez. /
2. ¿Qué desayunaron? / Desayunaron tocino, huevos fritos, jugo de naranja y pan con mantequilla. /
3. ¿Les dijo Pedro a los niños que sus abuelos venían hoy? / Sí, se lo dijo. /
4. ¿A qué hora llegan los padres de Pedro? / Llegan a las tres. /
5. ¿A qué hora llegan los padres de Celia? / Llegan a las ocho de la noche. /
6. ¿Cuánto tiempo hace que Pedro almorzó? / Hace dos horas que almorzó. /
7. ¿Qué comió Pedro? / Comió biftec y flan con crema. /
8. ¿Qué trajo Celia para esta noche? / Trajo chuletas de cordero. /
9. ¿Qué le gusta al papá de Pedro? / Le gustan las chuletas de cordero. /
10. ¿Por qué no fueron a nadar los chicos? / Porque hoy hace frío. /

VII. Para escuchar y escribir

Now open your lab manual to Section VII. The speaker will read five sentences. Each sentence will be read twice. After the first reading, write what you have heard. After the second reading, check your work and fill in what you have missed. Begin.

1. Después de cenar, siguieron hablando un rato. /
2. Ahora están en el café de un hotel internacional. /
3. ¿Por qué no comes huevos con tocino o chorizo? /
4. Yo no veía mucho a mi abuela porque ella vivía en el campo. /
5. Víctor pagó la cuenta y le dejó una buena propina al mozo. /

END OF LESSON 9

LECCIÓN 10

I. Pronunciación

Listen and repeat the following sentences, paying close attention to your pronunciation and intonation. Begin.

1. ¿Te duele mucho la cabeza? /
2. Está en la sala de rayos X. /
3. Tienen que enyesarle el brazo. /
4. La enfermera me puso una inyección. /
5. Tiene que tomar estas pastillas. /
6. No se ha fracturado el tobillo. /

II. Diálogos: En un hospital

The dialogues will be read first without pauses. Pay close attention to the speakers' intonation and pronunciation patterns.

En Santiago de Chile.

Susana ha tenido un accidente y los paramédicos la han traído al hospital en una ambulancia. Ahora está en la sala de emergencia hablando con el médico.

Doctor —Dígame qué le pasó, señorita.
Susana —Yo había parado en una esquina y un autobús chocó con mi coche.
Doctor —¿Perdió Ud. el conocimiento después del accidente?
Susana —Sí, por unos segundos.
Doctor —¿Tiene Ud. dolor en alguna parte?
Susana —Sí, doctor, me duele mucho la herida del brazo.
Doctor —¿Cuándo fue la última vez que le pusieron una inyección antitetánica?
Susana —Hace seis meses.
Doctor —Bueno, voy a vendarle la herida ahora mismo. Y después la enfermera va a ponerle una inyección para el dolor. ¿Le duele algo más?
Susana —Me duele mucho la espalda y también me duele la cabeza.
Doctor —Bueno, vamos a hacerle unas radiografías para ver si se ha fracturado algo. *(A la enfermera.)* Lleve a la señorita a la sala de rayos X.

Una hora después, Susana salió del hospital. No tuvo que pagar nada porque tenía seguro médico. Fue a la farmacia y compró la medicina que le había recetado el médico para el dolor.

Pepito se cayó en la escalera de su casa y su mamá lo llevó al hospital. Hace una hora que esperan cuando por fin viene la doctora Alba. Pepito está llorando.

Doctora —¿Qué le pasó a su hijo, señora?
Señora —Parece que se ha torcido el tobillo.
Doctora —A ver... creo que es una fractura.

Han llevado a Pepito a la sala de rayos X y le han hecho varias radiografías.

Doctora —Tiene la pierna rota. Vamos a tener que enyesársela.
Señora —¿Va a tener que usar muletas para caminar?
Doctora —Sí, por seis semanas. Dele estas pastillas para el dolor y pida turno para la semana que viene.

Ahora Pepito está sentado en la camilla y habla con su mamá.

Señora —¿Cómo te sientes, mi vida?
Pepito —Un poco mejor. Mami, ¿llamaste a papá?
Señora —Sí, mi amor. En seguida viene a buscarnos.

Now the dialogues will be read with pauses for you to repeat what you hear. Imitate the speakers' intonation patterns.

Doctor —Dígame qué le pasó, / señorita. /
Susana —Yo había parado / en una esquina / y un autobús / chocó con mi coche. /
Doctor —¿Perdió Ud. el conocimiento / después del accidente? /
Susana —Sí, por unos segundos. /
Doctor —¿Tiene Ud. dolor / en alguna parte? /
Susana —Sí, doctor, / me duele mucho / la herida / del brazo. /
Doctor —¿Cuándo fue la última vez / que le pusieron / una inyección antitetánica? /
Susana —Hace seis meses. /
Doctor —Bueno, voy a vendarle la herida / ahora mismo. / Y después / la enfermera va a ponerle / una inyección / para el dolor. / ¿Le duele algo más? /
Susana —Me duele mucho / la espalda / y también / me duele la cabeza. /
Doctor —Bueno, vamos a hacerle / unas radiografías / para ver / si se ha fracturado algo. / Lleve a la señorita / a la sala / de rayos X. /
Doctora —¿Qué le pasó / a su hijo, / señora? /
Señora —Parece que / se ha torcido / el tobillo. /
Doctora —A ver... / creo / que es una fractura. /

Doctora —Tiene la pierna rota. / Vamos a tener que / enyesársela. /
Señora —¿Va a tener que / usar muletas / para caminar? /
Doctora —Sí, por seis semanas. / Dele estas pastillas / para el dolor / y pida turno / para la semana / que viene. /

Señora —¿Cómo te sientes, / mi vida? /

Pepito	—Un poco mejor. / Mamí, / ¿llamaste a papi? /
Señora	—Sí, mi amor. / En seguida viene a buscarnos.

III. Preguntas y respuestas

Now the speaker will ask several questions based on the dialogues. Answer each question, omitting the subject whenever possible. The speaker will verify your response. Repeat the correct answer. Begin.

1. ¿Trajeron a Susana al hospital en una ambulancia o en un coche? /
   La trajeron en una ambulancia. /
2. ¿Susana perdió el conocimiento por unos segundos o por unos minutos? /
   Perdió el conocimiento por unos segundos. /
3. ¿Susana tiene una herida en la pierna o en el brazo? /
   Tiene una herida en el brazo. /
4. ¿El doctor va a vendarle la herida a Susana o va a limpiársela? /
   Va a vendarle la herida. /
5. ¿La enfermera va a ponerle una inyección a Susana o va a darle una receta? /
   Va a ponerle una inyección. /
6. ¿Van a hacerle una radiografía a Susana para ver si se ha fracturado algo o para ver si tiene una herida? /
   Van a hacerle una radiografía para ver si se ha fracturado algo. /
7. ¿El seguro pagó la cuenta del hospital o la pagó Susana? /
   El seguro la pagó. /
8. ¿Llevaron a Pepito a la sala de emergencia o a la sala de rayos X? /
   Lo llevaron a la sala de rayos X. /
9. Para caminar, ¿Pepito va a tener que tomar medicinas o va a tener que usar muletas? /
   Va a tener que usar muletas. /
10. ¿El doctor va a tener que vendarle la pierna a Pepito o va a tener que enyesársela? /
    Va a tener que enyesársela. /
11. ¿Pepito va a tener que usar muletas por seis semanas o por seis meses? /
    Va a tener que usar muletas por seis semanas. /
12. ¿Pepito se siente mejor o peor? /
    Se siente mejor. /

IV. Puntos para recordar

A. The speaker will ask several questions. Answer each one, using the verb **estar** and the past participle of the verb used in the question. The speaker will verify your response. Repeat the correct answer. Follow the model.

MODELO: —¿Vendieron la casa? /
—Sí, está vendida. /

1. ¿Cerraron la puerta? /
   Sí, está cerrada. /
2. ¿Abrieron las ventanas? /
   Sí, están abiertas. /
3. ¿Escribieron la carta en español? /
   Sí, está escrita en español. /
4. ¿Hicieron el flan? /
   Sí, está hecho. /
5. ¿Rompieron los vasos? /
   Sí, están rotos. /
6. ¿Se acostaron los chicos? /
   Sí, están acostados. /
7. ¿Sirvieron la cena? /
   Sí, está servida. /
8. ¿Vendieron los coches? /
   Sí, están vendidos. /

B. Answer each question you hear by saying that the action mentioned has already been done. If the sentence contains a direct object, substitute the appropriate direct object pronoun. The speaker will verify your response. Repeat the correct answer. Follow the model.

MODELO: —¿Va a cerrar Ud. la puerta? /
—Ya la he cerrado. /

1. ¿Vas a pagar el seguro? /
   Ya lo he pagado. /
2. ¿Van a llevar Uds. a los chicos al médico? /
   Ya los hemos llevado. /
3. ¿Va a traer la enfermera las muletas? /
   Ya las ha traído. /
4. ¿Van a ir ellos a la sala de rayos X? /
   Ya han ido. /
5. ¿Vas a escribir la carta? /
   Ya la he escrito. /

C. Change the verb in each statement you hear to the past perfect tense. The speaker will verify your response. Repeat the correct answer. Follow the model.

MODELO: Él perdió el conocimiento. /
Él había perdido el conocimiento. /

1. Lo trajeron en una ambulancia. /
   Lo habían traído en una ambulancia. /
2. Le hicieron una radiografía. /
   Le habían hecho una radiografía. /
3. Le recetó unas pastillas. /
   Le había recetado unas pastillas. /

4. Le puso una inyección. /
   Le había puesto una inyección. /
5. Se fracturó la pierna. /
   Se había fracturado la pierna. /
6. Lo llevaron a la sala de emergencia. /
   Lo habían llevado a la sala de emergencia. /

D. Change each statement you hear to a formal command. The speaker will verify your response. Repeat the correct answer. Follow the model.

MODELO: Debe traerlo. /
Tráigalo. /

1. Debe ponerlo aquí. /
   Póngalo aquí. /
2. No debe comprarlo hoy. /
   No lo compre hoy. /
3. Deben hablarle en inglés. /
   Háblenle en inglés. /
4. Debe levantarse temprano. /
   Levántese temprano. /
5. Deben llevarlo al hospital. /
   Llévenlo al hospital. /
6. Deben vendarle la herida. /
   Véndenle la herida. /
7. No debe darles las pastillas. /
   No les dé las pastillas. /
8. Debe recetarme la medicina. /
   Recéteme la medicina. /
9. Debe mandarnos la cuenta. /
   Mándenos la cuenta. /
10. No deben acostarse tarde. /
    No se acuesten tarde. /

V. Díganos

The speaker will ask you some questions. Answer them, using the cues provided. The speaker will verify your response. Repeat the correct answer. Follow the model. Begin.

MODELO: —¿Tiene Ud. seguro médico? (sí) /
—Sí, tengo seguro médico. /

1. ¿Ha chocado Ud. alguna vez con un autobús? (no, nunca) /
   No, nunca he chocado con un autobús. /
2. ¿Ha tenido Ud. un accidente recientemente? (no) /
   No, no he tenido ningún accidente recientemente. /
3. ¿Qué toma Ud. cuando le duele la cabeza? (aspirina) /
   Cuando me duele la cabeza tomo aspirina. /
4. ¿Le han puesto una inyección antitetánica recientemente? (no) /
   No, no me han puesto una inyección antitetánica recientemente. /
5. ¿Cómo se siente Ud. hoy? (no muy bien) /
   No me siento muy bien hoy. /
6. ¿Qué le duele? (la espalda) /
   Me duele la espalda. /
7. ¿Ha pedido Ud. turno para ir al médico? (no) /
   No, no he pedido turno para ir al médico. /
8. ¿Se ha desmayado Ud. alguna vez? (sí) /
   Sí, me he desmayado. /

VI. Ejercicios de comprensión

A. Open your lab manual to Section VI. You will hear three statements about each picture. Circle the letter of the statement that best corresponds to the picture. The speaker will verify your response.

1. a. Beto tiene la espalda rota.
   b. Beto tiene la pierna rota.
   c. Beto tiene el brazo roto. /

   The answer is b: Beto tiene la pierna rota.

2. a. Susana perdió el conocimiento.
   b. Susana perdió el dinero.
   c. Susana perdió la radiografía. /

   The answer is a: Susana perdió el conocimiento.

3. a. Nora tiene una inyección en el brazo.
   b. Nora tiene una herida en el brazo.
   c. Nora tiene una enfermera en el brazo. /

   The answer is b: Nora tiene una herida en el brazo.

4. a. La enfermera le va a limpiar la herida a Rosa.
   b. La enfermera le va a vendar la herida a Rosa.
   c. La enfermera le va a romper la herida a Rosa. /

   The answer is a: La enfermera le va a limpiar la herida a Rosa.

5. a. A José le van a poner una inyección.
   b. A José le van a hacer una radiografía.
   c. A José le van a recetar una medicina. /

   The answer is a: A José le van a poner una inyección.

6. a. Jorge se cayó en la escalera.
   b. Jorge se cayó en el ómnibus.
   c. Jorge se cayó en la esquina. /

   The answer is a: Jorge se cayó en la escalera.

7. a. A Horacio le enyesaron la pierna.
   b. A Horacio le vendaron el brazo.
   c. A Horacio le hicieron una radiografía. /

   The answer is c: A Horacio le hicieron una radiografía.

8. a. Héctor va a tener que torcerse el tobillo.
   b. Héctor va a tener que bailar con Olga.
   c. Héctor va a tener que usar muletas. /

   The answer is c: Héctor va a tener que usar muletas.

9. a. Han traído a Rosa en un coche.
   b. Han traído a Rosa en un autobús.
   c. Han traído a Rosa en una ambulancia. /

   The answer is c: Han traído a Rosa en una ambulancia.

B. You will now hear some statements. Circle **L** if the statement is logical (**lógico**) or **I** if it is illogical (**ilógico**). The speaker will verify your response.

1. Estamos bailando en la sala de emergencia. / Ilógico /
2. Le van a enyesar el pie porque se fracturó el brazo. / Ilógico /
3. Tu coche chocó con un autobús. / Lógico /
4. Se cayó en la escalera y se torció el tobillo. / Lógico /
5. Le limpiaron la herida y se la vendaron. / Lógico /
6. No puede caminar porque le duele la muñeca. / Ilógico /
7. Tiene el brazo roto. Va a tener que usar muletas. / Ilógico /
8. Lo llevaron a la sala de rayos X para hacerle una radiografía. / Lógico /
9. Le pusieron una inyección antitetánica porque no pagó el seguro./ Ilógico /
10. El médico me recetó unas pastillas para el dolor. / Lógico /

C. Listen carefully to the dialogue, and then answer the questions, omitting the subjects. The speaker will confirm your response. Repeat the correct response.

Cora —Luis, Gustavo está en el hospital. Tuvo un accidente.
Luis —¿Qué le pasó?
Cora —Chocó en la esquina de su casa. Los paramédicos lo llevaron al hospital en una ambulancia.
Luis —Tenemos que ir a verlo. ¿Has llamado a sus padres?
Cora —Sí, y ya han llegado al hospital. Su mamá me llamó hace cinco minutos.
Luis —¿Qué te dijo?
Cora —Que le han hecho radiografías y que tiene una pierna rota. Se la van a enyesar.
Luis —¿Eso es todo?
Cora —No, también le duele mucho la espalda y tiene una herida en el brazo.
Luis —Vamos a verlo ahora mismo.

Now answer the speaker's questions.

1. ¿Dónde está Gustavo? /
   Está en el hospital. /
2. ¿Por qué está en el hospital? /
   Porque tuvo un accidente. /
3. ¿Qué le pasó? /
   Chocó en la esquina de su casa. /
4. ¿Quiénes llevaron a Gustavo al hospital? /
   Los paramédicos lo llevaron. /
5. ¿Qué dice Luis que tienen que hacer? /
   Dice que tienen que ir a verlo. /
6. ¿Cora ha llamado a los padres de Gustavo? /
   Sí, los ha llamado. /
7. ¿Ya han llegado los padres de Gustavo al hospital? /
   Sí, ya han llegado. /
8. ¿Cuánto tiempo hace que la mamá de Gustavo llamó a Cora? /
   Hace cinco minutos. /
9. ¿Qué le han hecho a Gustavo? /
   Le han hecho radiografías. /
10. ¿Qué tiene Gustavo? /
    Tiene una pierna rota. /
11. ¿Qué le duele? /
    Le duele la espalda. /
12. ¿Dónde tiene una herida? /
    Tiene una herida en el brazo. /

VII. Para escuchar y escribir

Now open your lab manual to Section VII. The speaker will read five sentences. Each sentence will be read twice. After the first reading, write what you have heard. After the second reading, check your work and fill in what you have missed. Begin.

1. Él se cayó en la escalera de su casa. /
2. La llevaron en una ambulancia. /
3. Ella se ha torcido el tobillo. /
4. Me duele la herida del brazo. /
5. Vamos a tener que enyesarle la pierna. /

END OF LESSON 10

LECCIÓN 11

I. Pronunciación

Listen and repeat the following sentences, paying close attention to your pronunciation and intonation. Begin.

1. Necesito unas gotas para la nariz. /
2. ¿Es usted alérgico a la penicilina? /
3. Víctor tiene tos y mucha fiebre. /
4. No necesita una receta para el jarabe. /
5. Me alegro de que sólo sea un catarro. /
6. Ojalá te mejores pronto. /

II. Diálogos: En la farmacia y en el consultorio del médico

The dialogues will be read first without pauses. Pay close attention to the speakers' intonation and pronunciation patterns.

Alicia llegó a Quito ayer. Durante el día se divirtió mucho, pero por la noche se sintió mal y no durmió bien. Eran las cuatro de la madrugada cuando por fin pudo dormirse. Se levantó a las ocho y fue a la farmacia para comprar alguna medicina. Allí habló con el Sr. Paz, el farmacéutico.

Sr. Paz —¿En qué puedo servirle, señorita?

Alicia —Quiero que me dé algo para el catarro.

Sr. Paz —¿Tiene fiebre?

Alicia —Sí, tengo una temperatura de treinta y nueve grados. Además tengo tos y mucho dolor de cabeza.

Sr. Paz —Tome dos aspirinas cada cuatro horas y este jarabe para la tos.

Alicia —¿Y si la fiebre no baja?

Sr. Paz —En ese caso, va a necesitar penicilina. Yo le sugiero que vaya al médico.

Alicia —Temo que sea gripe... ¡o pulmonía!

Sr. Paz —No lo creo... No se preocupe... ¿Necesita algo más?

Alicia —Sí, unas gotas para la nariz, curitas y algodón.

Al día siguiente, Alicia sigue enferma y decide ir al médico. El doctor la examina y luego habla con ella.

Dr. Soto —Ud. tiene una infección en la garganta y en los oídos. ¿Es usted alérgica a alguna medicina?

Alicia —Creo que no.

Dr. Soto —Muy bien. Le voy a recetar unas pastillas. Ud. no está embarazada, ¿verdad?

Alicia —No, doctor. ¿Hay alguna farmacia cerca de aquí?

Dr. Soto —Sí, hay una en la esquina. Aquí tiene la receta.

Alicia —¿Tengo que tomar las pastillas antes o después de las comidas?

Dr. Soto —Tómelas entre comidas. Bueno, espero que se mejore pronto. Trate de descansar.

Alicia —Gracias. Me alegro de que no sea nada grave.

Alicia sale del consultorio del médico y va a la farmacia.

Alicia —*(Piensa)* Ojalá que las pastillas sean baratas. Si son muy caras no voy a tener suficiente dinero.

Now the dialogues will be read with pauses for you to repeat what you hear. Imitate the speakers' intonation patterns.

Sr. Paz —¿En qué puedo servirle, / señorita? /

Alicia —Quiero que me dé algo / para el catarro. /

Sr. Paz —¿Tiene fiebre? /

Alicia —Sí, tengo una temperatura / de treinta y nueve grados. / Además tengo tos / y mucho dolor de cabeza. /

Sr. Paz —Tome dos aspirinas / cada cuatro horas / y este jarabe para la tos. /

Alicia —¿Y si la fiebre no baja? /

Sr. Paz —En ese caso, / va a necesitar penicilina. / Yo le sugiero / que vaya al médico. /

Alicia —Temo que sea gripe… / ¡o pulmonía! /

Sr. Paz —No lo creo… / No se preocupe… / ¿Necesita algo más?

Alicia —Sí, unas gotas para la nariz, / curitas / y algodón. /

Dr. Soto —Ud. tiene una infección / en la garganta / y en los oídos. / ¿Es usted alérgica / a alguna medicina? /

Alicia	—Creo que no. /
Dr. Soto	—Muy bien. / Le voy a recetar / unas pastillas. / Ud. no está embarazada, / ¿verdad? /
Alicia	—No, doctor. / ¿Hay alguna farmacia / cerca de aquí? /
Dr. Soto	—Sí, hay una / en la esquina. / Aquí tiene la receta. /
Alicia	—¿Tengo que tomar las pastillas / antes o después de las comidas? /
Dr. Soto	—Tómelas entre comidas. / Bueno, espero / que se mejore pronto. / Trate de descansar.
Alicia	—Gracias. / Me alegro de que / no sea nada grave. /
Alicia	—Ojalá que las pastillas / sean baratas. / Si son muy caras / no voy a tener / suficiente dinero. /

III. Preguntas y respuestas

The speaker will ask several questions based on the dialogues. Answer each question, always omitting the subject. The speaker will verify your response. Repeat the correct answer. Begin.

1. ¿El señor Paz es médico o es farmacéutico? /
   Es farmacéutico. /
2. ¿Alicia tiene catarro o tiene una herida? /
   Tiene catarro. /
3. ¿Alicia tiene dolor de cabeza o dolor de espalda? /
   Tiene dolor de cabeza. /
4. ¿El farmacéutico le sugiere que vaya a la sala de rayos X o le sugiere que vaya al médico? /
   Le sugiere que vaya al médico. /
5. ¿Alicia necesita unas gotas para los ojos o unas gotas para la nariz? /
   Necesita unas gotas para la nariz. /
6. ¿Alicia sabe si es alérgica a alguna medicina o no está segura? /
   No está segura. /
7. ¿El doctor le va a recetar unas pastillas o unas gotas? /
   Le va a recetar unas pastillas. /
8. ¿En la esquina hay un hospital o hay una farmacia? /
   Hay una farmacia. /
9. ¿Alicia tiene que tomar las pastillas antes de las comidas o entre comidas? /
   Tiene que tomarlas entre comidas. /
10. ¿El doctor espera que Alicia vuelva pronto o que se mejore pronto? /
    Espera que se mejore pronto. /

IV. Puntos para recordar

A. The speaker will ask several questions. Answer each one, using the cue provided to say what the people mentioned should do. Always use the subjunctive. The speaker will verify your response. Repeat the correct answer. Follow the model.

MODELO: —¿Qué quieres tú que yo haga? (hablar con el médico) /
—*Quiero que hables con el médico.* /

1. ¿Qué quieren Uds. que nosotros hagamos? (ir a la farmacia) /
   Queremos que Uds. vayan a la farmacia. /
2. ¿Qué quiere el médico que ella haga? (tomar el jarabe) /
   Quiere que tome el jarabe. /
3. ¿Qué les aconseja la enfermera que hagan ustedes? (acostarnos temprano) /
   Nos aconseja que nos acostemos temprano. /
4. ¿Qué te pide tu amigo que hagas? (llevarlo al hospital) /
   Me pide que lo lleve al hospital. /
5. ¿Qué me sugieres tú que yo haga? (tomar aspirinas) /
   Te sugiero que tomes aspirinas. /
6. ¿Qué nos recomiendan ustedes que hagamos? (usar gotas para la nariz) /
   Les recomendamos que usen gotas para la nariz. /
7. ¿Qué quieren tus padres que tú hagas? (levantarme a las cinco) /
   Quieren que me levante a las cinco. /
8. ¿Qué le sugieres tú a tu amigo que haga? (pedir la receta) /
   Le sugiero que pida la receta. /
9. ¿Qué necesitan ustedes que haga el farmacéutico? (vendernos penicilina) /
   Necesitamos que nos venda penicilina. /
10. ¿Qué quieres tú que yo haga? (llamar una ambulancia) /
    Quiero que llames una ambulancia. /

B. Respond to each statement you hear by saying that Eva doesn't want the people mentioned to do what they want to do. The speaker will verify your response. Repeat the correct answer. Follow the model.

MODELO: Yo quiero bajar. /
Eva no quiere que yo baje. /

1. Tú quieres usar gotas para la nariz. /
   Eva no quiere que tú uses gotas para la nariz. /
2. El doctor quiere examinarnos. /
   Eva no quiere que el doctor nos examine. /

3. Tú quieres comprar jarabe para la tos. /
Eva no quiere que tú compres jarabe para la tos. /
4. Ellos quieren ir al consultorio del médico. /
Eva no quiere que ellos vayan al consultorio del médico. /
5. Yo quiero pedirle una receta al doctor. /
Eva no quiere que yo le pida una receta al doctor. /
6. Nosotros queremos darle aspirinas al niño. /
Eva no quiere que nosotros le demos aspirinas al niño. /

C. The speaker will make some statements describing how she feels. Change each statement so that it expresses an emotion with regard to someone else. The speaker will verify your response. Repeat the correct answer. Follow the model.

MODELO: Me alegro de estar aquí.
(de que tú) /
Me alegro de que tú estés aquí. /

1. Espero poder venir mañana. (que ellos) /
Espero que ellos puedan venir mañana. /
2. Siento estar enfermo. (que tú) /
Siento que tú estés enfermo. /
3. Temo no tener tiempo hoy. (que nosotros) /
Temo que nosotros no tengamos tiempo hoy. /
4. Me alegro de verlos. (que Rosa) /
Me alegro de que Rosa los vea. /
5. Siento tener que trabajar hoy. (que Uds.) /
Siento que ustedes tengan que trabajar hoy. /
6. Espero terminar mañana. (que Ud.) /
Espero que Ud. termine mañana. /

D. Change each statement you hear so that it expresses an emotion, using the cue provided. The speaker will verify your response. Repeat the correct answer. Follow the model.

MODELO: Ernesto no viene hoy. (Siento) /
Siento que Ernesto no venga hoy. /

1. Carlos se mejora. (Espero) /
Espero que Carlos se mejore. /
2. Ellos están enfermos. (Sentimos) /
Sentimos que ellos estén enfermos. /
3. Ella es alérgica a la penicilina. (Temo) /
Temo que ella sea alérgica a la penicilina. /
4. Nosotros podemos llevarlo al hospital. (Me alegro) /
Me alegro de que nosotros podamos llevarlo al hospital. /
5. Tú tienes pulmonía. (Sentimos) /
Sentimos que tú tengas pulmonía. /
6. Tengo una infección en el oído. (El médico teme) /
El médico teme que yo tenga una infección en el oído. /

E. Answer each question you hear, using the cue provided. Pay special attention to the use of the prepositions **a, en,** and **de.** The speaker will verify your response. Repeat the correct answer.

MODELO: —¿A qué hora llegaron al hospital?
(a las ocho) /
—Llegaron a las ocho. /

1. ¿Cuándo llegas a tu casa? (el lunes) /
Llego a mi casa el lunes. /
2. ¿Llegas a las tres de la mañana o a las tres de la tarde? (a las tres de la tarde) /
Llego a las tres de la tarde. /
3. ¿Empiezas a trabajar en el hospital en junio o en julio? (junio) /
Empiezo a trabajar en junio. /
4. ¿Vas a viajar en tren o en avión? (en avión) /
Voy a viajar en avión. /
5. ¿A quién vas a llamar esta tarde? (a mi médico) /
Voy a llamar a mi médico. /
6. ¿De qué le vas a hablar? (del accidente) /
Le voy a hablar del accidente. /

V. Díganos

The speaker will ask you some questions. Answer them, using the cues provided. The speaker will verify your response. Repeat the correct answer. Begin.

MODELO: —Cuando Ud. se siente mal, ¿qué le aconsejan sus amigos que haga?
(ir al médico) /
—Me aconsejan que vaya al médico. /

1. ¿Qué quiere su médico que Ud. haga cuando tiene fiebre? (tomar aspirinas) /
Quiere que tome aspirinas. /
2. ¿Qué le sugiere su mamá que Ud. haga cuando tiene tos? (tomar un jarabe) /
Me sugiere que tome un jarabe. /
3. ¿Su mamá es alérgica a alguna medicina? (sí, a la penicilina) /
Sí, es alérgica a la penicilina. /
4. Si Ud. tiene una infección en la garganta, ¿qué le receta el médico? (penicilina) /
Me receta penicilina. /
5. ¿Usa Ud. gotas para la nariz? (no) /
No, no uso gotas para la nariz. /

6. ¿Hay una farmacia en la esquina de su casa? (no) /
   No, no hay una farmacia en la esquina de mi casa. /
7. ¿Qué va a comprar Ud. en la farmacia? (curitas y algodón) /
   Voy a comprar curitas y algodón. /

VI. Ejercicios de comprensión

A. Open your lab manual to Section VI. You will hear three statements about each picture. Circle the letter of the statement that best corresponds to the picture. The speaker will verify your response.

1. a. Luis tiene dolor de garganta.
   b. Luis tiene dolor de cabeza.
   c. Luis tiene dolor de espalda. /

   The answer is b: Luis tiene dolor de cabeza.

2. a. Jorge tiene fiebre.
   b. Jorge tiene tos.
   c. Jorge tiene algodón. /

   The answer is a: Jorge tiene fiebre.

3. a. Mario está en la oficina de correos.
   b. Mario está en la farmacia.
   c. Mario está en el consultorio del doctor. /

   The answer is c: Mario está en el consultorio del doctor.

4. a. La doctora receta un jarabe.
   b. La doctora receta un dolor.
   c. La doctora receta un catarro. /

   The answer is a: La doctora receta un jarabe.

5. a. La temperatura le bajó.
   b. La temperatura es más alta.
   c. La temperatura es la misma. /

   The answer is a: La temperatura le bajó.

6. a. La farmacia está arriba.
   b. La farmacia está en la esquina.
   c. La farmacia está en el hotel. /

   The answer is b: La farmacia está en la esquina.

7. a. Paco estaba muy cansado.
   b. Paco no se sentía bien.
   c. Paco se sentía muy bien. /

   The answer is c: Paco se sentía muy bien.

8. a. Eva habla con el farmacéutico.
   b. Eva habla con el médico.
   c. Eva habla con el enfermero. /

   The answer is a: Eva habla con el farmacéutico.

9. a. Celia necesita algodón.
   b. Celia necesita una curita.
   c. Celia necesita gotas para la nariz. /

   The answer is c: Celia necesita gotas para la nariz.

B. You will hear some statements. Circle **L** if the statement is logical (**lógico**) or **I** if it is illogical (**ilógico**). The speaker will verify your response.

1. Durmió mal porque no se sentía bien. / Lógico /
2. Me levanté muy temprano; me levanté a las cuatro de la madrugada. / Lógico /
3. El médico me recetó un antiácido porque tenía catarro. / Ilógico /
4. Tiene fiebre. Tiene una temperatura de 104 grados. / Lógico /
5. Si estás enferma, te sugiero que vayas al médico. / Lógico /
6. Roberto está embarazado. / Ilógico /
7. Si te duele la pierna, te aconsejo que compres vitaminas. / Ilógico /
8. La dermatóloga está en su consultorio. / Lógico /
9. Si tienes un problema del corazón, ve a un cardiólogo. / Lógico /
10. Me duele mucho la espalda. Voy al oculista. / Ilógico /

C. Listen carefully to the dialogue, and then answer the questions, omitting the subjects. The speaker will verify your response. Repeat the correct response.

Magali —Héctor, quiero que lleves a Carlitos al médico.
Héctor —Sí, tiene mucha tos y creo que tiene fiebre.
Magali —¡Temo que tenga gripe... ¡o pulmonía!
Héctor —Bueno, Magali. El doctor Valdivieso lo va a examinar. No debes preocuparte.
Magali —Me alegro de que hoy no tengas que trabajar y puedas llevarlo.
Héctor —¡Ah! Anoche Carlitos me dijo que le dolía el oído.

Magali	—Espero que no tenga una infección, porque él es alérgico a la penicilina.
Héctor	—El médico puede recetarle otra cosa.
Magali	—Bueno, voy a pedir turno. Ojalá que el médico pueda verlo hoy.

Now answer the speaker's questions.

1. ¿Qué quiere Magali que haga Héctor? / Quiere que lleve a Carlitos al médico. /
2. ¿Qué problemas tiene Carlitos? / Tiene mucha tos y tiene fiebre. /
3. ¿Qué teme Magali? / Teme que Carlitos tenga gripe o pulmonía. /
4. ¿Quién va a examinar a Carlitos? / El doctor Valdivieso lo va a examinar. /
5. ¿De qué se alegra Magali? / Se alegra de que Héctor no tenga que trabajar hoy. /
6. ¿Qué dijo Carlitos que le dolía? / Dijo que le dolía el oído. /
7. ¿Qué espera Magali? / Espera que no tenga una infección. /
8. ¿A qué es alérgico Carlitos? / Es alérgico a la penicilina. /
9. ¿Qué puede hacer el médico? / Puede recetarle otra cosa. /
10. ¿Qué va a hacer Magali? / Va a pedir turno. /

VII. Para escuchar y escribir

Now open your lab manual to Section VII. The speaker will read five sentences. Each sentence will be read twice. After the first reading, write what you have heard. After the second reading, check your work and fill in what you have missed. Begin.

1. Alicia se divirtió mucho ayer. /
2. El farmacéutico le dio penicilina para la fiebre. /
3. Elsa no está embarazada. /
4. Hay una farmacia en la esquina. /
5. Ella no se durmió hasta las dos de la madrugada. /

END OF LESSON 11

LECCIÓN 12

I. Pronunciación

Listen and repeat the following sentences, paying close attention to your pronunciation and intonation. Begin.

1. Prefiero un asiento de pasillo. /
2. Tiene que hacer escala en Miami. /
3. Queremos pasaje de ida y vuelta. /
4. Aquí están sus tarjetas de embarque. /
5. La agente de viajes me dio varios folletos. /
6. Nos vamos de vacaciones dentro de un mes. /

II. Diálogos: De viaje a Buenos Aires

The dialogues will be read first without pauses. Pay close attention to the speakers' intonation and pronunciation patterns.

Isabel y Delia quieren ir de vacaciones a Buenos Aires y van a una agencia de viajes para reservar los pasajes. Ahora están hablando con el agente.

Isabel	—¿Cuánto cuesta un pasaje de ida y vuelta a Buenos Aires en clase turista?
Agente	—Mil quinientos dólares si viajan entre semana.
Isabel	—¿Hay alguna excursión que incluya el hotel?
Agente	—Sí, hay varias que incluyen el hotel, especialmente para personas que viajan acompañadas.

El agente les muestra folletos sobre varios tipos de excursiones.

Delia	—Nos gusta ésta. ¿Hay algún vuelo que salga el próximo jueves?
Agente	—A ver... Sí, hay uno que sale por la tarde y hace escala en Miami.
Isabel	—¿Tenemos que trasbordar?
Agente	—Sí, tienen que cambiar de avión. ¿Cuándo desean regresar?
Delia	—Dentro de quince días.
Agente	—Muy bien. Necesitan pasaporte pero no necesitan visa para viajar a Argentina.
Isabel	—*(A Delia.)* Acuérdate de llamar por teléfono a tu mamá para decirle que necesitas tu pasaporte.

Delia —Bueno… y tú no te olvides de ir al banco para comprar cheques de viajero. Ve hoy.

El día del viaje, Isabel y Delia hablan con la agente de la aerolínea en el aeropuerto.

Agente —Sus pasaportes, por favor. A ver... Isabel Vargas Peña, Delia Sánchez Rivas. Sí, aquí están. ¿Qué asientos desean?

Isabel —Queremos un asiento de pasillo y uno de ventanilla en la sección de no fumar.

Agente —No hay sección de fumar en estos vuelos. ¿Cuántas maletas tienen?

Isabel —Cinco, y dos bolsos de mano.

Agente —Tienen que pagar exceso de equipaje. Son cincuenta dólares.

Delia —Está bien. ¿Cuál es la puerta de salida?

Agente —La número cuatro. No, no es la cuatro sino la tres. Aquí tienen los comprobantes. ¡Buen viaje!

En la puerta número tres. "Última llamada. Pasajeros del vuelo 712 a Buenos Aires, suban al avión, por favor."

Isabel —¡Cobraron demasiado por el exceso de equipaje!

Delia —¡No hay nadie que viaje con tanto equipaje como nosotras!

Isabel y Delia le dan la tarjeta de embarque al auxiliar de vuelo, suben al avión y ponen los bolsos de mano debajo de sus asientos.

Now the dialogues will be read with pauses for you to repeat what you hear. Imitate the speakers' intonation patterns.

Isabel —¿Cuánto cuesta / un pasaje / de ida y vuelta a Buenos Aires / en clase turista? /

Agente —Mil quinientos dólares / si viajan entre semana. /

Isabel —¿Hay alguna excursión / que incluya el hotel? /

Agente —Sí, hay varias / que incluyen el hotel, / especialmente para personas / que viajan acompañadas. /

Delia —Nos gusta ésta. / ¿Hay algún vuelo / que salga el próximo jueves? /

Agente —A ver… / Sí, hay uno / que sale por la tarde / y hace escala en Miami. /

Isabel —¿Tenemos que trasbordar? /

Agente —Sí, tienen / que cambiar de avión. / ¿Cuándo desean regresar? /

Delia —Dentro de quince días. /

Agente —Muy bien. / Necesitan pasaporte / pero no necesitan visa / para viajar a Argentina. /

Isabel —Acuérdate de llamar por teléfono / a tu mamá / para decirle / que necesitas tu pasaporte.

Delia —Bueno… / y tú no te olvides / de ir al banco para comprar / cheques de viajero. / Ve hoy. /

Agente —Sus pasaportes, por favor. / A ver... / Isabel Vargas Peña, / Delia Sánchez Rivas. / Sí, aquí están. / ¿Qué asientos desean? /

Isabel —Queremos un asiento de pasillo / y uno de ventanilla / en la sección de no fumar. /

Agente —No hay sección de fumar / en estos vuelos. / ¿Cuántas maletas tienen? /

Isabel —Cinco, / y dos bolsos de mano. /

Agente —Tienen que pagar / exceso de equipaje. / Son cincuenta dólares. /

Delia —Está bien. / ¿Cuál es la puerta de salida? /

Agente —La número cuatro. / No, no es la cuatro / sino la tres. / Aquí tienen los comprobantes. / ¡Buen viaje! /

Isabel —¡Cobraron demasiado / por el exceso de equipaje! /

Delia —¡No hay nadie que viaje / con tanto equipaje / como nosotras! /

III. Preguntas y respuestas

The speaker will ask several questions based on the dialogues. Answer each question, always omitting the subject. The speaker will verify your response. Repeat the correct answer. Begin.

1. ¿Isabel va a viajar sola o va a viajar acompañada? /
   Va a viajar acompañada. /
2. ¿Isabel y Delia quieren pasajes en clase turista o en primera clase? /
   Quieren pasajes en clase turista. /
3. ¿Hay varias excursiones que incluyen el hotel o no hay ninguna? /
   Hay varias excursiones que incluyen el hotel. /
4. ¿Las chicas van a viajar entre semana o van a viajar el domingo? /
   Van a viajar entre semana. /
5. ¿El avión hace escala en Miami o hace escala en Brasil? /
   Hace escala en Miami. /

6. ¿Isabel y Delia tienen que trasbordar o no tienen que cambiar de avión? /
   Tienen que trasbordar. /
7. ¿Isabel y Delia quieren regresar dentro de quince días o dentro de un mes? /
   Quieren regresar dentro de quince días. /
8. ¿Isabel quiere los asientos en la sección de fumar o en la sección de no fumar? /
   Quiere los asientos en la sección de no fumar. /
9. ¿Isabel y Delia tienen mucho equipaje o poco equipaje? /
   Tienen mucho equipaje. /
10. ¿Los pasajeros del vuelo 712 deben subir al avión o deben bajar del avión? /
    Deben subir al avión. /
11. ¿Las chicas le dan la tarjeta de embarque al piloto o al auxiliar de vuelo? /
    Le dan la tarjeta de embarque al auxiliar de vuelo.
12. ¿Las chicas ponen sus bolsos de mano en las maletas o debajo de los asientos? /
    Ponen sus bolsos de mano debajo de los asientos. /

IV. Puntos para recordar

A. Answer each question you hear according to the cue provided, using the subjunctive or the indicative as appropriate. The speaker will verify your response. Repeat the correct answer. Follow the model.

MODELO: —¿Conoces a alguien que viaje a Argentina este verano? (no) /
—No, no conozco a nadie que viaje a Argentina este verano. /

1. ¿Hay alguien en tu familia que fume? (no) /
   No, no hay nadie en mi familia que fume. /
2. ¿Conoces a alguien que trabaje en una agencia de viajes? (sí) /
   Sí, conozco a alguien que trabaja en una agencia de viajes. /
3. ¿Hay alguien que quiera un asiento en la sección de fumar? (no) /
   No, no hay nadie que quiera un asiento en la sección de fumar. /
4. ¿Hay algún vuelo que salga para Caracas el sábado? (sí, hay dos) /
   Sí, hay dos vuelos que salen para Caracas el sábado. /
5. ¿Hay alguna excursión que incluya el hotel? (no) /
   No, no hay ninguna excursión que incluya el hotel. /
6. ¿Conoces a alguien que viva en Venezuela? (sí, una chica) /
   Sí, conozco a una chica que vive en Venezuela. /

B. Answer each question you hear in the affirmative, using the **tú** command form of the verb. If a question has a direct object, substitute the appropriate direct object pronoun. The speaker will verify your response. Repeat the correct answer. Follow the model.

MODELO: —¿Traigo los folletos? /
—Sí, tráelos. /

1. ¿Reservo el vuelo? /
   Sí, resérvalo. /
2. ¿Voy a la agencia de viajes ahora? /
   Sí, ve a la agencia de viajes ahora. /
3. ¿Pido el pasaje? /
   Sí, pídelo. /
4. ¿Hago las reservaciones hoy? /
   Sí, hazlas hoy. /
5. ¿Vuelvo más tarde? /
   Sí, vuelve más tarde. /
6. ¿Vengo mañana? /
   Sí, ven mañana. /
7. ¿Pongo las maletas aquí? /
   Sí, ponlas aquí. /
8. ¿Mando el equipaje con él? /
   Sí, mándalo con él. /
9. ¿Salgo por la puerta número tres? /
   Sí, sal por la puerta número tres. /
10. ¿Subo al avión ahora? /
    Sí, sube al avión ahora. /

C. Answer each question you hear in the negative, using the **tú** command form of the verb. If the question has a direct object, substitute the appropriate direct object pronoun. The speaker will verify your response. Repeat the correct answer. Follow the model.

MODELO: —¿Traigo los billetes? /
—No, no los traigas. /

1. ¿Doy la fiesta el sábado? /
   No, no la des el sábado. /
2. ¿Digo algo? /
   No, no digas nada. /
3. ¿Reservo los asientos ahora? /
   No, no los reserves ahora. /
4. ¿Viajo entre semana? /
   No, no viajes entre semana. /
5. ¿Hago la llamada hoy? /
   No, no la hagas hoy. /
6. ¿Voy al aeropuerto hoy? /
   No, no vayas hoy. /
7. ¿Muestro el pasaporte? /
   No, no lo muestres. /
8. ¿Pongo el equipaje aquí? /
   No, no lo pongas aquí. /

D. Answer each question you hear, using the cue provided. Pay special attention to the use of prepositions. The speaker will verify your response. Repeat the correct response. Follow the model.

MODELO: —¿Con quién se va a casar su amigo? (mi hermana) /
—Se va a casar con mi hermana. /

1. ¿Con quien se comprometió su primo? (mi amiga) /
   Se comprometió con mi amiga. /
2. ¿Se olvidó Ud. de reservar los pasajes? (no) /
   No, no me olvidé de reservar los pasajes. /
3. ¿En quién confía Ud.? (mi mejor amigo) /
   Confío en mi mejor amigo. /
4. ¿Ud. insiste en viajar en primera clase? (no) /
   No, no insisto en viajar en primera clase. /
5. ¿En qué convinieron Ud. y sus amigos? (en ir a Buenos Aires) /
   Convinimos en ir a Buenos Aires. /
6. ¿A qué hora entraron Uds. en el avión? (a las nueve) /
   Entramos en el avión a las nueve. /
7. ¿Se acordó Ud. de traer los folletos? (sí) /
   Sí, me acordé de traer los folletos. /
8. ¿Cuándo se dio Ud. cuenta de que necesitaba visa? (ayer) /
   Me di cuenta de que necesitaba visa ayer. /

E. You will hear two parts of a sentence. Join them using either **sino** or **pero,** as necessary. The speaker will verify your response. Repeat the correct answer. Follow the model.

MODELO: No vamos a Chile (Buenos Aires) /
No vamos a Chile sino a Buenos Aires. /

1. No voy a llevar dos maletas (tres) /
   No voy a llevar dos maletas sino tres. /
2. La excursión incluye el hotel (no las comidas) /
   La excursión incluye el hotel, pero no las comidas. /
3. Mi asiento no es de pasillo (de ventanilla) /
   Mi asiento no es de pasillo sino de ventanilla. /
4. No están en la agencia de viajes (el aeropuerto) /
   No están en la agencia de viajes sino en el aeropuerto. /
5. Quieren hacer un crucero (no tienen dinero) /
   Quieren hacer un crucero, pero no tienen dinero. /
6. Necesitan el pasaporte (no lo trajeron) /
   Necesitan el pasaporte, pero no lo trajeron. /

V. Díganos

The speaker will ask you some questions. Answer them, using the cues provided. The speaker will verify your response. Repeat the correct answer. Follow the model. Begin.

MODELO: —¿Viaja Ud. en el invierno? (no, verano) /
—No, viajo en el verano. /

1. ¿Adónde quiere ir Ud. de vacaciones? (a Acapulco) /
   Quiero ir a Acapulco de vacaciones. /
2. ¿Adónde va Ud. para comprar los pasajes? (a la agencia de viajes) /
   Voy a la agencia de viajes para comprar los pasajes. /
3. Cuando Ud. viaja, ¿lleva cheques de viajero? (no, tarjeta de crédito) /
   No, cuando viajo llevo tarjeta de crédito. /
4. ¿Prefiere Ud. un asiento de pasillo o de ventanilla? (de pasillo) /
   Prefiero un asiento de pasillo. /
5. ¿En que sección prefiere Ud. viajar? (de no fumar) /
   Prefiero viajar en la sección de no fumar. /
6. ¿Cuántas maletas lleva Ud. cuando viaja? (dos) /
   Llevo dos maletas cuando viajo. /
7. ¿Ha pagado Ud. exceso de equipaje alguna vez? (no, nunca) /
   No, nunca he pagado exceso de equipaje. /
8. Cuando Ud. sube al avión, ¿a quién tiene que darle la tarjeta de embarque? (a la auxiliar de vuelo) /
   Tengo que darle la tarjeta de embarque a la auxiliar de vuelo. /

VI. Ejercicios de comprensión

A. Open your lab manual to Section VI. You will hear three statements about each picture. Circle the letter of the statement that best corresponds to the picture. The speaker will verify your response.

1. a. Dora va a viajar acompañada.
   b. Dora va a viajar sola.
   c. Dora va a trasbordar. /

   The answer is b: Dora va a viajar sola.

2. a. Pedro compró un pasaje de ida y vuelta.
   b. Pedro compró un pasaje de ida.
   c. Pedro compró un pasaje de clase turista. /

   The answer is a: Pedro compró un pasaje de ida y vuelta.

3. a. Luisa está en el aeropuerto.
   b. Luisa está en la agencia de viajes.
   c. Luisa está en la puerta de salida. /

   The answer is b: Luisa está en la agencia de viajes.

4. a. Luisa lleva unos folletos.
   b. Luisa lleva una maleta.
   c. Luisa lleva un bolso de mano. /

   The answer is b: Luisa lleva una maleta.

5. a. Paula no tiene que pagar exceso de equipaje.
   b. Paula no tiene equipaje.
   c. Paula tiene que pagar exceso de equipaje. /

   The answer is c: Paula tiene que pagar exceso de equipaje.

6. a. Aída quiere unos folletos.
   b. Aída quiere unos pasajes.
   c. Aída quiere unos comprobantes. /

   The answer is a: Aída quiere unos folletos.

7. a. Los pasajeros bajan del avión.
   b. Los pasajeros suben al avión.
   c. Los pasajeros están en el avión. /

   The answer is b: Los pasajeros suben al avión.

8. a. Mario tiene un asiento de ventanilla.
   b. Mario tiene un asiento de pasillo.
   c. Mario tiene un asiento en la sección de fumar. /

   The answer is a: Mario tiene un asiento de ventanilla.

B. You will now hear some statements. Circle **L** if the statement is logical (**lógico**) or **I** if it is illogical (**ilógico**). The speaker will verify your response.

1. Voy a la agencia de viajes para comprar ropa. / Ilógico /
2. Tengo que pagar exceso de equipaje porque tengo una maleta. / Ilógico /
3. Un pasaje en clase turista es más caro que un pasaje en primera clase. / Ilógico /
4. Quiero un asiento en la sección de no fumar porque yo no fumo. / Lógico /
5. Ella viaja acompañada. Viaja con su mamá. / Lógico /
6. Compré un pasaje de ida y vuelta porque no voy a regresar. / Ilógico /
7. Necesito los comprobantes para el equipaje. / Lógico /
8. El vuelo no hace escala, pero tenemos que trasbordar. / Ilógico /
9. El crucero sale el domingo. Sale entre semana. / Ilógico /
10. Estamos en la lista de espera porque no hay asientos. / Lógico /

C. Listen carefully to the dialogue, and then answer the questions, omitting the subjects. The speaker will confirm your response. Repeat the correct response.

Alina —Marcos, ve a la agencia de viajes y reserva los pasajes.
Marcos —¿Prefieres una excursión que incluya el hotel?
Alina —No sé... Pide algunos folletos para poder decidir.
Marcos —Bueno, también voy a preguntar si hay algún vuelo que salga el domingo.
Alina —Pregunta si necesitamos visa para viajar a Argentina.
Marcos —Pero dime, Alina, ¿cómo voy a reservar los pasajes si todavía no sabemos lo que vamos a hacer?
Alina —Tienes razón, mi amor. Ah, acuérdate de llamar a tu mamá y pregúntale si puede prestarnos sus maletas.
Marcos —Llámala tú porque yo tengo que irme a la oficina. Hoy no hay nadie que pueda hacer mi trabajo.
Alina —Bueno, pero no te olvides de ir a la agencia de viajes.

Now answer the speaker's questions.

1. ¿Qué quiere Alina que haga Marcos? /
   Quiere que vaya a la agencia de viajes. /
2. ¿Qué tiene que hacer Marcos en la agencia? /
   Tiene que reservar los pasajes. /
3. ¿Qué le pregunta Marcos a Alina? /
   Le pregunta si prefiere una excursión que incluya el hotel. /
4. ¿Qué quiere Alina que Marcos pida en la agencia? /
   Quiere que pida unos folletos. /
5. ¿Qué va a preguntar Marcos? /
   Va a preguntar si hay algún vuelo que salga el domingo. /
6. ¿Qué quiere saber Alina? /
   Quiere saber si necesitan visa para viajar a Argentina. /
7. ¿Por qué dice Marcos que no puede reservar los pasajes? /
   Porque todavía no saben lo que van a hacer. /

8. ¿Qué quiere Alina que les preste la mamá de Marcos? /
   Quiere que les preste sus maletas. /
9. ¿Por qué tiene Marcos que ir hoy a la oficina? / Porque hoy no hay nadie que pueda hacer su trabajo. /
10. ¿De qué no debe olvidarse Marcos? /
    No debe olvidarse de ir a la agencia de viajes. /

VII. Para escuchar y escribir

Now open your lab manual to Section VII. The speaker will read five sentences. Each sentence will be read twice. After the first reading, write what you have heard. After the second reading, check your work and fill in what you have missed. Begin.

1. Espero no tener que pagar exceso de equipaje. /
2. En ese vuelo no tiene que trasbordar. /
3. Quiero que me reserve un asiento de ventanilla. /
4. Le sugiero que vaya en ese vuelo. /
5. No hay nadie que pueda irse de vacaciones ahora. /

END OF LESSON 12

LECCIÓN 13

I. Pronunciación

Listen and repeat the following sentences, paying close attention to your pronunciation and intonation. Begin.

1. ¿La habitación tiene aire acondicionado? /
2. ¿También tiene cuarto de baño privado? /
3. No queremos pensión completa, sólo desayuno. /
4. El botones va a llevar el equipaje al cuarto. /
5. Tienen que desocupar el cuarto al mediodía. /
6. Antes de salir, quiero darme una ducha. /

II. Diálogos: ¿Dónde nos hospedamos?

The dialogues will be read first without pauses. Pay close attention to the speakers' intonation and pronunciation patterns.

Hace unos minutos que los señores Paz llegaron al hotel Regis, en Asunción. Como no tienen reservación, hablan con el gerente para pedir una habitación.

Sr. Paz —Queremos una habitación con baño privado, aire acondicionado y una cama doble.

Gerente —Hay una con vista a la calle, pero tienen que esperar hasta que terminen de limpiarla.

Sr. Paz —Bien. Somos dos personas. ¿Cuánto cobran por el cuarto?

Gerente —Trescientos mil guaraníes por noche.

Sr. Paz —¿Aceptan tarjetas de crédito?

Gerente —Sí, pero necesito una identificación. Su licencia para manejar es suficiente.

Sra Paz —¿Tienen servicio de habitación? Queremos comer en cuanto lleguemos al cuarto.

Gerente —Sí, señora, pero dudo que a esta hora sirvan comida.

El Sr. Paz firma el registro; el gerente le da la llave y llama al botones para que lleve las maletas al cuarto. La Sra. Paz nota que el gerente le habla al botones en guaraní.

Sr. Paz —¿A qué hora tenemos que desocupar el cuarto?

Gerente —Al mediodía, aunque pueden quedarse media hora extra.

Sra. Paz —(*A su esposo.*) Vamos a un restaurante y comamos algo antes de subir a la habitación.

Sr. Paz —Sí, pero primero dejemos tus joyas en la caja de seguridad del hotel.

Sra. Paz —Oye, no es verdad que el hotel Guaraní sea tan caro como nos dijeron. ¡Y es muy bueno!

Sr. Paz —Sí, pero la próxima vez, pidámosle a la agencia de viajes que nos haga las reservaciones.

Mario y Jorge están hablando con el dueño de la pensión Carreras, donde piensan hospedarse. Le preguntan el precio de las habitaciones.

Dueño —Con comida, cobramos 990.000 guaraníes por semana.

Mario —¿Eso incluye desayuno, almuerzo y

cena?

Dueño —Sí, es pensión completa. ¿Por cuánto tiempo piensan quedarse?

Mario —No creo que podamos quedarnos más de una semana.

Jorge —Tienes razón... (*Al dueño.*) ¿El baño tiene una bañadera o ducha?

Dueño —Ducha, con agua caliente y fría. Y todos los cuartos tienen calefacción.

Mario —¿Hay televisor en el cuarto?

Dueño —No, pero hay uno en el comedor.

Mario —Gracias. (*A Jorge.*) Cuando vayamos a Montevideo, tratemos de encontrar otra pensión como ésta.

Jorge —Sí. Oye, apurémonos o vamos a llegar tarde al cine.

Mario —Sí, quiero llegar antes de que empiece la película.

Now the dialogues will be read with pauses for you to repeat what you hear. Imitate the speakers' intonation patterns.

Sr. Paz —Queremos una habitación / con baño privado, / aire acondicionado / y una cama doble. /

Gerente —Hay una / con vista a la calle, / pero tienen que esperar / hasta que terminen / de limpiarla. /

Sr. Paz —Bien. / Somos dos personas. / ¿Cuánto cobran / por el cuarto? /

Gerente —Trescientos mil guaraníes / por noche. /

Sr. Paz —¿Aceptan tarjetas de crédito? /

Gerente —Sí, pero necesito / una identificación. / Su licencia para manejar / es suficiente. /

Sra. Paz —¿Tienen servicio de habitación? / Queremos comer / en cuanto lleguemos al cuarto. /

Gerente —Sí, señora, pero dudo / que a esta hora sirvan comida. /

Sr. Paz —¿A qué hora / tenemos que desocupar / el cuarto? /

Gerente —Al mediodía, / aunque pueden quedarse / media hora extra. /

Sra. Paz —Vamos a un restaurante / y comamos algo / antes de subir / a la habitación. /

Sr. Paz —Sí, pero primero / dejemos tus joyas / en la caja de seguridad / del hotel. /

Sra. Paz —Oye, no es verdad / que el hotel Guaraní / sea tan caro / como nos dijeron. / ¡Y es muy bueno! /

Sr. Paz —Sí, pero la próxima vez / pidámosle a la agencia de viajes / que nos haga las reservaciones. /

Dueño —Con comida, / cobramos 990.000 guaraníes / por semana. /

Mario —¿Eso incluye desayuno, / almuerzo y cena? /

Dueño —Sí, es pensión completa. / ¿Por cuánto tiempo / piensan quedarse? /

Mario —No creo que podamos / quedarnos más / de una semana. /

Jorge —Tienes razón... / ¿El baño tiene / bañadera o ducha? /

Dueño —Ducha, / con agua / caliente y fría. / Y todos los cuartos / tienen calefacción. /

Mario —¿Hay televisor / en el cuarto? /

Dueño —No, pero hay uno / en el comedor. /

Mario —Gracias. / Cuando vayamos / a Montevideo, / tratemos de encontrar / otra pensión como ésta. /

Jorge —Sí. / Oye, apurémonos / o vamos a llegar tarde al cine. /

Mario —Sí, quiero llegar / antes de que empiece / la película. /

III. Preguntas y respuestas

Now the speaker will ask several questions based on the dialogues. Answer each question, omitting the subject whenever possible. The speaker will verify your response. Repeat the correct answer. Begin.

1. ¿El hotel Guaraní está en Asunción o en Montevideo? /
   Está en Asunción. /
2. ¿Los señores Paz hablan con el gerente o con el botones? /
   Hablan con el gerente. /
3. ¿Los señores Paz quieren comer en cuanto lleguen a su habitación o más tarde? /
   Quieren comer en cuanto lleguen a su habitación. /
4. ¿Quién lleva las maletas de los señores Paz, el botones o el Sr. Paz? /
   El botones las lleva. /
5. ¿Los señores Paz tienen que desocupar el cuarto al mediodía o a la medianoche? /
   Tienen que desocupar el cuarto al mediodía. /
6. ¿Van a dejar las joyas de la Sra. Paz en la caja de seguridad o en la habitación? /
   Van a dejarlas en la caja de seguridad. /

7. ¿Mario y Jorge están hablando con el dueño de la pensión o con el empleado? /
   Están hablando con el dueño de la pensión. /
8. ¿Mario y Jorge piensan quedarse en la pensión por una semana o por un mes? /
   Piensan quedarse por una semana. /
9. ¿Todos los cuartos de la pensión tienen aire acondicionado o tienen calefacción? /
   Todos los cuartos tienen calefacción. /
10. ¿Hay televisor en el cuarto o en el comedor? /
    Hay televisor en el comedor. /
11. ¿Jorge y Mario van a ir al cine o al teatro? /
    Van a ir al cine. /
12. ¿Mario quiere llegar al cine antes de que empiece la película o después de que empiece la película? /
    Quiere llegar antes de que empiece la película. /

IV. Puntos para recordar

A. Change each statement you hear, using the cue provided. The speaker will verify your response. Repeat the correct answer. Follow the model.

MODELO: El baño tiene bañadera. (no creo) /
No creo que el baño tenga bañadera. /

1. Adela deja sus joyas en la caja de seguridad. (dudo) /
   Dudo que Adela deje sus joyas en la caja de seguridad. /
2. Ella quiere una cama doble. (no es verdad) /
   No es verdad que ella quiera una cama doble. /
3. Ellos son los dueños. (él niega) /
   Él niega que ellos sean los dueños. /
4. El botones lleva las maletas. (estoy seguro) /
   Estoy seguro de que el botones lleva las maletas. /
5. Tenemos que desocupar el cuarto al mediodía. (no estoy seguro) /
   No estoy seguro de que tengamos que desocupar el cuarto al mediodía. /
6. Ellos se van a hospedar en una pensión. (es cierto) /
   Es cierto que ellos se van a hospedar en una pensión. /
7. Este hotel tiene servicio de habitación. (no creo) /
   No creo que este hotel tenga servicio de habitación. /
8. Los señores Vega firman el registro. (creo) /
   Creo que los señores Vega firman el registro. /
9. Sabe el precio del cuarto. (dudo) /
   Dudo que sepa el precio del cuarto. /
10. El cuarto tiene televisor. (es verdad) /
    Es verdad que el cuarto tiene televisor. /

B. Change each statement you hear, using the cue provided. The speaker will verify your response. Repeat the correct answer. Follow the model.

MODELO: Le hablo cuando lo veo. (Le voy a hablar) /
Le voy a hablar cuando lo vea. /

1. Sirven el almuerzo en cuanto yo llego. (Van a servir) /
   Van a servir el almuerzo en cuanto yo llegue. /
2. No sirven el desayuno hasta que él viene. (No van a servir) /
   No van a servir el desayuno hasta que él venga. /
3. La llamo tan pronto como ellos salen. (La voy a llamar) /
   La voy a llamar tan pronto como ellos salgan. /
4. Hacemos las reservaciones cuando está el gerente. (vamos a hacer) /
   Vamos a hacer las reservaciones cuando esté el gerente. /
5. Siempre te dan la llave en cuanto la pides. (Te van a dar) /
   Te van a dar la llave en cuanto la pidas. /
6. No compro los libros hasta que él me da el dinero. (No voy a comprar) /
   No voy a comprar los libros hasta que él me dé el dinero. /

C. Answer each question you hear, using the first-person plural command form and the cue provided. The speaker will verify your response. Repeat the correct answer. Follow the model.

MODELO: —¿Con quién hablamos? (con el dueño) /
—Hablemos con el dueño. /

1. ¿A qué restaurante vamos? (al restaurante Miramar) /
   Vamos al restaurante Miramar. /
2. ¿Dónde nos sentamos? (cerca de la ventana) /
   Sentémonos cerca de la ventana. /
3. ¿Qué comemos? (biftec con ensalada) /
   Comamos biftec con ensalada. /
4. ¿Qué tomamos? (una botella de vino) /
   Tomemos una botella de vino. /
5. ¿Qué pedimos de postre? (helado) /
   Pidamos helado. /
6. ¿Cuánto le damos de propina al mozo? (diez dólares) /
   Démosle diez dólares. /

7. ¿Vamos al cine después? (no) /
   No, no vayamos al cine. /
8. ¿A qué hora volvemos al hotel? (a las doce) /
   Volvamos a las doce. /
9. ¿Nos acostamos en seguida? (no) /
   No, no nos acostemos en seguida. /
10. ¿A qué hora nos levantamos mañana? (a las nueve) /
   Levantémonos a las nueve. /

V. Díganos

The speaker will ask you some questions. Answer them, using the cues provided. The speaker will verify your response. Repeat the correct answer. Begin.

MODELO: —Cuando Ud. vaya de vacaciones, ¿se va a quedar en un hotel o en casa de un amigo? (en casa de un amigo) /
—*Me voy a quedar en casa de un amigo.* /

1. Cuando Ud. va a un hotel, ¿prefiere comer en su habitación o ir a un restaurante? (ir a un restaurante) /
   Prefiero ir a un restaurante. /
2. Cuando Ud. va a un hotel, ¿a qué hora desocupa el cuarto generalmente? (a las ocho) /
   Generalmente desocupo el cuarto a las ocho. /
3. ¿Su casa tiene aire acondicionado? (sí, y calefacción) /
   Sí, tiene aire acondicionado y calefacción. /
4. ¿Su baño tiene bañadera? (sí, y ducha) /
   Sí, tiene bañadera y ducha. /
5. ¿Ud. se baña con agua caliente o con agua fría? (con agua caliente) /
   Me baño con agua caliente. /
6. ¿Ud. tiene televisor en su cuarto? (no) /
   No, no tengo televisor en mi cuarto. /
7. ¿Llegó Ud. tarde o temprano a su casa ayer? (tarde) /
   Llegué tarde. /

VI. Ejercicios de comprensión

A. Open your lab manual to Section VI. You will hear three statements about each picture. Circle the letter of the statement that best corresponds to the picture. The speaker will verify your response.

1. a. El cuarto tiene una cama chica.
   b. El cuarto no tiene cama.
   c. El cuarto tiene una cama doble. /

   The answer is c: El cuarto tiene una cama doble.

2. a. El cuarto tiene vista al mar.
   b. El cuarto tiene registro.
   c. El cuarto tiene baño privado. /

   The answer is c: El cuarto tiene baño privado.

3. a. El botones lleva las maletas al cuarto.
   b. El botones lleva las llaves al cuarto.
   c. El botones lleva la comida al cuarto. /

   The answer is a: El botones lleva las maletas al cuarto.

4. a. El botones quiere que el señor Soto le dé las llaves.
   b. El botones quiere que el señor Soto le dé una propina.
   c. El botones quiere que el señor Soto le dé la bañadera. /

   The answer is b: El botones quiere que el señor Soto le dé una propina.

5. a. Lola firma el registro.
   b. Lola desocupa el registro.
   c. Lola cobra el registro. /

   The answer is a: Lola firma el registro.

6. a. Tito quiere quedarse en la pensión por dos semanas.
   b. Tito quiere quedarse en la pensión por un mes.
   c. Tito quiere quedarse en la pensión por más de dos semanas. /

   The answer is c: Tito quiere quedarse en la pensión por más de dos semanas.

7. a. Miguel necesita aire acondicionado en el cuarto.
   b. Miguel necesita calefacción en el cuarto.
   c. Miguel necesita servicio de habitación. /

   The answer is b: Miguel necesita calefacción en el cuarto.

8. a. El baño tiene bañadera.
   b. El baño tiene ducha.
   c. El baño tiene ducha y bañadera. /

   The answer is a: El baño tiene bañadera.

9. a. Elsa va a dejar sus joyas en la maleta.
   b. Elsa va a dejar sus joyas en la caja de seguridad.
   c. Elsa va a dejar sus joyas en la bañadera. /

The answer is b: Elsa va a dejar sus joyas en la caja de seguridad.

B. You will now hear some statements. Circle **L** if the statement is logical (**lógico**) or **I** if it is illogical (**ilógico**). The speaker will verify your response.

1. Es un hotel muy caro; cobran diez dólares por noche. / Ilógico /
2. Voy a dejar el equipaje en la caja de seguridad. / Ilógico /
3. Tenemos que desocupar el cuarto al mediodía. / Lógico /
4. El hotel no tiene servicio de habitación. Tenemos que comer en un restaurante. / Lógico /
5. El botones lleva las maletas al cuarto. / Lógico /
6. Necesito la llave para abrir la puerta. / Lógico /
7. Vamos a apurarnos para llegar tarde. / Ilógico /
8. Tienen pensión completa. No incluyen las comidas. / Ilógico /
9. No hay ascensor. Tienen que subir por la escalera. / Lógico
10. Tenemos una habitación interior. Tiene vista a la playa. / Ilógico /

C. Listen carefully to the dialogue and then answer the speaker's questions, omitting the subjects. The speaker will verify your response. Repeat the correct answer.

César —Rocío, llamemos hoy al dueño de la pensión Saldívar y reservemos un cuarto.

Rocío —No, César, no nos hospedemos en una pensión; hospedémonos en un hotel.

César —Pero las pensiones incluyen la comida y tienen mejor precio.

Rocío —Es verdad que son más baratas, pero dudo que sean tan buenas como un hotel.

César —Bueno, la pensión Saldívar tiene aire acondicionado y la comida es buena.

Rocío —¡Pero yo quiero un cuarto con vista al mar, y no creo que esa pensión tenga vista al mar!

César —Está bien. Vamos a un hotel. Esta tarde, cuando vaya a la agencia de viajes, voy a pedir información sobre hoteles.

Now answer the speaker's questions.

1. ¿A quién quiere llamar hoy César? /
   Quiere llamar al dueño de la pensión Saldívar. /
2. ¿Para qué quiere llamarlo? /
   Quiere llamarlo para reservar un cuarto. /
3. ¿Dónde quiere hospedarse Rocío? /
   Quiere hospedarse en un buen hotel. /
4. ¿Qué incluyen las pensiones? /
   Incluyen las comidas. /
5. ¿Las pensiones son más baratas o más caras que los hoteles? /
   Son más baratas que los hoteles. /
6. ¿Qué duda Rocío? /
   Duda que las pensiones sean tan buenas como los hoteles. /
7. ¿Qué tiene la pensión Saldívar? /
   Tiene aire acondicionado. /
8. ¿Qué quiere Rocío? /
   Quiere un cuarto con vista al mar. /
9. ¿Adónde va a ir César esta tarde? /
   Va a ir a la agencia de viajes. /
10. ¿Qué va a pedir? /
    Va a pedir información sobre hoteles. /

VII. Para escuchar y escribir

Now open your lab manual to Section VII. The speaker will read five sentences. Each sentence will be read twice. After the first reading, write what you have heard. After the second reading, check your work and fill in what you have missed. Begin.

1. Primero dejemos tus joyas en la caja de seguridad del hotel. /
2. Como no tienen reservación, hablan con el gerente para pedir una habitación. /
3. Vamos a un restaurante y comamos algo antes de subir a la habitación. /
4. Cuando vayamos a Montevideo, tratemos de encontrar otra pensión como ésta. /
5. Queremos una habitación con baño privado, aire acondicionado y una cama doble. /

END OF LESSON 13

LECCIÓN 14

I. Pronunciación

Listen and repeat the following sentences, paying close attention to your pronunciation and intonation.

1. Están tratando de decidir qué harán. /
2. Nosotros llevaríamos las cañas de pescar. /
3. Sería mejor que fuéramos a un hotel. /
4. Podríamos ir a acampar y visitar a mis parientes. /
5. ¡Con razón quieres ir a Barcelona! /

II. Diálogos: Actividades al aire libre

The dialogues will be read first without pauses. Pay close attention to the speaker's intonation and pronunciation patterns.

José Ariet y su esposa, Natalia, están sentados en un café al aire libre en la Plaza Mayor de Madrid con sus hijos Jaime y Gloria. Como tendrán vacaciones el próximo mes, están tratando de decidir adónde irán y qué harán.

Gloria —A mí me gustaría ir a Alicante y pasar todo el tiempo en la playa... nadar, tomar el sol, bucear... hacer surfing...

Natalia —Sí, podríamos alquilar un apartamento por una semana. Gastaríamos menos porque no tendríamos que comer en restaurantes todo el tiempo.

José —Yo preferiría ir a Barcelona. Podríamos ir a acampar y también visitar a mis parientes. Mataríamos dos pájaros de un tiro.

Jaime —Si invitáramos a los tíos, ellos podrían traer las tiendas de campaña y las bolsas de dormir. Nosotros llevaríamos las cañas de pescar.

Gloria —¡Ay, Jaime! ¡Eso sería muy aburrido!

José —Tú puedes pasar un par de días con tus primas en la Costa Brava. Además, no te olvides de que tus abuelos nos pidieron que los visitáramos este verano.

Natalia —Pero José, tú hablas como si nunca fuéramos a verlos.

Jaime —¡Entonces está decidido! ¡Iremos a Barcelona!

Por la noche en la sala de estar de los Ariet.

Natalia —José, ahora que tus padres se mudaron a una casa más chica, sería mejor que fuéramos a un hotel.

José —Sí, porque somos cuatro. No cabemos todos en el cuarto de huéspedes.

Gloria —¿Y si yo me quedara con los tíos... ?

Jaime —Eso sería una buena solución. Yo podría dormir en el sofá. A mí no me importa.

Natalia —Bueno, yo llamaré a tu abuela mañana y le preguntaré qué piensa ella.

José —(*Se ríe.*) Por supuesto que ella insistirá en que nos quedemos en su casa.

Natalia —Es verdad. Yo sé que a tus padres les gusta que estemos con ellos.

Jaime —Y abuelo querrá que yo vaya a cazar con él. ¡Ah! Y Montserrat, la hija de los vecinos, me invitará a hacer esquí acuático.

Gloria —¡Ah! ¡Con razón quieres ir a Barcelona!

Now the dialogues will be read with pauses for you to repeat what you hear. Imitate the speakers' intonation patterns.

Gloria —A mí me gustaría / ir a Alicante / y pasar todo el tiempo / en la playa... nadar, / tomar el sol, / bucear... hacer surfing... /

Natalia —Sí, podríamos alquilar / un apartamento por una semana. / Gastaríamos menos / porque no tendríamos / que comer en restaurantes / todo el tiempo. /

José —Yo preferiría ir a Barcelona. / Podríamos ir a acampar / y también visitar a mis parientes. / Mataríamos dos pájaros de un tiro. /

Jaime —Si invitáramos a los tíos, / ellos podrían traer las tiendas de campaña / y las bolsas de dormir. / Nosotros llevaríamos / las cañas de pescar. /

Gloria —¡Ay, Jaime! / ¡Eso sería muy aburrido!

José —Tú puedes pasar un par de días / con tus primas / en la Costa Brava. / Además, no te olvides / de que tus abuelos nos pidieron / que los visitáramos este verano. /

Natalia —Pero, José, / tú hablas como si nunca / fuéramos a verlos. /

Jaime —¡Entonces está decidido! / ¡Iremos a Barcelona! /

Natalia —José, ahora que tus padres / se mudaron a una casa más chica, / sería mejor que fuéramos a un hotel. /

José —Sí, porque somos cuatro. / No cabemos todos / en el cuarto de huéspedes. /

Gloria —¿Y si yo me quedara / con los tíos... ? /

Jaime —Eso sería una buena solución. / Yo podría dormir en el sofá. / A mí no me importa. /

Natalia —Bueno, yo llamaré / a tu abuela mañana / y le preguntaré qué piensa ella. /

José —Por supuesto que ella insistirá / en que nos quedemos en su casa. /

Natalia —Es verdad. / Yo sé que a tus padres / les gusta que estemos con ellos. /

Jaime —Y abuelo querrá / que yo vaya a cazar con él. / ¡Ah! Y Montserrat, / la hija de los vecinos, / me invitará a hacer esquí acuático. /

Gloria —¡Ah! ¡Con razón / quieres ir a Barcelona! /

III. Preguntas y respuestas

The speaker will ask several questions based on the dialogues. Answer each question, omitting the subject whenever possible. The speaker will verify your response. Repeat the correct response.

1. ¿Los Ariet están en Madrid o en Barcelona? /
   Están en Madrid. /
2. ¿Ellos tendrán vacaciones el próximo año o el próximo mes? /
   Tendrán vacaciones el próximo mes. /
3. ¿A Gloria le gustaría pasar todo el tiempo en la playa o en la montaña? /
   Le gustaría pasar todo el tiempo en la playa. /
4. ¿Natalia quiere alquilar un apartamento o una casa? /
   Quiere alquilar un apartamento. /
5. ¿José preferiría ir a Sevilla o a Barcelona? /
   Preferiría ir a Barcelona. /
6. ¿Los tíos podrían traer las tiendas de campaña o las cañas de pescar? /
   Podrían traer las tiendas de campaña. /
7. ¿Los abuelos de Gloria les pidieron que los visitaran el verano próximo o este verano? /
   Les pidieron que los visitaran este verano. /
8. ¿Los padres de José se mudaron a una casa más grande o a una casa más chica? /
   Se mudaron a una casa más chica. /
9. ¿José dice que no caben todos en el cuarto de huéspedes o en la sala de estar? /
   Dice que no caben todos en el cuarto de huéspedes.
10. ¿Natalia llamará a la tía o a la abuela de Jaime? /
    Llamará a la abuela de Jaime. /
11. ¿El abuelo de Jaime querrá que él vaya a pescar o a cazar con él? /
    Querrá que vaya a cazar con él. /
12. ¿Montserrat es la hija de los vecinos o la prima de Jaime? /
    Es la hija de los vecinos. /

IV. Puntos para recordar

A. The speaker will read several sentences. Change the verb in each sentence to the future tense. The speaker will verify your response. Repeat the correct answer. Follow the model.

MODELO: Voy a hablar con ellos. /
Hablaré con ellos. /

1. Voy a tener que salir ahora. /
   Tendré que salir ahora. /
2. Vamos a salir a las siete. /
   Saldremos a las siete. /
3. ¿Vas a ir con nosotros? /
   ¿Irás con nosotros? /
4. Ella va a poner el sofá en la sala. /
   Ella pondrá el sofá en la sala. /
5. Mis amigos van a venir a visitarme. /
   Mis amigos vendrán a visitarme. /
6. Vamos a hacer un flan para ellos. /
   Haremos un flan para ellos. /
7. No vas a poder ir a cazar. /
   No podrás ir a cazar. /
8. ¿Qué les vas a decir a tus padres? /
   ¿Qué les dirás a tus padres? /
9. Mañana vamos a estar muy ocupados. /

Mañana estaremos muy ocupados. /

10. El domingo no nos vamos a levantar temprano. /
El domingo no nos levantaremos temprano. /

B. Change the verb in each statement you hear to the conditional tense and use the cue provided to say what the people mentioned would do differently. If the sentence includes a direct or indirect object, substitute the appropriate pronoun. The speaker will verify your response. Repeat the correct answer. Follow the model.

MODELO: —Ana va a Madrid. (ellos / a Barcelona) /
—*Ellos irían a Barcelona.* /

1. Olga va con sus amigos. (nosotros / nuestros parientes) /
Nosotros iríamos con nuestros parientes. /
2. Ellos duermen en la sala de estar. (tú / cuarto de huéspedes) /
Tú dormirías en el cuarto de huéspedes. /
3. Ella viene con su madrastra. (él / su padrastro) /
Él vendría con su padrastro. /
4. Elsa invita a sus amigos. (yo / mis vecinos) /
Yo invitaría a mis vecinos. /
5. Yo pongo la bolsa de dormir en el coche. (Uds. / en la tienda de campaña) /
Uds. pondrían la bolsa de dormir en la tienda de campaña. /
6. Mi hermanastro va de pesca. (Rafael / hacer una caminata) /
Rafael haría una caminata. /

C. Change each statement you hear so that it describes the past, using the cue provided. The speaker will verify your response. Repeat the correct answer. Follow the model.

MODELO: Yo quiero que tú vuelvas. (yo quería) /
Yo quería que tú volvieras.

1. No creo que vayan a bucear. (no creía) /
No creía que fueran a bucear. /
2. Nos dicen que invitemos a todos los parientes. (nos dijeron) /
Nos dijeron que invitáramos a todos los parientes. /
3. Me alegro de que puedan escalar la montaña. (me alegré) /
Me alegré de que pudieran escalar la montaña. /
4. Te sugiero que alquiles un apartamento. (te sugerí) /
Te sugerí que alquilaras un apartamento. /
5. Les piden que traigan la canoa. (les pidieron) /
Les pidieron que trajeran la canoa. /
6. Dudan que yo pueda armar la tienda de campaña. (dudaban) /
Dudaban que yo pudiera armar la tienda de campaña. /
7. Espera que su bisnieto venga a verlo. (esperaba) /
Esperaba que su bisnieto viniera a verlo. /
8. No hay nadie que sepa remar. (no había) /
No había nadie que supiera remar. /

D. Change each statement you hear to describe a situation that is hypothetical or contrary to fact, using the cue provided. The speaker will verify your response. Repeat the correct answer. Follow the model.

MODELO: Iré si puedo. (iría) /
Iría si pudiera. /

1. Lo invitaré si lo veo. (lo invitaría) /
Lo invitaría si lo viera. /
2. Acamparemos si ellos vienen. (acamparíamos) /
Acamparíamos si ellos vinieran. /
3. Me mudaré si encuentro un apartamento más grande. (me mudaría) /
Me mudaría si encontrara un apartamento más grande. /
4. Tomaremos el sol si vamos a la playa. (tomaríamos) /
Tomaríamos el sol si fuéramos a la playa. /
5. Iremos al río si tenemos tiempo. (iríamos) /
Iríamos al río si tuviéramos tiempo. /
6. Mis padres se preocuparán si yo llego tarde. (se preocuparían)/
Mis padres se preocuparían si yo llegara tarde. /

V. Díganos

The speaker will ask you some questions. Answer them, using the cues provided. The speaker will verify your response. Repeat the correct answer. Follow the model.

MODELO: ¿Adónde iría Ud. de vacaciones? (a la playa) /
Iría de vacaciones a la playa. /

1. ¿ Qué haría Ud. si fuera a la playa? (tomar el sol) /
Si yo fuera a la playa, tomaría el sol. /
2. ¿Cuándo tendrá Ud. vacaciones? (el mes próximo) /
Tendré vacaciones el mes próximo. /

3. ¿Ud. preferiría hospedarse en un hotel o ir a acampar? (ir a acampar) /
   Yo preferiría ir a acampar. /
4. ¿Adónde le gustaría ir a acampar? (cerca de un lago) /
   Me gustaría acampar cerca de un lago. /
5. ¿Ud. gasta dinero como si tuviera mucho? (sí) /
   Sí, yo gasto dinero como si tuviera mucho. /
6. ¿Se mudaría Ud. a otra ciudad si pudiera? (sí) /
   Sí, me mudaría a otra ciudad si pudiera. /
7. ¿Ha hecho Ud. surfing alguna vez? (no, nunca) /
   No, nunca he hecho surfing. /
8. ¿Cuántos son Uds. en su familia? (seis) /
   Somos seis en mi familia. /

VI. Ejercicios de comprensión

A. Open your lab manual to Section VI. You will hear three statements about each picture. Circle the letter of the statement that best corresponds to the picture. The speaker will verify your response.

1. a. A Raúl le gusta ir de pesca.
   b. A Raúl le gusta ir a nadar.
   c. A Raúl le gusta ir a tomar el sol.

   The answer is a: A Raúl le gusta ir de pesca.

2. a. A José le gustaría que lo invitaran a acampar.
   b. A José le gustaría que lo invitaran a escalar montañas.
   c. A José le gustaría que lo invitaran a montar en bicicleta. /

   The answer is b: A José le gustaría que lo invitaran a escalar montañas.

3. a. Ángel va a dormir en una tienda de campaña.
   b. Ángel se va a mudar a otra casa.
   c. Ángel va a matar dos pájaros de un tiro. /

   The answer is a: Ángel va a dormir en una tienda de campaña.

4. a. Luis sabe bucear.
   b. Luis sabe patinar.
   c. Luis sabe remar. /

   The answer is c: Luis sabe remar.

5. a. Si Mario pudiera iría a un lago.
   b. Si Mario pudiera iría al río.
   c. Si Mario pudiera iría a cazar.

   The answer is c: Si Mario pudiera iría a cazar.

6. a. Pepe irá a acampar con sus amigos.
   b. Pepe hará una caminata.
   c. Pepe armará una tienda de campaña. /

   The answer is b: Pepe hará una caminata.

B. You will now hear some statements. Circle **L** if the statement is logical (**lógico**) or **I** if it is illogical (**ilógico**). The speaker will verify your response.

1. Carlos y yo tenemos los mismos padres. Él es mi hermanastro. / Ilógico /
2. Yo soy el bisnieto de mi tío. / Ilógico /
3. Voy a ir a la montaña para bucear. / Ilógico /
4. Fuimos al lago para practicar el esquí acuático. / Lógico /
5. Necesito la bolsa de dormir para ir a acampar. / Lógico /
6. El pájaro tiene un cuarto de huéspedes. / Ilógico /
7. Si vamos en canoa tenemos que remar. / Lógico /
8. Nos divertimos mucho. Todos estábamos muy aburridos. / Ilógico /
9. Pasamos un par de días en Barcelona: el sábado y el domingo. / Lógico /
10. Si él fuera mi vecino, viviría muy lejos de mi casa. / Ilógico /

C. Listen carefully to the dialogue, and then answer the questions, omitting the subjects. The speaker will confirm your response. Repeat the correct response.

Irene —David, pronto tendremos vacaciones. ¿Adónde podríamos ir?

David —A mí me gustaría que fuéramos a acampar. Mi tío podría prestarnos la tienda de campaña.

Irene —No, mi amor. ¡Eso sería muy aburrido! ¿Por qué no vamos a un hotel que esté en una playa?

David —Bueno, Irene, el problema es que en las playas hay mucha gente en el verano.

Irene —¿Y si vamos adonde haya un lago o un río? Allí podremos practicar el esquí acuático.

David —Pero yo quiero ir de pesca. A mí no me gusta el esquí acuático.

Irene —Entonces, mejor nos quedamos en casa.

Now answer the speaker's questions.

1. ¿Qué tendrán pronto Irene y David? /
   Tendrán vacaciones. /
2. ¿Qué le gustaría a David que hicieran ellos? /
   Le gustaría que fueran a acampar. /
3. ¿Qué podría prestarles su tío? /
   Podría prestarles la tienda de campaña. /

4. ¿Qué piensa Irene de esa idea? /
   Piensa que eso sería muy aburrido. /
5. ¿Adónde quiere ir ella? /
   Quiere ir a un hotel que esté en una playa. /
6. Según David, ¿qué pasa en las playas en el verano? /
   Hay mucha gente. /
7. ¿Qué dice Irene que pueden hacer si van adonde haya un lago o un río? /
   Dice que pueden practicar el esquí acuático. /
8. ¿Qué quiere hacer David? /
   Quiere ir de pesca. /
9. ¿Qué no le gusta a David? /
   No le gusta el esquí acuático. /
10. ¿Qué decidió Irene? /
    Decidió que mejor se quedan en su casa. /

VII. Para escuchar y escribir

Now open your lab manual to Section VII. The speaker will read five sentences. Each sentence will be read twice. After the first reading, write what you have heard. After the second reading, check your work and fill in what you have missed.

1. A mí me gustaría nadar, tomar el sol y bucear. /
2. Tú hablas como si nunca fuéramos a verlos. /
3. No cabemos todos en el cuarto de huéspedes. /
4. Abuelo querrá que yo vaya a cazar con él. /
5. Montserrat me invitará a hacer el esquí acuático. /

END OF LESSON 14

REPASO

To review the material you have learned, the speaker will ask you some questions. Answer each question with a complete sentence, using the cue provided. The speaker will verify your response. Repeat the correct answer. Begin.

1. ¿Cuál es la asignatura que más te gusta? (química) /
   La asignatura que más me gusta es química. /
2. ¿Cuánto tiempo hace que estudias español? (un año) /
   Hace un año que estudio español. /
3. ¿Qué clases tomas este trimestre? (ciencias económicas, historia y matemáticas) /
   Tomo ciencias económicas, historia y matemáticas. /
4. ¿Dónde trabajas? (en el laboratorio de lenguas) /
   Trabajo en el laboratorio de lenguas. /
5. ¿Qué fecha es hoy? (el primero de mayo) /
   Hoy es el primero de mayo. /
6. ¿Vives en la residencia universitaria? (no, en un apartamento) /
   No, vivo en un apartamento. /
7. ¿Tienes sed? (sí, mucha) /
   Sí, tengo mucha sed. /
8. ¿Prefieres tomar vino, cerveza o jugo de naranja? (jugo de naranja) /
   Prefiero tomar jugo de naranja. /
9. ¿Vas a ir a una fiesta? (sí, el sábado) /
   Sí, voy a ir a una fiesta el sábado. /
10. ¿A qué hora empieza la fiesta? (a las nueve) /
    Empieza a las nueve. /
11. ¿Qué vas a llevar a la fiesta? (los discos compactos) /
    Voy a llevar los discos compactos. /
12. ¿A quién vas a llevar a la fiesta? (a mi mejor amiga) /
    Voy a llevar a mi mejor amiga. /
13. ¿Cómo es tu mejor amiga? (rubia, bonita y simpática) /
    Es rubia, bonita y simpática. /
14. ¿Adónde vas a ir mañana por la mañana? (al banco) /
    Voy a ir al banco. /
15. ¿Para qué vas a ir al banco? (abrir una cuenta de ahorros) /
    Voy a ir al banco para abrir una cuenta de ahorros. /
16. ¿Cuánto vas a depositar? (500 dólares) /
    Voy a depositar 500 dólares. /
17. ¿Qué interés paga el banco? (el dos por ciento) /
    Paga el dos por ciento de interés. /
18. Cuando compras algo, ¿pagas con cheques o en efectivo? (con cheques) /
    Pago con cheques. /
19. ¿Adónde fuiste ayer por la tarde? (al correo) /
    Fui al correo. /
20. ¿Para qué fuiste? (enviar un giro postal) /
    Fui para enviar un giro postal. /
21. ¿Tuviste que hacer cola? (sí) /
    Sí, tuve que hacer cola. /

22. ¿Llovió ayer? (sí, mucho) /
Sí, llovió mucho. /
23. ¿A qué hora te levantaste esta mañana? (a las siete y media) /
Me levanté a las siete y media. /
24. ¿Adónde fuiste de compras? (a la tienda) /
Fui de compras a la tienda. /
25. ¿Qué compraste? (un impermeable y dos pantalones) /
Compré un impermeable y dos pantalones. /
26. ¿Qué desayunaste hoy? (huevos con tocino) /
Desayuné huevos con tocino. /
27. ¿Qué frutas compraste en el supermercado? (manzanas, peras y uvas) /
Compré manzanas, peras y uvas. /
28. ¿Qué trajiste para la ensalada? (lechuga y tomate) /
Traje lechuga y tomate. /
29. ¿Dónde comiste anoche? (en un restaurante) /
Comí en un restaurante. /
30. ¿Qué pediste? (chuletas de cordero y puré de papas) /
Pedí chuletas de cordero y puré de papas. /
31. ¿Cuánto dejaste de propina? (cinco dólares) /
Dejé cinco dólares de propina. /
32. ¿Por qué no viniste a clase la semana pasada? (tuve un accidente) /
No vine porque tuve un accidente. /
33. ¿Qué te pasó? (un autobús chocó con mi coche) /
Un autobús chocó con mi coche. /
34. ¿Te llevaron al hospital? (sí, en una ambulancia) /
Sí, me llevaron al hospital en una ambulancia. /
35. ¿Te sientes bien? (no, mal) /
No, me siento mal. /
36. ¿Qué te duele? (la cabeza y la garganta) /
Me duelen la cabeza y la garganta. /
37. ¿Tienes fiebre? (sí, una temperatura de 102 grados) /
Sí, tengo una temperatura de 102 grados. /
38. ¿Qué te recetó el médico? (penicilina) /
Me recetó penicilina. /
39. ¿Adónde vas a ir de vacaciones el verano próximo? (a México) /
Voy a ir de vacaciones a México. /
40. ¿Cuánto cuesta un pasaje de ida y vuelta a México? (500 dólares) /
Cuesta 500 dólares. /
41. ¿Prefieres un asiento de ventanilla o de pasillo? (de ventanilla) /
Prefiero un asiento de ventanilla. /
42. ¿Qué quiere tu amigo que le traigas de México? (un par de zapatos) /
Quiere que le traiga un par de zapatos. /
43. ¿Vas a ir a un hotel cuando llegues a México? (sí) /
Sí, voy a ir a un hotel. /
44. ¿Cuánto cobran por noche? (sesenta dólares) /
Cobran sesenta dólares. /
45. ¿Por cuánto tiempo piensas quedarte? (quince días) /
Pienso quedarme por quince días. /
46. ¿Vas a alquilar un coche en México? (sí) /
Sí, voy a alquilar un coche. /
47. ¿Qué tipo de coche vas a alquilar? (un coche grande) /
Voy a alquilar un coche grande. /
48. ¿Qué actividades al aire libre te gustan? (acampar y cazar) /
Me gusta acampar y cazar. /
49. ¿Qué te gustaría hacer hoy? (montar en bicicleta) /
Me gustaría montar en bicicleta. /
50. ¿Adónde irías de vacaciones si tuvieras mucho dinero? (a España) /
Si tuviera mucho dinero, iría de vacaciones a España. /

END OF REPASO

VIDEOSCRIPT

México

México, al sur de los Estados Unidos, es un país con una historia fascinante.

En este enorme país, hay muchas ruinas arqueológicas de los mayas y de los aztecas, dos importantes civilizaciones mesoamericanas.

La Pirámide del Sol en Teotihuacán, cerca de la Ciudad de México, es un ejemplo de la arquitectura de una cultura muy avanzada.

El Museo Nacional de Antropología en la Ciudad de México contiene una extensa colección de objetos de arte de las civilizaciones precolombinas de México.

La Ciudad de México, con su gran variedad de culturas indígenas, sus universidades y sus museos, su arquitectura antigua y moderna, es una de las ciudades más interesantes de América.

Guadalajara, la capital del estado de Jalisco, es otra ciudad mexicana rica en historia, cultura y tradiciones. La catedral, en el centro de la ciudad, es la joya colonial del pueblo.

Y Puebla... es la ciudad colonial mejor preservada de México. Para apreciar su arquitectura colonial, es posible visitar la catedral, los edificios de gobierno o uno de los conventos, como éste, que hoy día es un hotel.

Saludos y preguntas

Ahora vamos a hablar con unos estudiantes internacionales que estudian en este hermoso país.

Q1: Perdone, pero, ¿cómo se llama usted?

Juan: Yo me llamo Juan Galindo Mascaraque.
Tamara: Me llamo Tamara Berrios.
Pedro: Mi nombre es Pedro Urista Torres.
Jaime: Mi nombre es Jaime Andrés Polo Nieto.
Gustavo: Yo me llamo Gustavo López.
Ángela: Mi nombre es Ángela Peña.
Leonardo: Yo me llamo Leonardo Cohen.
Orlando: Me llamo Orlando González.
Ivonne: Mi nombre completo es Ivonne Iliana Silva Orneles.

Q2: ¿De dónde es usted?

Otmara: Soy de Panamá... Ciudad de Panamá.
Juan: Soy de Madrid, España.
Pedro: Originalmente soy de San Salvador, la capital de El Salvador en América Central.

Tamara: Soy de Puerto Rico.
Miriam: Soy chilena, eh... de Ar..., una ciudad que se llama Arancagua.
Juan: Vengo de Venezuela.
Jaime: Soy de Bogotá, Colombia.
Carolina: Soy de Perú.
Gustavo: Soy de Paraguay... Asunción, Paraguay.
Ángela: Soy de Bogotá, Colombia.
Leonardo: Vengo de Quito, Ecuador. Quito es la capital.

LECCIÓN 2

Los mexicoamericanos

En la historia de San Antonio, una ciudad del estado de Texas, se combinan culturas muy diferentes: la cultura española, la alemana, la francesa, la afroamericana, la japonesa, la china, la tejana y por supuesto, la cultura mexicana.

En el centro de la ciudad está el Paseo del Río, donde puedes pasear en bote mientras el guía explica la interesante historia de esa ciudad multicultural.

En San Antonio, también puedes ver la Torre de las Américas, construida para la Feria Mundial de 1968, y las cinco misiones españolas construidas en los años 1700. La primera de estas misiones, fundada en 1718, fue San Antonio de Valero, comúnmente llamada El Álamo.

En todo San Antonio se puede notar la influencia de la cultura mexicana:

en el baile,
en la comida,
en el arte,
en la arquitectura,
en la música,
en los murales,
en los mercados,
en las tradiciones, como la piñata en las fiestas de cumpleaños,
y en la charrería, o el rodeo.

¡San Antonio es una ciudad extraordinaria!

La vida universitaria

La universidad es el centro de la vida estudiantil. Hay mucho que hacer en la universidad: practicar deportes, caminar por el campus, pasar tiempo con amigos y, si no hay otro remedio, estudiar en el laboratorio de computación o en la biblioteca.

¿Por qué no hablamos con unos estudiantes?

Q1: Hola. ¿Qué estudia usted?

Leonardo: Yo estudio administración hotelera... y... y es una carrera que me fascina.

Sofía: Bueno, yo estudio arquitectura, y la materia básica es... se llama materia de diseño y allí hacemos diversos proyectos.

Luis: Estudio la carrera de ciencias de la comunicación y las materias que llevo son fotografía en blanco y negro, fotografía a color, computación, inglés, introducción a la comunicación y desarrollo económico, historia de México y problemática mundial... muchas otras más.

Héctor: Estoy en mi segundo semestre de la escuela de medicina.

Carolina: Estoy llevan... estoy estudiando medicina.

Orlando: ¿Qué estudio? Estoy estudiando ahora no más clases de español y sociología.

Q2: ¿Qué idiomas habla?

Luis: Hablo [el] español y un poco el inglés.

Sofía: Pues, español y un poquito [de] inglés, no mucho.

José: Hablo español y un poquito [de] inglés.

Héctor: Hablo dos idiomas: español y el inglés. Los dos, eh, los hablo bien y los escribo bien.

Carolina: Hablo español, alemán e inglés.

Q3: ¿Dónde y cuándo estudia usted?

Orlando: Estudio en el edificio de humanidades y empezamos a las nueve de la mañana hasta las once.

Luis: Estudio en la universidad aquí y mi horario es de siete de la mañana a cuatro de la tarde, de lunes a miércoles. Y los jueves y los viernes es de siete de la mañana a dos de la tarde.

Ivonne: Nuestro horario de clases es de siete de la mañana a dos de la tarde, de lunes a viernes. Sábados y domingos, no.

José: Mi horario es de lunes a jueves de dos de la tarde a nueve de la noche y los viernes de dos a seis de la tarde.

Q4: ¿Con quién estudia?

Luis: Bueno, normalmente estudio solo. De vez en cuando, cuando tenemos actividades en equipo, este..., me junto con unos compañeros de la escuela.

Carolina: Eh, yo estudio sola y estudio en mi casa, en mi cuarto, en mi escritorio.

Héctor: Mayormente estudio solo, en mi casa tengo mi propio escritorio, este..., para, para mi estudio, pero a veces, eh, hacemos los grupos de estudio y, pues, nos reunimos en la biblioteca a estudiar o en casa de algún compañero.

Miami: El Festival de la Calle Ocho de la Pequeña Habana

Voz femenina: Tierra de sol y playas, de picadillo, de congrí, de sándwiches cubanos, de mambo y jazz...

Miami. Donde Gloria Estefan, Andy García, Enrique Iglesias y muchos otros artistas hispanos tienen su hogar. Esto es Miami: una ciudad con su propio ritmo.

Miami. Donde se celebra el exuberante Festival de la Calle Ocho de la Pequeña Habana. Donde cada año miles de participantes disfrutan de espectáculos musicales de América Latina y de otras partes del mundo.

De día, en la Calle Ocho, la fiesta se celebra con desfiles de carrozas, bailes folklóricos, conjuntos musicales y comidas típicas de Latinoamérica.

De noche, la celebración continúa con concursos de belleza, la coronación de la reina y de las princesas y con una carrera a lo largo de las veintitrés cuadras de la famosa Calle Ocho de la Pequeña Habana. Miami: ¡Ciudad rítmica e internacional!

Un día muy ocupado

Con el ritmo acelerado de la vida moderna, la rutina diaria en Hispanoamérica y España comienza muy temprano.

La gente se levanta entre las seis y las siete de la mañana, y se prepara para ir a trabajar o a estudiar.

Algunas personas conducen a sus lugares de trabajo o a la universidad.

Por esta razón hay mucho tráfico en las calles y avenidas.

Frecuentemente es más rápido y barato usar el transporte público.

Las grandes ciudades ofrecen buenos servicios como el autobús y el metro.

Mucha gente toma el autobús para ir al trabajo o a las universidades, para salir con los amigos o ir de compras.

El metro conecta los puntos más importantes de las ciudades y es la opción más rápida y económica para viajar.

Al mediodía, entre las doce y las dos de la tarde, la gente se toma un descanso para almorzar.

Muchas personas vuelven a sus casas y comen allí.

Pero cuando el tiempo para almorzar es más reducido, las personas prefieren comer cerca de sus trabajos o de la universidad.

En los países hispanohablantes las horas de trabajo por día normalmente son ocho, dependiendo de la ocupación.

En las universidades es posible tomar clases por la mañana, por la tarde y por la noche.

Las obligaciones cotidianas terminan alrededor de las seis de la tarde, cuando la gente sale de su trabajo, termina las clases y se reúne con sus amigos o con su familia.

Ahora vamos a hablar con algunas personas para ver cómo llevan su rutina diaria y qué dicen sobre los trabajos de la casa.

Q1: ¿Cómo es su rutina diaria?

Pedro: Bueno, en El Salvador me levanto por ahí a las siete y media. Por lo regular me quedo en casa haciendo ejercicio en un minigimnasio y también este... desayuno con la familia. Luego, si... estudio, estudio en la universidad. Estoy prácticamente en la universidad desde las nueve hasta la tarde, como hasta las dos y media, tres de la tarde es cuando ya llego a casa. Comemos. Este... nuevamente mi papá llega de la empresa. Y de allí me pongo a estudiar o vienen amigos a casa, nos ponemos a jugar este futbolito o billar y o hace... hacemos nuestras tareas, nuestros deberes... Y también este... hasta la cena ya nos reunimos nuevamente en familia. Eh... será como hasta las siete de la noche y ya cenamos todos y, y nos reunimos este... para ver televisión juntos si se hace una película o cable.

Zaida: Mi rutina diaria comienza entre seis y siete de la mañana de acuerdo a la hora en que tenga clase. Eh... me levanto a las seis y media, me tomo una ducha, me visto para ir a la universidad. Tengo clase de siete a cuatro de la tarde todos los días. Yo almuerzo a las once de la mañana. Para nosotros el almuerzo es la comida del mediodía—a las once de la mañana.

Eh... Después, a las cuatro regreso a la casa. Voy al gimnasio. Hago una hora en el gimnasio. Regreso. Duermo media hora, una hora, me pongo a estudiar. Estoy estudiando hasta las diez de la noche, diez y media. Y luego me acuesto.

Juan: Pues me levanto tempranito. Me levanto a las seis. Me baño, desayuno, etcétera. Voy a clases. Entro a las siete y tengo clases de siete a aproximadamente como las dos de la tarde. A las dos salgo. Voy a mi casa, como y por lo general me echo una siestecita, y luego, pues, estudio un rato. Y luego voy a ver a mi novia o salgo con los amigos a algún lado a tomar algo y ya luego regreso a mi casa. Ceno de nuevo y estoy un rato con mi familia. Veo la tele y me acuesto.

Anselmo: Mi día empieza siempre a las seis y media de la mañana. Salgo de la casa a las siete y media y dejo a mis hijos en el colegio. A las ocho de la mañana ellos entran. Más o menos estoy llegando aquí a la oficina a las ocho y diez. La oficina abre sus puertas a las nueve de la mañana y transcurre mi día en atender clientes.

Q2: ¿Quién y cuándo hace los trabajos de la casa?

Zaida: Nosotros nos turnamos todos. Mis compañeras y yo tomamos los sábados para limpiar. Este... Ellas limpian, por ejemplo la sala, el comedor. Yo limpio los cuartos, el baño. La semana siguiente es al revés.

Gustavo: Tengo una señora que nos limpia la casa los martes, jueves y sábados. Y generalmente tratamos, con mi hermano, de mantener el orden de la casa. O sea, un día limpio los cubiertos yo y otro día, él.

Ángela: Todos hacemos los trabajos de la casa. O sea todos tenemos un día para lavar los trastes, para trapear, para barrer, para aspirar. Y todos ayudamos y cooperamos en la casa.

Tamara:	Las tareas de la casa usualmente las hacemos nosotras mismas. Una vez a la semana pues hacemos la limpieza general de toda la casa y luego durante la semana nos dedicamos en el tiempo libre, que es muy poco, pues al mantenimiento general de la casa.
Juan:	Los trabajos de la casa son por parte de una señora que nos viene a ayudar y por parte de mi madre también. Y nosotros deseamos ayudar cuando nos pide ayuda porque como todos sabemos es un trabajo muy pesado. Y yo pues en lo que me pueda decir mi madre, pues yo la ayudo por lo general. Suele ser que tenga mi habitación en orden y limpia y lavar el coche de vez en cuando.
María Isabel:	Y tú, ¿qué trabajos de la casa tienes que hacer?

LECCIÓN 4

Puerto Rico, isla encantadora

¡Bienvenidos a Puerto Rico, una isla que ofrece una gran variedad de experiencias!

Si te gustan las playas, las playas de Puerto Rico están entre las más bellas del mundo.

Si te interesa la historia española, el viejo San Juan es un tesoro de arquitectura colonial. En sólo siete cuadras, hay cuatro plazas históricas, cada una con su propio carácter y sabor. Hay galerías, cafés, restaurantes, hoteles y plazas llenas de flores.

El Parque de las Palomas es el sitio perfecto para ver la ciudad, las montañas y el puerto. Y ¡muchas palomas también!

Si quieres ver una fortaleza del siglo dieciséis, debes conocer El Castillo San Felipe del Morro. Verlo es viajar al pasado en un instante.

Si te interesa la ecología, El Yunque es tu destino. El Yunque es un bosque lluvioso donde viven especies que no existen en ningún otro sitio del mundo.

Si quieres comer algo delicioso, la cocina puertorriqueña, con su base de frutas, pescados y arroz, les trae placer a turistas de todas las nacionalidades.

¡Visita Puerto Rico! Una isla de belleza extraordinaria.

El desfile puertorriqueño de Nueva York

Voz femenina: En 1895 la bandera de Puerto Rico fue creada por un grupo de patriotas puertorriqueños en Nueva York. El 25 de julio de 1952, Puerto Rico se convirtió en Estado Libre Asociado a los Estados Unidos y la bandera de Puerto Rico ondeó° por primera vez en la isla. Hoy en día, se celebra cada año el desfile puertorriqueño en Nueva York y los participantes llevan la bandera de Puerto Rico orgullosamente. Iniciado en 1957, el desfile puertorriqueño promueve la autoestima y la fuerza política, económica, educativa y cultural entre el pueblo puertorriqueño. En recientes años, ha atraído a más de un millón de espectadores a la Quinta Avenida neoyorquina. La celebración reúne a diversos grupos de la

° *waved*

comunidad puertorriqueña en Nueva York, desde políticos y otros dignatarios hasta organizaciones culturales y representantes de pueblos de la isla. También colaboran las empresas que sirven a la comunidad, para crear un ambiente de solidaridad y de celebración.

La familia y el fin de semana

En el mundo hispano, la familia es una parte integral de la vida diaria.

Pasamos mucho tiempo con nuestras familias; con la familia participamos en deportes, andamos en bicicleta, jugamos con los niños, caminamos por la ciudad. Una combinación fantástica es ¡la familia y el fin de semana!

Vamos a hablar con varias personas sobre sus familias y sobre cómo pasan sus fines de semana.

Q1: ¿Cuántos hijos tiene usted?

Marco: Pues, eh, somos una familia pequeña. Eh, tengo una, una niña de cinco años.

Felipe: Mi familia se compone de, de cuatro hijos, tres mujeres, un niño, mi esposa y su servidor.

María Fernanda: Soy viuda. Tengo dos hijos, ya unos señores, uno de 30 años y otro de 28 años. El mayor ya me dio una nieta que se llama como yo, María Fernanda.

Benjamín: Tengo dos hijas; una tiene 14 años y está en tercero de secundaria. Y tengo otra hija que está en el sexto de primaria. Entonces, vamos diciendo que en mi casa son puras mujeres, ¿no? Hasta la perrita es, es hembra, ¿no?

Q2: ¿Tiene usted hermanos?

Tamara: Tengo dos hermanas que son menores que yo. Yo soy la hija mayor.

Luis: Tengo un hermano; es, él tiene 16 años. Estudia la preparatoria. Y tengo una hermana de 12 años; ella estudia la secundaria.

Ivonne: Tengo dos hermanos y dos hermanas. Mmm... una de ellas se llama Nancy; tiene 18 años. Mi hermano se llama Víctor; tiene 16 años. Mi otra hermana se llama Mónica y tiene... 15 años. Eh... Quezil, el chiquito, se llama Jorge y tiene... 12 años.

Rita: Tengo tres hermanas. Mmmm... Una se llama Tutuguari. Tiene 23 años. Este... Otra se llama Fernanda y tiene 19. Y ahori... y la más pequeña se llama Bensaír y también tiene 19 años.

Carolina: Tengo dos hermanos, un hermano mayor que tiene 24 años. Se llama Marco Andrés. Y tengo una hermana menor que se llama Pía Elena y tiene 17 años.

Q3: ¿Qué piensa hacer este fin de semana?

Rita: Ah, este fin de semana, espero salir con mis amigos.

Ivonne: Este fin de semana, depende de la tarea. Si, si no, salir a algún lugar, pues estar en mi casa.

Pedro: Hay planes para ir a la playa.

Carolina: Este viernes, en primer lugar voy a... ehm, estar en un evento de la reina panamericana y después vamos a ir a la fiesta de los latinoamericanos.

Héctor: Estudiar. Tengo examen corrido lunes, viernes y lunes otra vez, así que no tengo tiempo para mucho.

Tamara: Salir a comer con los amigos y de vez en cuando ir a bailar, a discotecas.

LECCIÓN 5

Ecoturismo en Venezuela

Voz masculina: Venezuela tiene cuatro regiones geográficas importantes: los llanos de Maracaibo, en el noroeste; las montañas del norte, que incluyen la cordillera de Mérida; los llanos del Orinoco y el Macizo de Guayana, en el sureste.

Desde los picos andinos de más de cinco mil metros de altura, hasta las cálidas aguas de sus playas, Venezuela es un tesoro de la naturaleza. Limita al norte con el mar Caribe y al sur con Colombia y Brasil. Venezuela queda a tres horas de Miami por avión.

Aquí en los llanos de Maracaibo trabajan vaqueros con su ganado, así como ecólogos que protegen los pájaros, los árboles y otras plantas.

Hoy en día, el ecoturismo—visitas organizadas con énfasis en la naturaleza—empieza a convertirse, para la industria turística venezolana, en un sector importante, ya que atrae a personas de muchos países que buscan algo más que sol y playas para sus vacaciones.

El gobierno de Venezuela considera que la protección de la naturaleza es de suma importancia para el país. Por eso ciertos manglares y algunas áreas de vegetación tropical, que sirven como santuario para más de mil pájaros exóticos, se cuentan entre las zonas que deben ser protegidas.

Fiesta de despedida del año

En esta breve entrevista con Miriam, una chica chilena, vamos a oírla hablar sobre cómo su familia celebra la fiesta de fin del año.

Bueno, generalmente... se espera hasta las doce de la noche, y a las doce todo el mundo se abraza, se dice feliz año nuevo, se abren las botellas de champán... eh... bueno, antes de las doce se cuenta con uvas, se van comiendo... eh... gajitos de uvas, y... y... fuegos artificiales, muchos fuegos artificiales.

LECCIÓN 6

Panamá

Voz femenina: Bienvenidos a Panamá, un hermoso paraíso tropical. En sus bosques nos sorprenden bellos colores, animales exóticos y un verde profundo que lo cubre todo. Los bosques lluviosos de Panamá se encuentran casi vírgenes y nos dan una idea de cómo pudo ser la naturaleza hace miles de años.

Aquí viven diversas culturas indígenas en total armonía con la naturaleza.

A poca distancia, sobre los árboles, aparece la ciudad de Panamá.

Situada en la costa del Pacífico, la ciudad de Panamá ha sido, a través de su historia, un punto estratégico: durante el período colonial fue puerto inicial de importantes expediciones hacia Suramérica y también una de las principales ciudades del imperio español en el Nuevo Mundo. Hoy es un centro bancario internacional.

Panamá le ofrece al visitante una larga historia y expresiones culturales singulares. Visite las hermosas iglesias, las fortalezas coloniales y admire las ruinas que se encuentran dispersas por la parte antigua.

En el banco y en la oficina de correos

En la vida moderna hacemos muchas diligencias, entre ellas ir al banco y a la oficina de correos.

Cuando vamos al banco, podemos hacer cola para hacer una transacción con un cajero, o para usar el cajero automático.

Cuando vamos a la oficina de correos, podemos comprar estampillas o mandar una carta certificada.

Ahora vamos a ver qué dicen algunas personas sobre las diligencias.

Q1: ¿Quiénes hacen las diligencias en su familia?

Juan: Las diligencias en mi familia están repartidas. Por lo general, los aspectos financieros los trata mi padre. Los aspectos de la compra diaria y otros, eh, quehaceres de la casa nos repartimos entre mis hermanos, mi madre, incluso hasta también mi padre.

Olga: Bueno, ahí realmente nos compartimos la responsabilidad. Eh... una parte, sobre todo lo que es casa, cae en mi responsabilidad. Él me ayuda con los niños.

Tamara: Bueno, pues, las diligencias en mi casa se reparten. Todos... este... hacemos algo. Puede ser que mamá un día lleve las cartas al correo, mi papá, pues, haga los pagos de la luz, el agua. Nos dividimos las tareas del hogar.

Q2: ¿Usa usted el cajero automático?

Tamara: El cajero automático, sí, lo uso con bastante frecuencia, ya que me permite, pues, flexibilidad en los retiros de dinero.

John: Lo uso solamente en emergencias cuando ocupo sacar dinero por cualquier cosa que suceda...

Juan: No uso el cajero automático puesto que no tengo tarjeta de crédito.

Q3: Cuando va de compras, ¿prefiere pagar con cheque, con tarjeta de crédito o en efectivo?

Víctor: Si es una compra pequeña, pago con efectivo, eh... Si es una compra, eh... digamos que rebase los mil o dos mil pesos, pago con tarjeta de crédito para no cargar tanto dinero en efectivo.

Juan: Cuando voy de compras siempre pago en efectivo porque no tengo tarjeta de crédito y no tengo cheque.

Paola: Si yo voy de compras, prefiero pagar con la tarjeta de crédito porque pagan mis papás.

John: Cuando yo voy de compras, prefiero pagar en efectivo.

Gustavo: Prefiero en efectivo. Ciertamente. Es más fácil.

Ahora vamos a hablar con una empleada de la oficina de correos.

Q1: ¿Cuánto tiempo hace que usted trabaja aquí?

Adriana: Tengo en el servicio postal mexicano 8 años... y me encanta, me encanta trabajar aquí.

Q2: ¿Cuál es su horario de trabajo?

Adriana: Nosotros tenemos un horario de lunes a viernes a las 8 de la mañana hasta las 7 de la tarde. Es horario corrido, y de, sábados, los sábados de 9 a 1 nada más, se trabaja.

Q3: ¿Cuáles son los servicios que ofrece esta oficina de correos?

Adriana: Bueno, tenemos varios servicios. Tenemos el de venta de estampillas, alquileres de apartados, identificaciones postales, este, lista de correos, este, hmm, ¿qué mas?, ¿qué más?... pues, registrados, reembolsos, seguros postales.

LECCIÓN 7

Costa Rica, costa linda

Costa Rica es un país pequeño, democrático y pacífico que no tiene ejército militar. Se le da mucha importancia a la educación, y por eso es, de todos los países centroamericanos, el que tiene el menor número de analfabetos.

San José, la capital, es la ciudad principal de Costa Rica. Es una ciudad con mucha actividad cultural y museos importantes como el Museo del Oro, el Museo del Jade y éste, el Teatro Nacional.

Costa Rica tiene una geografía diversa y dinámica.

Tiene playas encantadoras; montañas y volcanes impresionantes, como el Volcán Arenal, un volcán activo; plantaciones cafetaleras que producen café para el mercado mundial; y tradiciones folklóricas, como la de las carretas pintadas de Sarchí que deben su origen a la costumbre de los agricultores de pintar sus carretas.

Además hay numerosos parques nacionales y reservas biológicas con ecosistemas y especies sin igual en el mundo, entre ellas, cientos de especies de pájaros, como el quetzal y el tucán, y también muchísimas mariposas.

Su gente es amistosa y amable y recibe al turista con los brazos abiertos.

Costa Rica es verdaderamente una costa rica en las tradiciones y la historia del mundo centroamericano.

De compras

María Isabel: ¿Cómo se visten los hispanos? ¿Qué estilo de ropa usan en diferentes situaciones? Vamos a ver lo que dicen algunos hispanos sobre la moda de hoy.

Q1: ¿Qué estilo de ropa usa Ud. para ir a clase?

Paola: Para ir a clase, siempre uso jeans y una playera o un saco.

Leonardo: Normal... o sea, jeans, una camiseta, zapatos y una chaqueta de jeans también.

María: Sobre todo vaqueros, eh... camisetas o faldas amplias o muy informal.

Otmara: Para ir a clases por lo general voy en jeans o en suéter.

Juan: Ropa casual. No... no... no tengo uniforme aquí.

Alejandro: Mezclilla, eh... playeras, camisas, en general es lo que más se utiliza.

Miriam: En la universidad, bueno, acostumbro usar ropa casual eh... o esport. Algo sencillo... eh... jeans... casi nunca uso faldas.

Q2: ¿Cómo se viste Ud. cuando tiene una cita?

Juan: No me gusta vestirme muy sofisticado. Prefiero ir de pantalón con una camisa o pantalón de mezclilla y una camisa de manga larga.

Paola: Pantalones de tela, los saquitos o una falda.

Otmara: Cuando tengo una cita, casi siempre me gusta ponerme minifaldas, zapatos altos y blusas.

Jaime: Cuando voy de cita, utilizo traje, corbata, una buena colonia, los zapatos bien embolados.

Leonardo: Dependiendo de la cita también, pero regularmente con pantalón y camisa y a veces corbata.

Pedro: Para una cita pues por lo regular este... me visto con saco, con saco y una camisa sport—saco sport y camisa.

Q3: ¿Qué estilo de ropa está de moda ahora?

Jaime: Se usa mucho el jean. Em... camisa. En Bogotá el clima es más o menos frío. Generalmente usamos camisas de lana o sacos.

María: El estilo de ropa que... que está de moda en España es más bien informal sobre todo para salir, para ir a clase, pero bastante arregladas para ir a una cita o salir al cine o... o a una fiesta.

Juan: Pantalones de mezclilla, como lo dicen "jeans", con una camisa y adentro otra camisa blanca o de diferente color que pueda resaltar la camisa.

Alejandro: Los jeans o los [de] mezclilla que no pasan de moda y playeras. Es lo que más se utiliza.

Otmara: Ahorita como mi país es bastante caliente, el tipo de ropa que se usa es ropa que sea muy... muy suave. Eh... Por ejemplo, las telas que sean delgadas, que no sean muy gruesas y los chores o las faldas cortas.

Q4: ¿Compra Ud. la ropa y los zapatos en los grandes almacenes o en las boutiques?

Paola: Sí, prefiero comprar en boutiques porque en... Cuando compras en grandes almacenes, mucha gente se va a comprar lo mismo porque lo hacen (sic) mucha ropa igual.

Juan: En Nicaragua no... no hay almacenes muy grandes. Acaba de salir de una guerra, está bien atrasado. Compro mi ropa en una boutique. La compré allí porque es la mejor.

Miriam: La ropa, la compro o prefiero comprarla en las tiendas grandes, en las departamentales porque no me gusta que me estén presionando, preguntando qué quiere llevar, qué quiere comprar. Prefiero estar... ser más libre para elegir lo que quiero.

Jaime: Claro que sí, grandes almacenes. En Colombia hay muchos centros comerciales muy bonitos. La calidad de la ropa es excelente.

Otmara: Para comprar depende el (sic) tipo de ropa que necesite. Si es para una ocasión muy especial, sí es un almacén grande. Y si es de diario, sí es en una boutique.

Alejandro: Compro en los lugares... en... Se puede decir en los centros comerciales eh... donde o sea voy de departamento en departamento a ver cuál es la mejor "at" y ahí lo compro.

María Isabel: Y a ti, ¿qué estilo de ropa te gusta?

Entrevista

Jorge: Trabajo en esa tienda de ropa que vendemos jeans de varias marcas. Vendemos los jeans Levi's, eh... marca Wrangler, marca Manía y también manejamos diferentes marcas de camisas. Claro me agrada... es muy bonito porque tiene uno contacto con la gente. Hace uno amistad con los clientes. Se hace uno amigos y aparte, pues, me gusta mucho el ambiente que es aquí en la tienda. Bueno, los artículos más populares para ambos son los Levi's conocidísimos en todo el mundo. Tengo varios modelos. Lo que es de moda, lo típico o lo casual se puede decir. El más... el que más se vende es el 501, conocido como el 501.

LECCIÓN 8

Lima, Perú

Voz femenina: Lima es una ciudad majestuosa y señorial que conserva todo el encanto de su esplendoroso pasado colonial y al mismo tiempo progresa al ritmo de las grandes metrópolis latinoamericanas. La ciudad de los virreyes, que en 1535 fundara el conquistador español Francisco Pizarro, tiene hoy una población aproximada de siete millones de habitantes. En medio de la moderna arquitectura de la capital peruana de hoy se destacan los alegres tonos pastel de sus antiguas edificaciones que nos hacen recordar una época suntuosa. La Plaza de Armas es el centro de la Lima antigua. Aquí se localizan algunos de los principales edificios de la ciudad. En donde durante el siglo XVI se hallaba el antiguo cabildo, se encuentra hoy la municipalidad. La catedral se localiza en el lugar ocupado por la primitiva iglesia que fundara Pizarro. El centro de la plaza está adornado por una hermosa fuente de bronce, hecha por Antonio de Rivas en 1650. Testigo impasible de los aconteceres de la ciudad, la Plaza de Armas es uno de los lugares más pintorescos de Lima. Pero quizás uno de los lugares preferidos por los limeños sea ésta: la Plaza de San Martín. Diariamente, cientos de personas se reúnen aquí, añadiendo un nuevo matiz a esta colorida plaza. El encanto de la Lima de ayer, sus monumentos, sus tradiciones, su gente, su herencia cultural, se esconden celosamente en medio de la vigorosa y moderna capital de hoy. Descubrir Lima es confundirse entre un pasado majestuoso y un presente sorprendente.

La comida y hacer la compra

Cada país o región tiene su manera particular de preparar las comidas y de hacer las compras de comestibles.

Se puede ir a un mercado de tipo tradicional, con puestos individuales, como éste de España.

O, como éste de verduras y frutas frescas en México.

Vendedor 1: Las manzanas, de Chihuahua, ¿qué le damos? Las de Chihuahua... ¿Quiere manzanas Delicias de Chihuahua? Venga. Pruebe.

—¿Qué frutas vende usted?

Vendedor 2: Ahorita, ahorita, ahorita hay guayaba, manzanas y en unos diez días más mandarinas, naranjas, plátanos.

También se puede ir a los supermercados —pequeños o grandes— y comprar vegetales y frutas frescas y comidas ya preparadas.

Tradicionalmente, en los países hispanos, era más común hacer las compras dos o tres veces por semana, y en algunos casos, todos los días. Pero hoy en día, las cosas han cambiado y por lo general la gente prefiere hacer sus compras en el supermercado.

Hablemos con algunas personas para saber cuáles son sus costumbres con relación a las compras de comestibles.

Q1: ¿Dónde hace usted la compra?

Otmara:	Cuando voy a hacer compras, siempre voy al supermercado.
Pedro:	Este, por lo regular siempre vamos semanalmente al supermercado en El Salvador, en la capital de San Salvador... Eh, cada viernes vamos por lo regular, y es, allí es donde compramos toda la, lo que necesitamos en la canasta básica en la casa.
María:	Voy poquito al supermercado porque vivo en casa de asistencia aquí. Entonces voy muy poquito. Pero estoy de acuerdo más con las tiendas pequeñas.
Miriam:	En mi casa la que hace las compras es mi mamá... Pero si tengo que ir a comprar, voy al supermercado porque, bueno, porque se encuentra de todo y, y el servicio yo considero que es mejor, más seguro, mejor calidad,... y confío más en los supermercados.
Jaime:	Bueno, eh, en Colombia el, supermercados, hay muchos centros grandes, ¿no? Con mamá generalmente vamos a hacer el mercado —se llama así. Eh, la acompaño cada 15 días, los domingos o sábados. Eh..., tiendas pequeñas cerca a la casa, al departamento, hay varias. Cuando necesitamos algo, pues bajamos simplemente.

Santa Fe de Bogotá, Colombia

Santa Fe de Bogotá es una ciudad dinámica y llena de energía, con más de seis millones de habitantes. La capital de Colombia es un importante centro comercial e industrial. Con una mezcla de lo moderno y lo antiguo, de ciudad y de campo, Bogotá ofrece una enorme variedad de experiencias para el visitante.

El barrio de La Candelaria es el corazón de la antigua Santa Fe de Bogotá. Es el sector histórico, turístico, gubernamental y cultural más importante de la capital.

En La Candelaria se pueden ver los hermosos tejados de las casas coloniales, los campanarios de la iglesia de San Ignacio, las torres de la Catedral y la cúpula de la Capilla del Sagrario.

En este barrio se encuentra también la plaza de Bolívar, centro del Congreso de la República, donde tienen lugar importantes ceremonias políticas.

En contraste con el sabor histórico de La Candelaria, en otros barrios de Bogotá se encuentran edificios modernos, rascacielos imponentes… y el interminable tráfico que acompaña a todo centro urbano.

A veces se mezclan lo antiguo y lo moderno. Aquí la Plaza de Toros contrasta con los modernos rascacielos de las Torres del Parque.

El pasado precolombino de Colombia se conserva en el Museo del Oro, institución única en el mundo, que tiene una colección de 20.000 piezas de oro prehispánicas. En las joyerías y galerías de Bogotá es fácil comprar réplicas de piezas precolombinas del museo.

Desde el cerro de Montserrate se puede apreciar la multifacética capital de Colombia, una ciudad moderna de gran riqueza histórica.

La comida

En los países hispanohablantes, como en el resto del mundo, las comidas típicas tienen que ver con la geografía y las tradiciones del lugar.

En México y Centroamérica, hay una gran variedad de comidas que llevan frijoles, arroz y maíz. En otros países generalmente se come más carne. Sin embargo, por la influencia de la globalización es posible encontrar mucha diversidad en las comidas de todos los países, sobre todo en las grandes ciudades.

Hoy en día mucha gente va a los supermercados, especialmente en las ciudades. Pero muchas personas prefieren ir a los mercados locales porque allí todo parece más fresco.

Hay opciones deliciosas para conocer los platos típicos, como los tacos mexicanos y los llapingachos con verduras, chorizo y un huevo frito en Ecuador. Si vas a cenar, recuerda que en muchos países hispanos se come después de las ocho de la noche.

¡Buen provecho!

La Patagonia en Chile

Voz masculina: La región de la Patagonia, que ocupa el extremo sur de Argentina y de Chile, es una de las regiones más extraordinarias de las Américas y del mundo. Allí se encuentran las montañas de los Andes, bosques y valles, lagunas y cataratas e inmensos glaciares.

Separados por la cordillera de los Andes, cuyo punto más alto mide 6.600 metros de altura, Chile y Argentina son los países del Cono Sur que comparten esta espectacular región.

En el extremo de la Patagonia chilena se encuentra Punta Arenas y de la Patagonia argentina la Tierra del Fuego. Aquí está situada Ushuaia, la ciudad más meridional del mundo, puerta a la Antártida. A este continente se llega cruzando el estrecho de Magallanes, donde confluyen los océanos Atlántico y Pacífico.

En el hospital

Por una razón u otra, todos hemos tenido que ir al hospital alguna vez. Un accidente o una enfermedad en algún momento nos lleva camino al hospital o a la clínica.

Los hospitales ofrecen muchos servicios importantes.

En la sala de espera, los pacientes esperan su turno.

En el laboratorio, los técnicos hacen análisis.

Los médicos y los internos prestan un gran servicio con su dedicación a la medicina y a nuestra salud.

Hoy el Dr. José Alejandro Brambilla Centeno nos habla un poco sobre su trabajo, los pacientes de su clínica y la salud.

Q1: ¿Cuál es el trabajo que usted hace en esta clínica?

Dr. Brambilla: Jefe de laboratorio de patología clínica desde hace cuatro años y maestro de algunas materias como hematología, urgencias médicas y fisiopatología.

Q2: ¿Qué tipo de seguro médico tienen los pacientes?

Dr. Brambilla: Aquí en esta unidad de atención médica ambulatoria, es una unidad para pacientes con pocos recursos, o sea que no tienen recursos, en realidad no tienen seguro, no tienen, los pacientes, no. Son pacientes que en forma gratuita se les atiende y se les hacen estudios de laboratorio o de cualquier otro estudio, con la única condición que sirvan para la enseñanza. O sea que lo vean aquí alumnos de la facultad de medicina, es la única condición que se les pone.

Q3: ¿Tiene usted más pacientes adultos o jóvenes y qué tipo de enfermedades tienen?

Dr. Brambilla: Bueno, es relativamente, digamos, igual el tipo de pacientes que tenemos. Eh... lo que pasa que también es más común en ciertas épocas del año, por ejemplo, ya en esta época, encontramos, o tenemos más problemas con niños, problemas infecciosos, respiratorios y, e intestinales.

En el caso del adulto, pues tenemos problemas de tipo respiratorio también, de tipo... se ven muchos pacientes con problemas gastrointestinales, endocrinológicos, por ejemplo, diabetes, es lo que se ve más comúnmente,... problemas ginecológicos.

Q4: ¿Qué hace usted para mantenerse en buena salud?

Dr. Brambilla: Bueno, en ese aspecto, este, pues, procurar, cuando menos, seguir las reglas universales de la salud. ¿Cuáles son? Por ejemplo, si hablamos de factores de riesgo que están de moda en los últimos años en Estados Unidos y en México, el hecho de no fumar, el hecho de no tomar, el hecho de no excederse en la alimentación, el no tener exceso de peso. Y otro también muy importante que a veces lo ignoramos, que es el aspecto de, psicológico también de... de autocontrol, digamos, que debe tener cada individuo, cada ser humano.

Gracias, Dr. Brambilla.

LECCIÓN 11

Ecuador: país en la mitad del mundo

La República del Ecuador se llama así por estar situada en la línea ecuatorial.

En la latitud cero grados, cero minutos y cero segundos se encuentra el monumento principal de la ciudad "Mitad del Mundo". La ciudad "Mitad del Mundo" se encuentra localizada sobre la línea ecuatorial, la cual divide el planeta en dos hemisferios.

Al Ecuador se le llama "Ecuador Milagro Ecológico" por la variedad de sus características ecológicas: desde las zonas nevadas de los Andes hasta la selva amazónica.

El Ecuador es un país cuyas tradiciones indígenas coexisten con un crecimiento moderno y tecnológico.

En Otavalo, las artesanías indígenas, como los tejidos que se venden en la Plaza de los Ponchos, son el puente entre las tradiciones del pasado y la economía del presente.

En el viejo Quito, el Quito colonial, la Plaza de la Independencia nos transporta a un pasado español. Allí los guardias, con su uniforme tradicional, protegen el palacio de gobierno.

La Iglesia de San Francisco de Quito, la más antigua del continente, está en el centro de la Plaza San Francisco. La iglesia es la estructura más grande del Quito colonial; y sus interiores barrocos, con su magnitud y esplendor, asombran al visitante.

Sin embargo, las calles estrechas del viejo Quito causan problemas de tráfico representativos del mundo moderno.

El Ecuador es un país que se encuentra entre un pasado indígena y uno colonial, entre un presente tradicional y uno moderno. Justo en la mitad del mundo, el Ecuador está en el cruce del pasado y el presente.

La salud

El tema de esta serie de segmentos es la salud. Vamos a ver lo que hacen los hispanos para conservar la mente sana en un cuerpo sano.

Q1: ¿Qué hace Ud. para conservar la salud?

Alejandro: Hacer ejercicio. Hacer mucho ejercicio. Eh... Alimentarme bien. Creo que es lo más básico.

Otmara: Para tratar de conservar mi salud, lo que eh... trato de no comer muchas carnes rojas, de comer frutas, vegetales, mariscos, pollo y pescado y tomar mucha agua.

Juan: Tratar de no beber mucho, no consumir drogas, fu... no fumar y comer comida, vegetales, la carne como sin gordura.

Miriam: Para conservar la salud, trato de hacer deporte. Eh... Hago "aerobics" o salgo a caminar. En Guadalajara hay unos parques muy bonitos como para salir a caminar. Em... Más bien eso, bueno, trato de no comer en exceso. No es que me esté cuida..., me cuide o haga dieta sino que me controlo, me mido lo que como.

Dr. Brambilla: En este aspecto, este, pues, procurar, cuando menos, seguir las reglas universales de la salud. ¿Cuáles son? Por ejemplo, si hablamos de factores de riesgo que están de moda en los últimos años en Estados Unidos y en México, el hecho de no fumar, el hecho de no tomar, el hecho de no excederse en la alimentación, el no tener exceso de peso. Y otro también muy importante, que a veces lo ignoramos, que es el aspecto psicológico también de... de autocontrol, digamos, que debe tener cada individuo, cada ser humano.

Q2: ¿Cuándo fue la última vez que Ud. visitó al médico?

Miriam: La última vez que fui al médico fue porque tuve una infección al estómago. Eh... Bueno, fui a la playa y no sé qué fue lo que comí a lo mejor pescado o algo así y me cayó mal y estuve muy, muy delicada del estómago.

Jaime: La última vez fue hace quince días porque me dio hepatitis A y simplemente me hicieron exámenes médicos y reposo me recomendó, no más.

María: La última vez que fui al médico, pues ya hace mucho porque mi padre es médico y entonces me... me ve.

Otmara: La última vez que visité al médico fui porque tenía amigdalitis. Tenía las amígdalas inflamadas. El médico me revisó eh... mis amígdalas y me dio tratamiento.

Alejandro: Fue a hacerme un examen de la vista en la (sic) cual me pusieron lentes o anteojos o espejuelos como le dicen aquí. Y creo que eso fue el único que fui a hacer.

Q3: ¿Qué tipo de asistencia médica hay en su país?

Pedro: Hay tantos médicos privados, como también es el Instituto Salvadoreño de Seguro Social. Ofrecen este... muy buenos servicios este... para la gente trabajadora. Y también como cualquier otro país latino, hay problemas.

Otmara: Por lo general, en mi país se utiliza lo que es el Seguro Social. Toda persona que trabaje, ya sea que tenga un salario mínimo o que tenga un gran salario, esta persona tiene derecho al Seguro Social. Se le entrega una ficha donde consta que tiene ese seguro y él en cualquier momento en que esté enfermo, él acude, presenta su ficha y se le atiende, se le da el seguro... eh... se le da el servicio médico. Y eso también incluye las medicinas.

María: La asistencia médica que en mi país es la Seguridad Social donde todo el mundo esté inscrito a ella. Está muy bien y tiene muy buenos aparatos. Lo que pasa es que es un poco lenta.

Q4: ¿Qué opina Ud. de la asistencia médica en su país?

Leonardo: Hay muy buenos hospitales en mi país eh... los cuales uno puede acudir con mucha tranquilidad y sin... o sea, hay muy buenos médicos.

Juan: Necesitan bastante ayuda para ayudar a la gente, más que todo a la gente pobre, que hay mucha en Nicaragua que necesita mucha asistencia médica y no la tienen que... en vez de estar planeando en otras cosas, en cómo el país se vea mejor eh... superficialmente, que planeemos mejor cómo asegurar a la gente o darles seguro por medio de sus trabajos, que no los tienen.

Dra. González: El servicio médico del país en general es bueno. Considero yo que la capacidad eh... del médico, como tal, su preparación como tal, es buena. Que desafortunadamente dadas las circunstancias por las que atraviesa nuestro país estamos con ciertos défici... o ciertas carencias en cuanto a lo que es el abastecimiento de medicamentos sobre todo medicamentos, pues... es lo que viene a interferir un poquito con la calidad del servicio.

Entrevista

Dra. González: En esta clínica nosotros ofrecemos un servicio, eh... atención médica por veintiún servicios, incluyendo lo que es medicina general, ginecología y pediatría. Además de esos servicios, tenemos servicios por especialidades como son endocrinología, gastroenterología, cardiología, cardiología pediátrica, angiología, eh... servicios de otorrinolaringología, de psiquiatría, de dermatología, traumatología y ortopedia, de neurología, urología, eh... y además de ello, servicios eh... que nosotros consideramos de importancia en lo que es la evaluación de nuestros pacientes como es contar con un laboratorio clínico, con... con un gabinete de rayos equis, ultrasonido, eh... lo que es el servicio de anatomía patológica y también estudios endoscópicos.

Buenos Aires, Argentina

Voz femenina: Buenos Aires, la capital de Argentina, se conoce como "el París de Suramérica". Esto se debe al sabor europeo que, poco a poco, el gran número de inmigrantes le dio a esta ciudad. Ingleses, franceses, griegos, alemanes, españoles y sobre todo italianos colaboraron en el diseño urbano, teniendo presentes los estilos europeos de la época, como se puede observar al pasar por los bulevares y por las amplias avenidas de la ciudad.

La Avenida Nueve de julio, una de las más anchas del mundo, tiene en su centro un obelisco que conmemora la fundación del Puerto sobre el Río de la Plata. La zona del Puerto se llama La Boca. En este popularísimo barrio se concentró la inmigración italiana que llegó a Buenos Aires mayormente entre 1860 y 1900.

Buenos Aires no descansa en ningún momento del día... o de la noche. La vida nocturna de Buenos Aires ofrece algo para todos los gustos. En muchísimos lugares, por ejemplo, se puede oír y ver bailar el género musical más conocido del país: el tango.

De viaje

"Viajero que vas por cielo y por mar..."

Como en la canción mexicana, en el fondo todos tenemos el espíritu del viajero. Soñamos con viajar y conocer todos los países del mundo: las ruinas arqueológicas, las playas tranquilas, las grandes ciudades. Queremos verlo todo.

Hablemos con algunos estudiantes que han viajado a varios países.

¿Qué países conoce usted?

Juan: Conozco varios países, eh... dentro de los que se encuentran Irlanda y México. Me gustaría conocer más.

Gustavo: Conozco los Estados Unidos. Viví un tiempo allí. Conozco la Argentina, el Brasil. Em... también conozco Bolivia.

Paola: He viajado, a Perú, a Colombia, Venezuela, Chile, Estados Unidos, República Dominicana y Puerto Rico.

Leonardo: Conozco España, Francia, Suiza, Italia, eh... Marruecos, Grecia, Turquía, Israel, Egipto, Argentina, Uruguay, Paraguay, Colombia, Estados Unidos, República Dominicana.

Tamara: Conozco, eh, [a] México. Todavía no he tenido la oportunidad de viajar a otros países. Espero poder hacerlo algún día.

Pablo: Conozco México, conozco Nueva York y conozco Portugal y París.

Ahora vamos a hablar con Olivia Macías, una agente de viajes, para saber algunos secretos de la industria.

Q1: ¿Qué tipos de servicios ofrece su agencia?

Olivia: Nosotros hacemos eh... reservaciones de autobús, eh, avión, cruceros, eh, tours en Suramérica, en Europa, todo tipo de servicio, todo lo ofrecemos aquí.

Q2: ¿Qué tipos de clientes vienen a la agencia?

Olivia: Bueno, los clientes que tenemos nosotros, eh, en el verano, por la ubicación de la agencia en una plaza comercial, eh, son extranjeros, norteamericanos, canadienses en su mayoría, eh, algunos europeos también, y también tenemos turismo de, nacional, del país, o de la misma ciudad.

Q3: ¿Es importante para su trabajo hablar varios idiomas?

Olivia: Sí, pero el principal es inglés porque la mayoría de los, eh, de los pasajeros, sean japoneses o europeos o de donde vengan, todos hablan inglés y no hablan español.

Q4: ¿Por qué es importante que usted viaje y conozca otros lugares?

Olivia: Porque todos los agentes de viajes, para poder hacer una buena labor de venta, necesitamos conocer primero. Si yo no conozco, por ejemplo, Cancún, yo no puedo decirle a la gente usted puede hacer, ir a las ruinas arqueológicas o puede hacer esto, puede visitar desde aquí Cuba o cualquier cosa. Es muy importante que nosotros conozcamos y, pues, porque me gusta conocer diferentes culturas, eh, comidas también, todo.

Q5: ¿Cuáles son sus sitios favoritos para ir a visitar?

Olivia: Hmm, México, en México me gusta mucho Cancún, eh, Oaxaca, todo lo que tenga que ver con ruinas arqueológicas es mi sitio favorito para ir. Eh, México, pues prácticamente conozco todo lo que son playas, ciudades coloniales y sitios arqueológicos de todo el país. Eh, en Europa nunca he estado. Me gustaría ir algún día. En los Estados Unidos, em... Orlando, Los Ángeles, que son los principales destinos que vendemos nosotros por Disneylandia y Disneyworld.

¿Qué te parece? ¿Te interesa ser agente de viajes?

LECCIÓN 13

Paraguay

Voz femenina: A Paraguay se le conoce como el gigante dormido. Su belleza natural es tal que fue escogido como escenario para la película ganadora de varios Óscares, *La misión.* Su capital, Asunción, tiene mucho que ofrecer al visitante internacional.

Edgar Sánchez: Paraguay, tierra de paz y de sol. ¿Pero de dónde viene el nombre del país? Es una voz guaraní, *paraguay,* que los españoles conquistadores volvieron Paraguay. Quiere decir "aguas que corren hacia el mar".

Voz femenina: Y sin duda este elemento ha jugado siempre un papel primordial en la vida del país. El río Paraguay divide el país en dos regiones: la del este y la región del Chaco. El río Paraná forma el límite suroriental con el Brasil y es la única vía hacia el mar que tiene el país. Sus aguas, gran fuente de energía, han sido represadas recientemente en Itaipú. Es la hidroeléctrica más grande del mundo y uno de los proyectos públicos más importantes de la historia, labor conjunta de dos naciones hermanas, Paraguay y Brasil, mediante un tratado bilateral firmado en abril de 1973. Esta impresionante represa es tan alta como un edificio de 60 pisos y su longitud de punta a punta cubre cinco millas, viaje que puede extenderse a una de las maravillas de la naturaleza. A pocos kilómetros de la frontera de Paraguay con Brasil se pueden admirar las espectaculares cataratas de Iguazú, que forma el río del mismo nombre en el límite de Argentina y Brasil. Quien visita Paraguay debe complementar su recorrido conociendo este majestuoso escenario natural que comparten las dos mayores naciones suramericanas y al cual se llega por una magnífica carretera después de atravesar un hermoso parque natural.

De vacaciones

Hay muchas maneras de disfrutar de unas buenas vacaciones.

Primero debes llegar a tu destino. Frecuentemente el avión es el medio de transporte más cómodo y más rápido.

Puedes escoger sitios donde puedes

bailar,
hacer surfing,
montar a caballo,
jugar al tenis o
al golf,
pescar,
bucear,
disfrutar de la playa
o simplemente
descansar.

Hablemos con algunos estudiantes sobre sus vacaciones.

Q1: ¿Cómo pasó usted las vacaciones este año?

Tamara: Volví a mi país, a Puerto Rico. Fui a la playa, al cine... Eh... compartí con mis amigos, con mi familia.

John: Mis vacaciones este año, de verano me fui a los Estados Unidos a visitar a unos parientes. De ahí nos fuimos de regreso a Guatemala porque no había ido en un año. Ya hubo una gran reunión familiar y una fiesta.

Zaida: Este año al terminar las, el, el semestre que fue en julio me fui al día siguiente para mi casa, en Caracas.

Pablo: Pasé mis vacaciones en mi casa con mi familia, casi todo el tiempo.

Q2: ¿Qué planes tiene para las próximas vacaciones?

Milka: Bueno, para estas vacaciones me voy a Bolivia ya que hace un año que no estoy en Bolivia, entonces, sí, voy.

Carolina: Estas vacaciones pienso quedarme aquí en México y quiero viajar por todo el sur, hasta Chiapas, Yucatán, este, Oaxaca, darme la vuelta por toda la costa para conocer la cultura mexicana, las playas y, o voy a ir sola o con algún amigo, todavía no lo sé.

Juan: Estas vacaciones espero irme a mi país, a Venezuela. Si Dios quiere, el 7 de diciembre estaré allá y pasármela muy bien con mi familia, estar con mi familia todo diciembre.

Q3: ¿Qué medio de transporte prefiere usar cuando viaja?

Carolina: Ehhm, bueno, cuando viajo depende de qué largo es el viaje para, o sea... Si es muy largo prefiero usar avión porque es más cómodo, más rápido, no cansa tanto. Pero a veces es bonito viajar en autobús porque uno puede apreciar mejor el paisaje.

Milka: Cuando viajo me gusta utilizar la vía de transporte de avión porque, por lo general, es, es más rápido, pero también en auto, me gusta mucho.

Juan: Bueno, prefiero el avión y lo, prefiero el avión porque mi país, o sea, queda demasiado lejos de, de aquí, de México. Y viajar ahí son seis horas en avión. Depende, si son distancias cortas, por supuesto que, que utilizaría el coche, pero siempre avión, es más cómodo.

Q4: De los lugares que conoce, ¿cuál le gustó más?

Gustavo: Creo que Buenos Aires. Es una ciudad increíble. Es, para salir a la noche. Tiene muchos cafés. La comida es muy buena. Eh... hay de todo.

Pablo: Lo que más me gusta de todos los países es el mío, es España. Pero también me ha gustado mucho México, Portugal y, y París. Es muy bonita esa ciudad.

Ángela: De los que me han gustado mucho Estados Unidos, Canadá también me gustó mucho.

Leonardo: Bueno, yo creo que, me fascinó todo lo que es el Medio Oriente. Israel me fascinó muchísimo porque hay mucha de mi cultura allá, entonces, eh, me fascinó, o sea me gustó muchísimo.

¡Feliz viaje!

LECCIÓN 14

Madrid: ciudad sin igual

Para el madrileño, Madrid es el centro del universo. No hay ciudad del mundo más adorada por sus residentes. Uno sólo tendría que dar una vuelta por esta bella ciudad para saber por qué.

Madrid es una ciudad de monumentos magníficos:

la Puerta de Alcalá,
la fuente de la Cibeles,
la fuente de Neptuno;

de gran arquitectura:

el Palacio Real,
la Oficina de Correos;

de estatuas de personajes famosos:

Cristóbal Colón en la Plaza de Colón,
Felipe IV en la Plaza de Oriente,

y de plazas llenas de vida:

la Plaza Mayor
y la Puerta del Sol.

En Madrid se encuentran museos de fama mundial:

el Museo del Prado y el Centro de Arte Reina Sofía, donde puedes ver *Guernica*,
la famosa obra de Picasso.

El ritmo de la vida en Madrid puede ser frenético:

en las calles, activas de día y de noche;
en la Puerta de Atocha, estación de trenes llena de viajeros;
en la Puerta del Sol, donde puedes subirte a un autobús o tomar el metro.

También puede ser tranquilo:

paseando por el Parque del Retiro,
admirando los hermosos panoramas de la ciudad
o saboreando una deliciosa paella mientras disfrutas de la música de un conjunto
en la Plaza Mayor.

Madrid lo tiene todo:

nuevo,
viejo,
joven,
serio
y juguetón...

Una ciudad sin igual, como te diría cualquier madrileño.

Recuerdos del pasado

A los hispanos les gusta mucho salir, y es esencial para llevar una vida saludable.

Hay opciones para todos los gustos, como caminar por los parques y visitar museos.

Algunas personas prefieren ir a las galerías o exposiciones de arte y ver pinturas y esculturas.

Mucha gente comparte su tiempo con la familia.

También es muy común que las personas se sienten a tomar algo con amigos para conversar.

Generalmente los estudiantes se reúnen en bares o cafés cerca de la universidad.

Seguramente irás al cine y conocerás las películas del país. En Hispanoamérica y España son muy populares las producciones de Hollywood, pero también podrás ver producciones locales excelentes.

También verás conciertos y obras de teatro de los artistas de la región.

¿Y por la noche? La gente va a discotecas o bares.

Es probable que allí escuches tanto música del lugar como estadounidense. Los países hispanohablantes ofrecen muchísimas oportunidades para salir, conocer gente nueva y... divertirse.

Ahora vamos a escuchar a algunas personas recordar las cosas que hacían durante su niñez, su adolescencia y las que les gusta hacer hoy en día. Primero, Rosalia recuerda su niñez pobre, pero alegre; luego, Tamara, una joven puertorriqueña, nos narra un momento especial de su adolescencia. Zaida, una joven mujer venezolana, recuerda a su abuelo cuando era niña. Por último, Ángela, una joven colombiana, habla de sus actividades favoritas de fin de semana.

Rosalia: Mi niñez fue bonita y a la vez difícil, porque somos de una familia muy pobre. Mi mamá era doméstica. Pasábamos trabajos para vivir. Pero sí éramos muy alegres, nos ayudábamos todos, disfrutábamos todos los momentos que teníamos juntos y eso, pues, nos enseñó a... a valorar la vida, y a amarnos más y... y a no tener miedo a la vida.

Tamara: Bueno, pienso que uno de ellos, uno de los momentos más importantes de mi adolescencia fue haber participado en un concurso... eh... nacional de teatro donde tuve la oportunidad de... Yo escribí la obra de teatro... eh... Tuve la oportunidad de dirigir también la obra, y ganamos un premio, pues, a nivel nacional, en mi país, en Puerto Rico.

Zaida: Tenía tres años y mi abuelo... Yo adoraba a mi abuelo paterno, el papá de mi papá. Y nosotros tenemos lo que son hamacas, que aquí se llaman hamacas; en Venezuela se llaman chinchorros. Tenía yo tres años. Y mi abuelo estaba, me tenía acostada a mí encima de él en un chinchorro. Y él prendía cerillos en el piso... y me decía que era magia.

Ángela: Me gusta más vivir en la ciudad. Me gustan las ciudades grandes. Me gusta más como que haya gente. O sea, no me gusta tanto la soledad. Me gusta el ruido, o sea, tener adonde ir, que un día ir al cine, que al teatro, que a la disco... Me gusta más la ciudad.

TESTING
PROGRAM

Name ______________________ Section __________ Date __________

Lección 1 Prueba A

A. Answer the oral questions, using complete sentences. (25 pts.)

1. ____________________
2. ____________________
3. ____________________
4. ____________________
5. ____________________

B. Write the numbers you hear, using numerals rather than words. (6 pts.)

1. ____________ 4. ____________
2. ____________ 5. ____________
3. ____________ 6. ____________

C. Complete the following dialogue, using the present indicative of the verb **ser.** (5 pts.)

—¿De dónde ____________ Uds.?

—Nosotros ____________ de California. Yo ____________ de San Francisco y David ____________ de San Diego. ¿De dónde ____________ Ud.?

—De Nuevo México.

D. Write **el, la, los,** or **las** before each noun. (10 pts.)

1. ____________ mochila
2. ____________ libro
3. ____________ relojes
4. ____________ manos
5. ____________ mapa
6. ____________ mujer
7. ____________ hombres
8. ____________ cuadernos
9. ____________ día
10. ____________ lápices

E. Change the following phrases according to the new nouns. (6 pts.)

1. un chico cubano ______ chica ____________
2. un muchacho simpático ______ muchachos ____________
3. unos libros nuevos ______ silla ____________

F. What would you say in the following situations? (20 pts.)

1. You ask an older gentleman what his name is.

____

2. Someone says **"mucho gusto"** to you.

____

3. Someone thanks you for a favor.

____

Name ______________________ Section __________ Date __________

4. You ask someone what **"escritorio"** means.

____

5. You ask a friend what his/her new classmate is like.

____

G. Write the name of the object you associate with each of the following descriptions. Include the definite article. (12 pts.)

1. You post ads or pictures on this: ______________________
2. You access the Internet on this: ______________________
3. You use this to sign a check: ______________________
4. You go through this to get out: ______________________
5. You throw away things in this: ______________________
6. You use this to locate cities, countries, rivers, etc.: ______________________

H. What colors would you get if you mixed the following? (4 pts.)

1. azul y amarillo ______________________
2. rojo y amarillo ______________________
3. blanco y negro ______________________
4. rojo y blanco ______________________

I. Describe your best friend. Include his/her name and nationality, where he/she is from, and tell what your friend is like. (12 pts.)

____

____

____

____

____

____

____

____

____

____

____

____

____

¡Extra! Complete the following sentence with the appropriate cultural information. (2 pts.)

La capital de México es una de las ciudades más ______________ del Hemisferio Occidental.

Name ______________________ Section ____________ Date __________

Lección 1 Prueba B

A. Answer the oral questions, using complete sentences. (25 pts.)

1. ______________________________
2. ______________________________
3. ______________________________
4. ______________________________
5. ______________________________

B. Listen to what your instructor reads about Carlos and Marisa, and then cirle **V** for **Verdadero** (*True*) or **F** for **Falso** (*False*) for each statement. (12 pts.)

1. V F
2. V F
3. V F
4. V F
5. V F
6. V F

C. Write **un, una, unos,** or **unas** before each noun. (8 pts.)

1. _______ profesoras
2. _______ lápiz
3. _______ mujer
4. _______ días
5. _______ manos
6. _______ hombres
7. _______ mapas
8. _______ secretaria

D. Complete the following dialogue, using the present indicative of **ser.** (8 pts.)

—¿Tú ____________________ cubano?

—No, yo ____________________ mexicano. ¿De dónde ____________________ ustedes?

—Nosotros ____________________ de Costa Rica. ¿Y Sergio?

—Él ____________________ de Argentina. ¿Los profesores ____________________ de Perú?

—No, de Chile.

E. Change the articles and the adjectives to agree with each new noun. (6 pts.)

1. el chico español
   _____ chicas ____________________
2. el señor inglés
   _____ señora ____________________
3. el lápiz azul
   _____ plumas ____________________

Name ______________________ Section __________ Date __________

F. Write the following numbers in Spanish. (8 pts.)

1. 0 ______________________
2. 6 ______________________
3. 10 ______________________
4. 3 ______________________
5. 1 ______________________
6. 7 ______________________
7. 2 ______________________
8. 9 ______________________

G. What would you say in the following situations? (20 pts.)

1. Someone says **"mucho gusto"** to you.
   ____
2. You ask a little girl what her name is.
   ____
3. You ask a friend what his/her new classmate is like.
   ____
4. You ask your professor what **"ciudad"** means.
   ____
5. You ask a friend what's new.
   ____

H. Spell out this name in Spanish. (6 pts.)

Héctor Díaz

____

I. Complete the following, saying what we need for the classroom. (7 pts.)

Necesitamos...

1. un ______________ de España.
2. una ______________ de anuncios.
3. una pizarra, un ______________ y ______________.
4. libros y ______________.
5. papel y ______________.
6. un ______________ de papeles.

¡Extra! Complete the following sentence with the appropriate cultural information. (2 pts.)

______________ es un nombre que se usa para las mujeres y también para los hombres.

Name ______________________ Section ____________ Date ____________

Lección 2 Prueba A

A. Answer the oral questions, using complete sentences. (25 pts.)

1. ______________________
2. ______________________
3. ______________________
4. ______________________
5. ______________________

B. Write the numbers you hear, using numerals rather than words. (6 pts.)

1. ____________ 3. ____________ 5. ____________
2. ____________ 4. ____________ 6. ____________

C. Complete the following sentences, using the present indicative of the verbs in parentheses. (6 pts.)

1. Uds. ____________ (hablar) español y ella ____________ (hablar) inglés.
2. Nosotros ____________ (conversar) en la cafetería.
3. Ellas ____________ (trabajar) por la noche.
4. Yo ____________ (desear) estudiar física.
5. ¿Tú ____________ (necesitar) el libro?

D. Write complete sentences to say what time it is. (15 pts.)

1. 10:45 ____________
2. 1:30 ____________
3. 9:20 ____________

E. Write the appropriate indefinite article before each noun. (8 pts.)

1. ____________ libertad
2. ____________ problemas
3. ____________ lecciones
4. ____________ café
5. ____________ ciudades
6. ____________ televisión
7. ____________ luz
8. ____________ reloj

F. On what dates do the following annual events take place? (8 pts.)

1. Christmas ______________________
2. Independence Day ______________________
3. Halloween ______________________
4. Your birthday ______________________

Name ______________________ Section ____________ Date __________

G. In which season do the following months fall? (4 pts.)

1. enero y febrero ____________
2. octubre y noviembre ____________
3. abril y mayo ____________
4. julio y agosto ____________

H. Write the possessive adjective that corresponds to each subject. (5 pts.)

1. Yo necesito __________ bolígrafos.
2. Ellos necesitan __________ cuadernos.
3. Ud. necesita __________ lápices.
4. Nosotros hablamos con __________ profesora.
5. ¿Cómo es __________ compañero de clase, Anita?

I. What would you say in the following situations? (10 pts.)

1. You tell your friend what you don't want to drink.

   ____

2. Ask a classmate if he/she works at the university.

   ____

J. Complete the following sentences, using vocabulary from **Lección 2.** (8 pts.)

1. ¿Desea Ud. una ____________ de café o un ____________ de leche?
2. ¿Desea Ud. una ____________ de ____________ tinto?
3. ¿Desea Ud. una botella de ____________ mineral?
4. Elena es mi compañera de ____________.
5. ¿Con ____________ estudias? ¿Con Jorge?
6. Un sinónimo de "materia" es ____________.

K. Read the following paragraph, and then circle **V** for **Verdadero** (*True*) or **F** for **Falso** (*False*) for each statement. (5 pts.)

Elena toma unas clases muy difíciles este semestre. Estudia en la biblioteca con Sandra los lunes y miércoles, y trabaja en el laboratorio de lenguas los martes y jueves. En el verano Elena estudia en la Universidad de Guadalajara.

¿Verdadero o falso?

1. Las clases de Elena son fáciles. V F
2. Elena y Sandra estudian en la biblioteca. V F
3. Elena trabaja todos los días. V F
4. Elena no trabaja los viernes. V F
5. En el verano, Elena estudia en México. V F

¡Extra! Complete the following sentence with the appropriate cultural information. (2 pts.)

Los Ángeles fue fundada por los ______________ en 1771.

Name ______________________ Section __________ Date __________

Lección 2 Prueba B

A. Answer the oral questions, using complete sentences. (25 pts.)

1. ______________________
2. ______________________
3. ______________________
4. ______________________
5. ______________________

B. Write the numbers you hear, using numerals rather than words. (5 pts.)

1. __________ 3. __________ 5. __________
2. __________ 4. __________

C. Listen to what your instructor reads about Daniel and Verónica, and then circle **V** for **Verdadero** (*True*) or **F** for **Falso** (*False*) for each statement. (16 pts.)

1. V F
2. V F
3. V F
4. V F
5. V F
6. V F
7. V F
8. V F

D. Complete the following exchanges, using the present indicative of the verbs given. (7 pts.)

1. **necesitar**

—¿Qué __________ Uds.?

—Nosotros __________ los libros.

2. **tomar**

—¿Tú __________ café?

—No, yo __________ Coca-Cola.

3. **hablar**

—¿Carlos __________ inglés?

—No, Carlos y Ana __________ español.

4. **terminar**

—¿A qué hora __________ la clase?

—A las tres.

E. Complete the following sentences, using possessive adjectives in order to say with whom everyone studies. Make sure each adjective agrees with the subject. (5 pts.)

1. Yo estudio con __________ amigos.
2. Teresa y Natalia estudian con __________ amigos Jorge y Esteban.
3. Ana y yo estudiamos con __________ amigas.

Name ______________________ Section __________ Date __________

4. Tú estudias con ______________ profesor.
5. Pedro estudia con ______________ amiga Sofía.

F. Write the appropriate definite article **el, la, los,** or **las** before each noun. (8 pts.)

1. __________ televisión
2. __________ universidades
3. __________ programas
4. __________ clima
5. __________ solución
6. __________ idiomas
7. __________ inglés
8. __________ café

G. Write complete sentences to say what time it is. (12 pts.)

1. 1:00 ______________________
2. 4:45 ______________________
3. 8:20 ______________________

H. Using words instead of numbers, write the date for each of the following days of the year. (8 pts.)

1. Halloween ______________________
2. Independence Day ______________________
3. New Year's Eve ______________________
4. Valentine's Day ______________________

I. What would you say in the following situations? (8 pts.)

1. You ask a friend how many hours he/she works.

____

2. You have been talking to a classmate and suddenly realize it's late. Tell him/her it's (already) late, and you're leaving.

____

J. Complete the following sentences, using vocabulary from **Lección 2.** (6 pts.)

1. Necesito mi ______________ de clases.
2. Estudiamos administración de ______________.
3. Elsa trabaja en el ______________ de lenguas.
4. Estudiamos las ideas de Freud en la clase de ______________.
5. ¿Desea Ud. una ______________ de vino?
6. ¿Desea Ud. ______________ de naranja?

¡Extra! Complete the following sentence with the appropriate cultural information. (2 pts.)

Las universidades en la mayoría de los países hispanos usan ______________ en vez de letras para las notas.

Name ______________________ Section __________ Date __________

Lección 3 Prueba A

A. Answer the oral questions, using complete sentences. (25 pts.)

1. ______________________
2. ______________________
3. ______________________
4. ______________________
5. ______________________

B. Write the numbers you hear, using numerals rather than words. (6 pts.)

1. ______________________
2. ______________________
3. ______________________
4. ______________________
5. ______________________
6. ______________________

C. Write the appropriate demonstrative adjective before each noun. (6 pts.)

1. this/these

   ____________ señora / ____________ señoras

2. that / those

   ____________ cuadernos / ____________ plumas

3. that / those (over there)

   ____________ hombre / ____________ mujeres

D. Finish the following sentences in an original manner. (12 pts.)

1. Ella viene los lunes y yo ______________________.
2. Paco bebe vino y nosotros______________________.
3. Estela come sándwiches y tú ______________________.
4. Yo barro la cocina y Ud. ______________________.
5. El profesor escribe en la pizarra y los estudiantes ______________________.
6. Ella vive en Lima y Uds. ______________________.

E. Express the relationship of the people and/or objects appropriately. (6 pts.)

1. María / libros Son ______________________.
2. Pedro / novia Es ______________________.
3. Silvia / amigas Son ______________________.

Name ______________________ Section ____________ Date __________

F. These people are in the following situations. Say how they feel using expressions with **tener.** (10 pts.)

1. I haven't had anything to eat all day.

   Yo ______________________________.

2. We are in Florida in summer.

   Nosotros ______________________________.

3. The girls haven't slept for 24 hours.

   Las chicas ______________________________.

4. You have two minutes to get to your next class.

   Tú ______________________________.

5. Sergio's throat is very dry.

   Sergio ______________________________.

G. What would you say in the following situations? (16 pts.)

1. You ask a friend where he/she spends the weekend.

   ____

2. You ask a guest if he/she wishes to drink a glass of lemonade.

   ____

3. You ask your roommate what there is to eat.

   ____

H. Complete the following, using vocabulary from **Lección 3.** (10 pts.)

1. Necesito ______________ y vinagre para la ensalada.
2. Necesitan la ______________ para barrer.
3. Necesitamos los platos para ______________ la mesa.
4. ¿A qué hora es el ______________ de béisbol?
5. Llevan la ropa a la ______________.
6. ¿Quién ______________ la basura hoy?
7. Necesito la ______________ para preparar el café.
8. Tenemos una lavadora y una ______________.
9. Mis padres llegan ______________ noche.
10. En el ______________ hay sándwiches y Coca-Cola.

I. Write three chores that you and members of your family have to do this weekend. (9 pts.)

1. ______________________________
2. ______________________________
3. ______________________________

¡Extra! Complete the following sentence with the appropriate cultural information. (2 pts.)

En Miami la influencia hispana se nota en lo ______________ y en lo económico.

Name ______________________ Section __________ Date __________

Lección 3 Prueba B

A. Answer the oral questions, using complete sentences. (25 pts.)

1. ______________________
2. ______________________
3. ______________________
4. ______________________
5. ______________________

B. Listen to what your instructor reads about Alicia, and then circle **V** for **Verdadero** or **F** for **Falso** for each statement. (12 pts.)

1. V F
2. V F
3. V F
4. V F
5. V F
6. V F

C. Complete the following exchanges, using the present indicative of the verbs given. (12 pts.)

1. **comer**

—¿Dónde ______________ tú?

—Yo ______________ en la cafetería.

2. **beber**

—¿Uds. ______________ café?

—No, nosotros ______________ leche.

3. **vivir**

—¿Uds. ______________ en la calle Lima?

—No, nosotros ______________ en la calle Victoria.

4. **escribir**

—¿Ellos ______________ en inglés?

—No, en español.

5. **tener**

—Nosotros ______________ cuatro clases. ¿Cuántas clases ______________ tú?

—Cinco.

6. **venir**

—¿Qué días ______________ Uds. a la universidad?

—Nosotros ______________ los viernes.

—¿Y Jorge?

—Él ______________ los jueves.

Name ______________________ Section __________ Date __________

D. Write the appropriate demonstrative adjective before each noun (6 pts.)

1. this / these

   ______________ silla / ______________ escritorios

2. that / those

   ______________ hombre / ______________ señoras

3. that / those (over there)

   ______________ licuadora / ______________ tazones

E. Complete the following sentences giving the Spanish equivalent of the words in parentheses. (9 pts.)

1. Beatriz es ______________________________. (*Fernando's friend*)
2. Yo necesito ______________________________. (*my father's shirts*)

F. Say how everybody feels, according to the circumstances. Use expressions with **tener.** (10 pts.)

1. It's a cold winter day.

   Yo ______________________________.

2. It's a summer day in Miami.

   Tú ______________________________.

3. It's hot and there is nothing to drink.

   Nosotros ______________________________.

4. A professor is late for the next class.

   Él/Ella ______________________________.

5. Two children are awakened by a strange sound at night.

   Ellos ______________________________.

G. Write the following numbers in Spanish. (8 pts.)

1. 3.500 ______________________________
2. 750 ______________________________
3. 380 ______________________________
4. 2.910 ______________________________

H. What would you say in the following situation? (8 pts.)

You tell a roommate that he/she has to take the clothes to the cleaners. Tell him/her what you have to do.

____

____

____

Name _______________ Section __________ Date __________

I. Match the questions in column A with the answers in column B. (10 pts.)

	A	B
_____	1. ¿Ellos son tus padres?	a. Una ensalada.
_____	2. ¿De dónde vienes?	b. Los platos.
_____	3. ¿Cuándo vienen?	c. El baño.
_____	4. ¿Qué tienes que preparar?	d. La hija de Rita.
_____	5. ¿Necesitas la licuadora?	e. De la casa de Jorge.
_____	6. ¿Qué tienes que limpiar?	f. A las siete y media.
_____	7. ¿Tienes sed?	g. No, la tostadora.
_____	8. ¿Quién es Rosa?	h. No, mis abuelos.
_____	9. ¿Qué tienes que lavar?	i. Sí, ¿tienes limonada?
_____	10. ¿A qué hora es el juego de béisbol?	j. El fin de semana.

¡Extra! Complete the following sentence with the appropriate cultural information. (2 pts.)

En España y en la mayoría de los países latinoamericanos el deporte más popular es el _______________.

Name ______________________ Section ____________ Date __________

Examen parcial A (Lecciones 1–3)

(200 points)

A. Answer the oral questions using complete sentences. (40 pts.)

1. ______________________
2. ______________________
3. ______________________
4. ______________________
5. ______________________
6. ______________________
7. ______________________
8. ______________________

B. Write the numbers you hear, using numerals rather than words. (10 pts.)

1.	______________	6.	______________
2.	______________	7.	______________
3.	______________	8.	______________
4.	______________	9.	______________
5.	______________	10.	______________

C. Complete the following exchanges, using the present indicative of the verbs given. (20 pts.)

1. **ser**

—¿De dónde __________ Uds.?

—Nosotros __________ de Lima. ¿De dónde __________ tú?

—¿__________ de Quito. ¿Y Julio?

—Él __________ de Buenos Aires.

2. **venir**

—¿Con quién __________ tú a la universidad?

—Yo __________ con Daniel, pero Carlos __________ con Rafael. Sergio y Mario __________ con Eduardo.

3. **tener**

—¿__________ Uds. clases por la mañana?

—No, nosotros __________ clases por la tarde y Leila __________ una clase por la noche también. ¿Qué clases __________ tú?

4. **escribir**

—¿Uds. __________ en español?

—No, (nosotros) __________ en inglés.

Name ______________________ Section __________ Date __________

5. **necesitar**

—¿Qué ________ tú?

—Yo ________ el horario de clases.

6. **hablar**

—¿Qué idioma ________ Uds.?

—Nosotros ________ español y John ________ inglés.

D. Write the corresponding definite article before each noun. (12 pts.)

1. ________ programas
2. ________ ciudad
3. ________ conversación
4. ________ mapa
5. ________ manas
6. ________ libertad
7. ________ universidades
8. ________ clase
9. ________ problema
10. ________ lecciones
11. ________ lápices
12. ________ días

E. ¿Qué hora es? Use complete sentences. (15 pts.)

1. 1:30 ____________________
2. 9:15 ____________________
3. 4:40 ____________________

F. Respond to the following questions. (20 pts.)

1. ¿Los padres de Ud. son norteamericanos?

____

2. ¿De dónde es el profesor (la profesora) de Uds.?

____

3. ¿Ud. tiene mis libros? (*Use the* **tú** *form.*)

____

4. ¿Ud. estudia español con su amigo(a)?

____

5. ¿Ud. necesita la pluma de la profesora?

____

G. Give the dates for the following holidays, using words for the numerals. (10 pts.)

1. New Year's Day ________________________________
2. Saint Valentine's Day ________________________________
3. Independence Day ________________________________
4. Halloween ________________________________
5. Christmas ________________________________

Name ______________________ Section ____________ Date __________

H. What colors come to mind when you think of the following things? (7 pts.)

1. an orange ______________________
2. snow ______________________
3. grass ______________________
4. blood ______________________
5. an elephant ______________________
6. a banana ______________________
7. coal ______________________

I. Change the articles and adjectives to agree with the nouns given. (6 pts.)

1. una chica alta __________ chicos ______________
2. un escritorio negro __________ mesas ______________
3. el profesor español __________ profesoras ______________

J. Use expressions with **tener** to say how these people feel according to the circumstances. (10 pts.)

1. Olga is in Minnesota in February. Olga ______________.
2. Nora's throat is very dry. Nora ______________.
3. We are in Miami, Florida, in July. Nosotros ______________.
4. I have one minute to get to my next class. Yo ______________.
5. You haven't slept for two days. Tú ______________.

K. In which seasons do the following months fall? (4 pts.)

1. julio ______________________
2. febrero ______________________
3. abril ______________________
4. octubre ______________________

L. Give the Spanish equivalent of the words in parentheses. (14 pts.)

1. Necesito hablar con ______________________. (*Marisa's parents*)
2. Mirta necesita ______________________. (*Raúl's address*)
3. Anita ______________________. (*is 14 years old*)
4. ______________________, señora. (*You are right*)

M. Circle the word or phrase that best completes each sentence. (32 pts.)

1. ¿Cómo se (dice, llama, habla) Ud.? ¿Diana o María?
2. Hoy es miércoles. Mañana es (lunes, domingo, jueves).
3. Escribo con (la tablilla de anuncios, el bolígrafo, el cesto de papeles).
4. Mi (asignatura, lengua, hora) favorita es química.
5. Nosotros (estudiamos, comemos, corremos) en la biblioteca.
6. ¿Deseas una (clase, silla, taza) de café?
7. (Plancho, Barro, Abro) las camisas.
8. Hoy es el primer (reloj, día, libro) de clase.
9. El (mueble, partido, baño) de béisbol es a las seis.

Name ______________________ Section __________ Date __________

10. ¿Quiere (comer, beber, ser) leche?
11. Habla (en, y, con) Pablo.
12. Escribe en la pizarra con (pluma, lápiz, tiza).
13. Voy a beber un (vaso, recibo, lápiz) de jugo.
14. Un sinónimo de **asignatura** es (biblioteca, lengua, materia).
15. Tienes que (sacar, tomar, sacudir) la basura.
16. (Lavan, Llevan, Cortan) el césped.
17. Comen (borradores, cuadernos, ensalada).
18. Escribe con una (taza, pizarra, pluma) roja.
19. Ella habla español y yo (porque, pero, también).
20. Escribe en su (puerta, ventana, cuaderno).
21. No es un hombre; es una (silla, mujer, mano).
22. Es de La Habana; es (norteamericano, cubano, mexicano).
23. Él es mi alumno; (trabaja, desea, estudia) español aquí.
24. Es mi compañero de (taza, cuarto, copa).
25. El gusto es (mío, como, con).
26. No voy a clase (por qué, que, porque) tengo que trabajar.
27. Hay muchos libros en la (biblioteca, informática, asignatura).
28. Hay sesenta minutos en una (lengua, hora, tiza).
29. Necesitamos (la licuadora, la cafetera, los tazones) para el cereal.
30. Para la ensalada necesitamos vinagre y (agua, aceite, leche).
31. Yo (tomo, bebo, como) tres clases.
32. ¿Te gusta (navegar, correr, conversar) la red?

¡Extra! Circle the correct answer based on the cultural information you learned. (4 pts.)

1. La calle Olvera es una de las más (modernas, antiguas) de la ciudad de Los Ángeles.
2. Muchas de las universidades (públicas, privadas) de los países hispanos son gratis.
3. Más de (cien mil, un millón) de hispanos viven en Miami.
4. El (fútbol, béisbol) es un deporte muy popular en Cuba y Puerto Rico.

Name ______________________ Section ____________ Date __________

Examen parcial B (Lecciones 1–3)

(200 points)

A. Answer the oral questions, using complete sentences. (40 pts.)

1. ______________________________
2. ______________________________
3. ______________________________
4. ______________________________
5. ______________________________
6. ______________________________
7. ______________________________
8. ______________________________

B. Write the numbers you hear, using numerals rather than words. (10 pts.)

1. ______________ 6. ______________
2. ______________ 7. ______________
3. ______________ 8. ______________
4. ______________ 9. ______________
5. ______________ 10. ______________

C. Complete the following sentences using the present indicative of the verbs given. (22 pts.)

1. Marta y Rosa ______________ de Chile, Carmen ______________ de Perú y Teresa y yo ______________ de Cuba. ¿De dónde ______________ tú? (ser)
2. Carlos ______________ en California y nosotros ______________ en Texas. ¿Dónde ______________ Uds.? (vivir)
3. Nosotros ______________ en la cafetería, y ellos también ______________ en la cafetería, pero Elsa no ______________ en la cafetería. ¿Dónde ______________ Ud.? (comer)
4. Estela no ______________ a la universidad mañana porque no ______________ clases; pero Ana y yo sí ______________ porque ______________ dos clases. ¿Tú ______________ que venir mañana? (venir / tener)
5. Ana y Eva ______________ en la cafetería, Rita ______________ en la universidad y Ernesto y yo ______________ en el laboratorio de lenguas. ¿Dónde ______________ Uds.? (trabajar)
6. ¿Ud. ______________ muchos mensajes electrónicos? ¿______________ acceso a la red? (recibir / tener)

Name ______________________ Section __________ Date __________

D. Write the corresponding indefinite article before each noun. (12 pts.)

1. ______ mano	4. ______ mapas	7. ______ unidad	10. ______ poemas
2. ______ lecciones	5. ______ hombre	8. ______ día	11. ______ luz
3. ______ sistema	6. ______ relojes	9. ______ problemas	12. ______ mujeres

E. Write complete sentences to say what time it is. (15 pts.)

1. 1:15
____

2. 12:00
____

3. 1:50
____

F. Complete the following dialogues with the Spanish equivalent of the words in parentheses. (12 pts.)

1. —Silvia, ¿tú necesitas __________ libros y __________ lápiz? (*your / your*)
   —Sí, y también necesito __________ plumas. (*my*)
2. —¿De dónde es __________ profesora, señores? (*your*)
   —__________ profesora es de Chile. (*Our*)
3. —__________ amigos son de México. ¿De dónde son __________ amigos, Anita? (*Our / your*)
   —__________ amigos son de Canadá. (*My*)
4. —¿Elba necesita __________ cuadernos y __________ horario de clases? (*her / her*)
   —Sí, y Rafael necesita __________ bolígrafo y __________ lápices. (*his / his*)

G. Which months correspond to the following seasons? (9 pts.)

1. primavera __________, __________, __________
2. invierno __________, __________, __________
3. verano __________, __________, __________

H. What colors will result from these combinations? (5 pts.)

1. blanco y rojo __________
2. negro y blanco __________
3. azul y rojo __________
4. amarillo y azul __________
5. rojo y amarillo __________

I. Using expressions with **tener,** tell when you do the following things. (10 pts.)

1. Comemos cuando ______________________.
2. Bebemos cuando ______________________.
3. Abrimos la ventana cuando ______________________.
4. Cerramos (*We close*) la ventana cuando ______________________.
5. Corremos cuando ______________________.

Name ______________________ Section __________ Date __________

J. Rewrite the following phrases according to the cues given in parentheses. (12 pts.)

1. los libros rojos (plumas) ______________________
2. la chica cubana (hombres) ______________________
3. las puertas blancas (escritorio) ______________________
4. las señoritas españolas (señor) ______________________
5. el alumno inteligente (alumnas) ______________________
6. los lápices verdes (cuaderno) ______________________

K. Give the Spanish equivalent of the words in parentheses. (20 pts.)

1. Necesito la dirección ______________________. (*of your friend's daughter*)
2. La Sra. Alba es ______________________. (*María's grandmother*)
3. Ester ______________________. (*is 25 years old*)
4. No estudio hoy porque ______________________. (*I have to work*)
5. Ernesto ______________________. (*is right*)
6. Luis no estudia porque ______________________. (*he is very sleepy*)

L. Circle the word or phrase that does not belong in each group. (33 pts.)

1. lápiz, pluma, reloj
2. tiza, silla, pizarra
3. Hasta luego, Adiós, Gracias
4. la mañana, la clase, la tarde
5. borrador, asignatura, materia
6. escritorio, puerta, ventana
7. leche, café, cuaderno
8. mujer, hombre, lápiz
9. sábado, verano, invierno
10. vaso, libro, taza
11. ¿Cómo se dice?, ¿Qué quiere decir?, ¿Cómo te llamas?
12. lo siento, muchas gracias, de nada
13. libros, biblioteca, inglés
14. limpiar, lavar, llegar
15. beber, barrer, tomar
16. idioma, francés, escoba
17. hoy, mañana, primero
18. sábado, verano, domingo
19. lavadora, tostadora, secadora
20. muebles, ropa, camisa

21. lápiz, escribir, cesto de papeles
22. estudiar, conversar, hablar
23. césped, cocina, zacate
24. borrador, tiza, impresora
25. pizarra, escritorio, mesa
26. pasar la aspiradora, poner la mesa, correr
27. estudiante, amigo, alumno
28. mesa, silla, mapa
29. luz, bolígrafo, pluma
30. contabilidad, informática, camisa
31. licuadora, inglés, francés
32. agosto, primavera, otoño
33. libro, amigo, leer

¡Extra! Circle the correct answer according to the cultural information you have learned. (4 pts.)

1. En muchos países hispanos los profesionales que tienen el equivalente a un *Ph.D.* tienen el título de (maestro, doctor).
2. En la mayoría de los países hispanos el año escolar dura (10 meses, 9 meses).
3. Las universidades públicas (cobran mucho, son gratis) en la mayoría de los países hispanos.
4. En los países hispanos los requisitos generales se toman en la (universidad, escuela secundaria).

Name ______________________________ Section __________ Date __________

Lección 4 Prueba A

A. Answer the oral questions, using complete sentences. (25 pts.)

1. ____________________
2. ____________________
3. ____________________
4. ____________________
5. ____________________

B. Complete the following sentences, using the present indicative of **estar, ir,** or **dar.** (6 pts.)

1. Ellos __________ a la capital los lunes.
2. Los profesores __________ exámenes difíciles.
3. Yo __________ muy cansado.
4. Nosotros no __________ a la fiesta que Natalia __________ el viernes.
5. Elsa y yo __________ en la universidad.

C. Complete the following sentences, using the verbs on the list. (8 pts.)

salir	**hacer**	**traer**	**poner**	**conocer**
conducir	**traducir**	**ver**		

1. Yo __________ la comida hoy.
2. Yo __________ los libros a la universidad.
3. Yo __________ el auto de mis padres.
4. Yo __________ del inglés al español.
5. Yo __________ a mis amigos los sábados.
6. Yo __________ los libros en la mochila.
7. Yo __________ con mis amigos los fines de semana.
8. Yo no __________ a la mamá de Daniel.

D. According to each situation, say what everybody is going to do. (15 pts.)

1. Yo tengo hambre. ____________________
2. Ellos tienen un examen. ____________________
3. Tú y yo tenemos sed. ____________________
4. Tú estás en una fiesta. ____________________
5. Elsa toma una clase de inglés. ____________________

E. Write appropriate sentences, using **saber** or **concocer.** (7 pts.)

1. yo / Guadalajara ____________________
2. yo / patinar ____________________

3. nosotros / Carlos ______________________
4. tú / mi número de teléfono ______________________
5. ellos / un poema de memoria ______________________
6. Aurora / las novelas de Cervantes ______________________
7. Luis / hablar francés ______________________

F. What would you say in the following situations? (17 pts.)

1. You tell someone that you are coming from the club.

   ____
2. You ask Marisa if she is invited to Mr. Soto's party.

   ____
3. Ask a friend if she's going to go to the concert.

   ____
4. You ask somebody how many brothers he/she has.

   ____

G. Complete the following sentences, using vocabulary from **Lección 4.** (14 pts.)

1. Nosotros ______________ a Olga a la fiesta.
2. ¿______________ vas? ¿Al concierto?
3. Ellos comen fruta y ______________ y beben café y ______________.
4. Es mi ______________; es el esposo de mi hermana.
5. Son mis ______________; son las hijas de mi tío.
6. No voy a ir a la ______________ porque no sé nadar.
7. Ella es ______________. Trabaja en el restaurante Panchito.
8. Al día ______________ va a ______________ al tenis.
9. ¿Tienes algo ______________ comer?
10. Yo soy la ______________ favorita de mis abuelos.
11. Yo estoy muy ______________ porque trabajo mucho.
12. ¿Uds. ______________ ir al teatro esta tarde?

H. Read the following paragraph, and then circle **V** for **Verdadero** or **F** for **Falso** for each statement. (8 pts.)

Ramiro y su tío Arturo planean varias actividades para el viernes. Primero (*First*) van a ir a la piscina de un amigo y después al estadio para ver un partido de fútbol. Por la tarde van a visitar a la Sra. Fuentes, la abuela de Ramiro, y por la noche van a ir al cine.

¿Verdadero o falso?

1. Ramiro es el sobrino de Arturo. V F
2. El viernes Ramiro y Arturo van a tener varias actividades. V F

3. Probablemente Ramiro sabe nadar. V F
4. El amigo de ellos tiene una piscina. V F
5. El partido de fútbol es en el café. V F
6. La Sra. Fuentes es la abuela de Ramiro. V F
7. Arturo es el esposo de la Sra. Fuentes. V F
8. Ellos van al cine por la tarde. V F

¡Extra! Complete the following sentence with the appropriate cultural information. (2 pts.)

Puerto Rico es una de las islas que forman el archipiélago de las Antillas

______________________.

Name ______________________ Section __________ Date __________

Lección 4 Prueba B

A. Answer the oral questions, using complete sentences. (25 pts.)

1. ______________________
2. ______________________
3. ______________________
4. ______________________
5. ______________________

B. Listen to what your instructor reads about Marisa, and then circle **V** for **Verdadero** or **F** for **Falso** for each statement. (12 pts.)

1. V F
2. V F
3. V F
4. V F
5. V F
6. V F

C. Complete the following exchanges, using the present indicative of the verbs **ir, dar,** or **estar,** as appropriate. (8 pts.)

1. —¿Uds. ______________ a la fiesta?

   —No, nosotros no ______________ invitados. ¿Tú ______________?

   —No, (yo) ______________ muy cansado.

2. —¿Uds. ______________ una fiesta el sábado?

   —Sí, (nosotros) ______________ una fiesta en el club.

3. —¿Teresa ______________ a la biblioteca los sábados?

   —Sí, y yo ______________ con ella.

D. Finish the following sentences in an original manner. (10 pts.)

1. Elisa sale a las ocho y yo ______________________.
2. Mi amiga hace comida mexicana y yo ______________________.
3. Julio pone los vasos en la mesa y yo ______________________.
4. Mirta traduce del español al inglés y yo ______________________.
5. Ellos traen los sándwiches y yo ______________________.

E. What would you say in the following situations? (30 pts.)

1. You tell a friend whom you are going to take to a party.

   ____

2. You are talking about one of your professors. You say that you know Mr. Rojas, but you don't know his phone number.

   ____

Name ______________________ Section ____________ Date ____________

3. Someone has asked where you are coming from. Say you are coming from the stadium.

____

4. You tell someone what you and your friends are going to do this weekend.

____

5. You ask an acquaintance if she likes to play tennis.

____

F. Complete the following sentences, using vocabulary from **Lección 4.** (15 pts.)

1. Yo ______________________ un Mercedes Benz.
2. ¿Por qué no vamos a la fiesta un ______________________?
3. La Coca-Cola es un ______________________.
4. Ellos nadan en la ______________________ de mi tío.
5. Yo voy a pedir (*order*) ______________________ para comer.
6. Yo soy el ______________________ favorito de mi suegra.
7. Ricardo es mi ______________________; es el hermano de mi esposo.
8. Teresa es mi ______________________; es la hija de mi hermana Elisa.
9. Ana María es mi ______________________; es la hija de mi hijo Daniel.
10. Fernando es el ______________________ favorito de sus abuelos.
11. Mi ______________________ Carlos es el hermano de mi mamá.
12. ¿______________________ van ustedes el sábado? ¿Al cine?
13. Mañana los chicos van a aprender a bailar la salsa. Al día ______________________ van a bailar en el club.
14. Verónica desea ______________________ a patinar.
15. Están en un café al aire ______________________.

¡Extra! Complete the following sentence with the appropriate cultural information. (2 pts.)

La tortilla española se hace con ______________________ y huevos.

Name ______________________ Section __________ Date __________

Lección 5 Prueba A

A. Answer the oral questions, using complete sentences. (25 pts.)

1. ______________________
2. ______________________
3. ______________________
4. ______________________
5. ______________________

B. Write statements using the following sentence elements. Add any necessary words. (15 pts.)

1. la fiesta / comenzar ______________________
2. ellos / cerrar ______________________
3. tú / preferir ______________________
4. nosotros / entender ______________________
5. yo / pensar ______________________

C. Using your imagination and the present progressive tense, write statements about what the following people are doing at the given place or time. (10 pts.)

1. los chicos / en el club ______________________
____
2. nosotros / en la piscina ______________________
____
3. Olga / a las doce de la noche ______________________
____
4. el mozo / en el restaurante ______________________
____
5. tú / en la cafetería ______________________
____

D. Complete the following sentences, using the present indicative of **ser** or **estar.** (10 pts.)

1. Delia __________ de México, pero ahora __________ en Colorado. Ella __________ profesora y __________ trabajando en la universidad. __________ una persona muy inteligente y simpática.
2. Hoy __________ el 13 de agosto y Ernesto da una fiesta. La fiesta __________ en el Club Náutico. Yo no voy a ir porque __________ muy cansado.
3. Adela __________ la hermana de Rita. Ellas __________ españolas.

Name ______________________ Section __________ Date __________

E. Write appropriate sentences, comparing the following people and things. (15 pts.)

1. Rhode Island / California / Oregón ______________________
2. Ud. / su mamá ______________________
3. Luis / 100 libros / Eva / 100 libros ______________________

F. What would you say in the following situations? (7 pts.)

1. You tell a friend you want to dance with him/her.

____

2. You tell a friend that he's as handsome as Brad Pitt.

____

G. Match the questions in column A with the answers in column B. (8 pts.)

	A	B
_____	1. ¿Paco está enfermo?	a. No, discos compactos.
_____	2. ¿Qué bebida quieres?	b. No, de estatura mediana.
_____	3. ¿Es alto?	c. Sí, de bienvenida.
_____	4. ¿Cuándo llegan?	d. Un cha-cha-chá.
_____	5. ¿Tienes cintas?	e. Sí, ¡qué lástima!
_____	6. ¿Qué estás bailando?	f. En casa.
_____	7. ¿Dónde está?	g. El tres de septiembre.
_____	8. ¿Dan una fiesta?	h. Un refresco.

H. Write a short dialogue (six lines) between two friends. One is trying to convince the other to go on a blind date. Give details. One is hesitant and the other tries to be convincing. (10 pts.)

____

____

____

____

____

____

¡Extra! Complete the following sentence with the appropriate cultural information. (2 pts.)

Venezuela es un país tropical, situado al ______________ de Suramérica.

Name ______________________ Section ____________ Date __________

Lección 5 Prueba B

A. Answer the oral questions, using complete sentences. (25 pts.)

1. ______________________
2. ______________________
3. ______________________
4. ______________________
5. ______________________

B. Listen to what your instructor reads about Carolina and her plans, and then circle **V** for **Verdadero** or **F** for **Falso** for each statement. (16 pts.)

1. V F
2. V F
3. V F
4. V F
5. V F
6. V F
7. V F
8. V F

C. Use your imagination to answer the following questions, according to where these people are. (10 pts.)

1. ¿Qué están haciendo los chicos en la cafetería?

   ____
2. ¿Qué estás haciendo tú en la piscina?

   ____
3. ¿Qué está haciendo Teresa en su cuarto?

   ____
4. ¿Qué está haciendo el camarero en el restaurante?

   ____
5. ¿Qué están haciendo Uds. en la fiesta?

   ____

D. Complete the following exchanges, using **ser** or **estar,** as appropriate. (12 pts.)

1. —¿Tú ____________ norteamericana?

   —Sí, ____________ de Colorado.

   —¿Marcelo ____________ tu novio?

   —Sí.

   —¿Dónde ____________ él ahora?

   —En la casa de sus padres.

Name ______________________________ Section __________ Date __________

2. —¿Qué fecha __________ hoy?

   —El 20 de octubre. Hoy __________ el cumpleaños de Jorge. ¿Vas a la fiesta?

   —Sí. ¿Dónde __________?

   —En el club. ¿Teresa va también?

   —No, ella __________ enferma.

3. —¿Tu mamá __________ profesora de inglés?

   —Sí, y ahora __________ estudiando francés.

4. —¿La mesa __________ de metal?

   —No, de plástico.

5. —¿__________ buenos los tamales?

   —¡Mmmm! ¡Sí! ¡Muy buenos!

E. Use the present indicative of the verbs in the list to complete the following exchanges. Use each verb once. (7 pts.)

entender querer cerrar comenzar pensar preferir empezar

1. —¿Uds. ____________________ ir al teatro?

   —No, nosotros ____________________ ir al cine.

2. —¿Cuándo ____________________ las clases?

   —En septiembre.

3. —¿A qué hora ____________________ (ellos) la cafetería?

   —A las nueve.

4. —¿Tú ____________________ tomar el examen de francés?

   —No, porque yo no ____________________ la lección y no sé el vocabulario.

5. —¿Tu clase ____________________ a las siete?

   —No, a las siete y media.

F. Compare the following people and places to each other. Use comparatives and superlatives as needed. (12 pts.)

1. Texas / Arizona / Rhode Island

   ____

   ____

2. Julia: 5' 10" / Verónica: 5' 10"

   ____

   ____

3. Billy Crystal / Harrison Ford / Michael Jordan

   ____

   ____

4. el Motel 6 / el hotel Hilton

____

____

G. What would you say in the following situations? (8 pts.)

1. You ask a friend if he/she wants to go to the movies with you.

____

2. You describe your best friend.

____

H. Match the questions in column A with the answers in column B. (10 pts.)

	A	B
______	1. ¿Qué están sirviendo?	a. El año próximo.
______	2. ¿Es rubio?	b. Sí, tiene veinte años.
______	3. ¿Qué tocas?	c. No... no tengo hambre.
______	4. ¿Cuándo vienen?	d. El piano.
______	5. ¿Es rico?	e. Sí, siempre está ocupado.
______	6. ¿Quieres ir a cenar?	f. No, tiene pelo negro.
______	7. ¿Es joven?	g. No, es bajo.
______	8. ¿Trabaja mucho?	h. En casa.
______	9. ¿Es alto?	i. Las bebidas.
______	10. ¿Dónde está?	j. Sí, tiene mucho dinero.

¡Extra! Complete the following sentence with the appropriate cultural information. (2 pts.)

La salsa se basa principalmente en la música ____________________.

Name ______________________________ Section ____________ Date __________

Lección 6 Prueba A

A. Answer the oral questions, using complete sentences. (25 pts.)

1. ______________________________
2. ______________________________
3. ______________________________
4. ______________________________
5. ______________________________

B. Complete the sentences using the present indicative of the verbs in parentheses. (10 pts.)

1. —¿Dónde ____________ (conseguir) tú libros en español?
   —Yo solamente ____________ (conseguir) libros en inglés.
2. —Ellos ____________ (volver) al apartamento a las dos.
   —¿A qué hora ____________ (volver) tú?
3. —Nosotros no ____________ (poder) comprar ese libro porque ____________ (costar) mucho dinero.
4. —Yo siempre ____________ (decir) que no ____________ (recordar) los números de teléfono.
5. —Ella ____________ (servir) café y yo ____________ (servir) té.

C. Answer the following questions in the negative. (10 pts.)

1. ¿Necesita Ud. algo? ______________________________
2. ¿Hay alguien en la casa? ______________________________
3. ¿Quiere Ud. vino o cerveza? ______________________________
4. ¿Ud. siempre compra cintas? ______________________________
5. ¿Hay algún banco cerca de aquí? ______________________________

D. Answer the following questions replacing the direct object with the appropriate object pronoun. Use the cues given. (12 pts.)

1. ¿Tú tienes mi bolígrafo? (sí)
   ____
2. ¿A qué hora me llamas mañana? (a las tres) (*use* **tú** *form*)
   ____
3. ¿Necesitas los cheques? (no)
   ____
4. ¿Puedes llevar a las chicas al cine?
   ____
5. ¿Cuándo tenemos que llamarte? (el sábado)
   ____

6. ¿Quién va a llevarlos a Uds.? (Francisco)

____

E. What would you say in the following situations? (23 pts.)

1. You tell a bank employee that you want to open a savings account and a checking account.

____

2. Tell a friend about two errands you have to run tomorrow.

____

3. Tell someone how long you have been living here.

____

4. Tell a bank employee that you need to cash a check.

____

F. Complete the following sentences, using vocabulary from **Lección 6.** (12 pts.)

1. Voy a sacar dinero del cajero ____________________.
2. Voy a la oficina de ____________________ para ____________________ un giro postal.
3. Quiero mandar esa ____________________ por vía aérea y quiero mandarla ____________________.
4. Tenemos que hacer ____________________ porque hay mucha ____________________.
5. Venden estampillas en la ____________________ número tres.
6. Pagan un ____________________ del diez por ____________________.
7. ¿Puedo sacar mi dinero en ____________________ momento?
8. ¿Dónde está mi ____________________ de cheques?

G. Read the following dialogue, and then circle **V** for **Verdadero** or **F** for **Falso** for each statement. (8 pts.)

Gloria —Necesito abrir una cuenta de ahorros a mi nombre y a nombre de mi esposo.
Empleado —Muy bien, señora. Ud. y su esposo deben firmar y fechar estos papeles.
Gloria —También quiero saber el saldo de mi cuenta corriente.
Empleado —¿Sabe el número de su cuenta?
Gloria —No, no lo recuerdo.
Empleado —No importa. Yo lo busco.
Gloria —¡Ah! Necesito cheques de viajero. Quiero tres cheques de cien y seis de cincuenta.
Empleado —Muy bien, señora.

¿Verdadero o falso?

1. Gloria y su esposo van a abrir una cuenta conjunta. V F
2. No necesitan la firma del esposo de Gloria. V F

Name ______________________________ Section __________ Date __________

3. Gloria no sabe cuánto dinero tiene en su cuenta corriente. V F
4. Gloria sabe el número de su cuenta. V F
5. El empleado va a buscar el número. V F
6. Venden cheques de viajero en el banco. V F
7. Gloria quiere 600 dólares en cheques de viajero. V F
8. En total, Gloria va a recibir nueve cheques. V F

¡Extra! Complete the following sentence with the appropriate cultural information. (2 pts.)

Panamá está situado en el istmo que une ____________________ con la América del Norte.

Name ______________________ Section __________ Date __________

Lección 6 Prueba B

A. Answer the oral questions, using complete sentences. (25 pts.)

1. ______________________
2. ______________________
3. ______________________
4. ______________________
5. ______________________

B. Listen to what your instructor reads about Nora and her errands, and then circle **V** for **Verdadero** or **F** for **Falso** for each statement. (12 pts.)

1. V F
2. V F
3. V F
4. V F
5. V F
6. V F

C. Use the present indicative of the verbs in the list to complete the following sentences. (10 pts.)

conseguir **volver** **pedir** **dormir** **costar** **decir** (*2x*)
encontrar **poder** **recordar**

1. ¿Cuánto ______________ el libro de inglés?
2. Elsa no ______________ los cheques. ¿Dónde están?
3. ¿Ud. ______________ el número de teléfono de Roberto?
4. ¿A qué hora ______________ tú a tu casa?
5. Yo estoy cansada porque no ______________ bien por la noche.
6. Ellos no ______________ estudiar porque tienen que trabajar.
7. ¿Dónde ______________ Uds. cheques de viajero?
8. Yo siempre ______________ que Jorge es muy inteligente, pero Carmen ______________ que ella es mucho más inteligente que él.
9. Ella siempre ______________ tamales cuando va a un restaurante mexicano.

D. Answer the following questions, substituting direct object pronouns for the underlined words in your answers. (10 pts.)

1. ¿Dónde compran Uds. <u>los cheques de viajero</u>?

   ____

2. ¿Tú llamas <u>a tu amiga</u> los domingos?

   ____

3. ¿Ud. está leyendo <u>el libro de español</u>?

   ____

Name ______________________ Section __________ Date __________

4. ¿Tú puedes llevarme a mi casa? (*Use the* **tú** *form in your answer.*)

____

5. ¿El profesor (La profesora) los lleva a Uds. a la biblioteca (*library*)?

____

E. Turn the following positive statements into negative ones. (12 pts.)

1. Yo tengo algunos amigos españoles.

____

2. Nosotros siempre vamos también.

____

3. Ella bebe café o té.

____

4. Hay alguien en mi casa.

____

5. Necesitan comprar algo.

____

F. What would you say in the following situations? (21 pts.)

1. You tell someone how long you have known your best friend.

____

2. You are at a bank. Tell the teller that you need to cash a check.

____

3. Tell a bank teller how much money you want to deposit in your savings account. Ask whether you can take your money out at any time.

____

____

G. Complete the following sentences, using vocabulary from **Lección 6.** (10 pts.)

1. Voy a usar el ____________ automático.
2. Necesito enviar un ____________ postal.
3. La ____________ de correos está en la calle Olivos.
4. ¿Dónde está tu ____________ de cheques?
5. Ella está ____________ el número, pero no lo encuentra.
6. Tengo una cuenta, pero voy a abrir ____________ porque quiero tener dos.
7. ¿Necesita ____________ más, señorita?
8. ¿Va a pagar con un cheque o en ____________?
9. ¿En qué puedo ____________, señora?
10. Voy a enviar las cartas por ____________ aérea.

¡Extra! Complete the following sentence with the appropriate cultural information. (2 pts.)

El ____________ es la unidad monetaria de Panamá.

Name ______________________ Section ____________ Date ____________

Lección 7 Prueba A

A. Answer the oral questions, using complete sentences. (25 pts.)

1. ______________________
2. ______________________
3. ______________________
4. ______________________
5. ______________________

B. Complete the following exchanges, using the preterit of the verbs given. (15 pts.)

1. —¿Adónde ____________ (ir) tú ayer?

   —____________ (ir) al club. Mis amigos ____________ (dar) una fiesta.

   —¿Marisol ____________ (ir) con ustedes?

   —No, ella ____________ (trabajar) en la universidad ayer.

2. —¿Qué ____________ (comer) tú ayer?

   —Yo ____________ (comer) sándwiches.

   —¿Y qué ____________ (comer) tus padres?

   —Ensalada.

3. —¿A qué hora ____________ (llegar) usted a la oficina?

   —Yo ____________ (llegar) a las ocho y ____________ (empezar) a trabajar en seguida.

4. —¿Tú ____________ (cerrar) las ventanas?

   —Sí, las ____________ (cerrar).

5. —¿Tienes el talonario de cheques?

   —No, (yo) lo ____________ (buscar), pero no lo ____________ (encontrar).

C. Use your imagination to say what your best friend bought for each of the following people. Use the corresponding indirect object pronoun. (12 pts.)

1. a mí ______________________
2. a sus hermanos ______________________
3. a ti ______________________
4. a nosotros ______________________
5. a Uds. ______________________
6. a su profesora ______________________

D. Using **gustar,** say what everybody likes. (12 pts.)

1. ellas / leche ______________________
2. nosotros / café ______________________

Name ______ Section ______ Date ______

3. tú / sándwiches ______
4. él / ensalada ______
5. yo / refrescos ______
6. Ud. / té ______

E. Using your imagination and the proper reflexive constructions, write statements about what the following people are doing at the given place or time. (10 pts.)

1. Rafael / a las siete de la mañana
______
2. tú / en la zapatería
______
3. yo / en la silla
______
4. nosotras / los vestidos / en el probador
______
5. ellos / a las once de la noche
______

F. What would you say in the following situations? (8 pts.)

1. Tell a store clerk that the pants are too big on you.
______
2. Ask a friend if she wants to try on that dress.
______

G. Match the questions in column A with the answers in column B. (8 pts.)

	A	B
______	1. ¿Uds. van a ir de compras hoy?	a. No, estrechos.
______	2. ¿Qué número calzas?	b. No, se mudaron.
______	3. ¿Cómo te quedan los zapatos?	c. El traje gris.
______	4. ¿Son anchos?	d. Me aprietan.
______	5. ¿Qué talla usas?	e. El siete.
______	6. ¿Qué se va a poner él?	f. No, mañana.
______	7. ¿Dónde pones el dinero?	g. En mi cartera.
______	8. ¿Viven en la calle Quinta?	h. Grande.

Name ______________________________ Section __________ Date __________

H. Write a few sentences (30-35 words) about your daily routine and the things that you like to do. (10 pts.)

____

____

____

____

____

¡Extra! Complete the following sentence with the appropriate cultural information. (2 pts.)

En Costa Rica hay excelentes ____________________ para proteger la ecología.

Name ______________________ Section __________ Date __________

Lección 7 Prueba B

A. Answer the oral questions, using complete sentences. (25 pts.)

1. ______________________
2. ______________________
3. ______________________
4. ______________________
5. ______________________

B. Listen to what your instructor reads about Olga and Estela and what they did yesterday, and then circle **V** for **Verdadero** or **F** for **Falso** for each statement. (12 pts.)

1. V F
2. V F
3. V F
4. V F
5. V F
6. V F

C. The following sentences say what these people generally do. Say what everybody did differently yesterday. (14 pts.)

1. Nosotros generalmente comemos en nuestra casa, pero ayer ______________________.
2. Él generalmente escribe en español, pero ayer ______________________.
3. Los chicos generalmente vuelven a su casa a las tres, pero ayer ______________________.
4. Tú generalmente empiezas a trabajar a las ocho, pero ayer ______________________.
5. Yo generalmente doy diez dólares, pero ayer ______________________.
6. Uds. generalmente leen la revista *Time*, pero ayer ______________________.
7. Elsa generalmente va con sus padres, pero ayer ______________________.

D. Complete the following statements, using the Spanish equivalent of the words in parentheses. (15 pts.)

1. ______________ el vestido negro. (*My sister likes better*)
2. Yo siempre ______________ en español. (*write to them*)
3. ______________ San Diego. (*We very much like*)
4. ¿Los chicos ______________ la verdad, señor Soto? (*tell you*)
5. ______________ las sandalias blancas. (*I like*)

Name ______________________ Section ____________ Date ____________

E. What would you say in the following situations? (24 pts.)

1. You tell someone what you like to do on Saturdays.

____

2. You ask your friends what time they woke up this morning.

____

3. You ask a prospective roommate whether he/she bathes in the morning or in the evening.

____

4. You tell someone who is thinking of taking Spanish that you and your classmates have a good time in Spanish class.

____

____

F. Complete the following, using vocabulary from **Lección 7.** (10 pts.)

1. Yo uso ______________________ grande.
2. Roberto compró el traje en el departamento de ______________________.
3. Necesito comprar ______________________ interior.
4. Ayer ellos llegaron a su casa ______________________ de paquetes.
5. ¿El probador está a la ______________________ o a la ______________________?
6. Los zapatos me ______________________; son muy estrechos.
7. Voy a comprar un ______________________ de calcetines y un ______________________ de baño.
8. Ella usa un ______________________ para dormir.

¡Extra! Complete the following sentence with the appropriate cultural information. (2 pts.)

En muchos países hispanos, la talla de la ropa se basa en el sistema ______________________.

Name ______________________________ Section ____________ Date __________

Examen final A (Lecciones 1-7)

(300 points)

A. Answer the oral questions, using complete sentences. (60 pts.)

1. ______________________________
2. ______________________________
3. ______________________________
4. ______________________________
5. ______________________________
6. ______________________________
7. ______________________________
8. ______________________________
9. ______________________________
10. ______________________________
11. ______________________________
12. ______________________________

B. Complete the following sentences, using the present indicative of the verbs given. (20 pts.)

1. Yo generalmente ______________ (venir) a la universidad con Mario porque no ______________ (tener) coche. Hoy ______________ (ir) a casa con Eva porque Mario no ______________ (poder) llevarme.
2. Yo siempre ______________ (decir) que ______________ (preferir) hablar español, porque ______________ (ser) muy bonito.
3. Fernando no ______________ (querer) tomar cerveza; ______________ (preferir) tomar refrescos porque no ______________ (tener) alcohol y ______________ (costar) menos. Cuando él ______________ (dar) fiestas, siempre ______________ (servir) refrescos.
4. Ellos ______________ (decir) que no ______________ (conseguir) trabajo porque no ______________ (saber) inglés.
5. Tú ______________ (volver) a casa a las doce y ______________ (comer).
6. Las clases ______________ (comenzar) a las nueve y ______________ (terminar) a las once.

C. Complete the following exchanges, using the present indicative of **ser** or **estar.** (12 pts.)

1. —¿De dónde ______________ ellos?
—De Cuba, pero ahora ______________ en California.
—¿Amalia ______________ cubana también?
—Sí, ella ______________ profesora en la universidad de Arizona.

2. —Hoy ____________ martes, ¿no? ¿Qué hora ____________?
   —Las ocho. ¿Dónde ____________ Marisa?
   —En su casa. ____________ estudiando.
3. —¿Tú ____________ la hermana de Susana?
   —Sí.
   —Tu hermana ____________ muy bonita.
4. —La fiesta ____________ en el club. ¿Tú piensas ir?
   —No... ____________ muy cansado...

D. Complete the following sentences in your own words to describe what happened yesterday. (24 pts.)

1. Siempre voy al cine, pero ayer ____________.
2. Ellos estudian solos, pero ayer ____________.
3. Tú siempre vas a la clase con Eva, pero ayer ____________.
4. Uds. siempre trabajan hasta las seis, pero ayer ____________.
5. Ud. siempre come en su casa, pero ayer ____________.
6. Yo siempre llego a las ocho, pero ayer ____________.
7. Pedro nunca cierra la puerta, pero ayer ____________.
8. Nosotros siempre le damos diez dólares, pero ayer le ____________.
9. Tú siempre le escribes a Jorge, pero ayer ____________.
10. Ellos siempre vuelven con Luis, pero ayer ____________.
11. Yo siempre empiezo a las siete, pero ayer ____________.
12. Yo siempre almuerzo en mi casa, pero ayer ____________.

E. Answer the following questions with full sentences, substituting direct object pronouns for the underlined direct objects. (12 pts.)

1. ¿Tiene Ud. su libro de español?

   ____

2. ¿Puede Ud. llevarme a casa hoy? (*Use* **tú** *form.*)

   ____

3. ¿Sus padres los (las) llaman a Uds. todos los días?

   ____

4. ¿Recibió Uds. los mensajes electrónicos?

   ____

5. ¿Sus amigos lo (la) visitan a usted?

   ____

6. ¿Ud. va a llevarnos a Sergio y a mí al restaurante?

   ____

Name ______________________ Section ____________ Date __________

F. Use five different reflexive constructions to write about the daily routines of the following people. (15 pts.)

1. Mi papa ______________________.
2. Yo ______________________.
3. Tú ______________________.
4. Mis hermanos y yo ______________________.
5. Mis padres ______________________.

G. Write the following numerals in Spanish, using words rather than numerals. (6 pts.)

1. 40.780 ______________________
2. 15.590 ______________________

H. Answer the following questions in the negative. (8 pts.)

1. ¿Uds. necesitan algo?

____

2. ¿Tú llamas a alguien?

____

3. ¿Hay algún restaurante cubano por aquí?

____

4. ¿Tú bebes café o té?

____

I. Complete the following sentences by saying what everybody is going to do differently next time. (15 pts.)

1. Hoy como en la cafetería, pero mañana ______________________.
2. Nosotros siempre estudiamos por la noche, pero el viernes ______________________.
3. Roberto siempre sale a las dos, pero el sábado ______________________.
4. Ellos siempre me traen café, pero mañana ______________________.
5. Tú siempre almuerzas con Silvia, pero mañana ______________________.

J. Give the Spanish equivalent of the words in parentheses. (32 pts.)

1. Ana es ______________________ Emilia, pero es ______________________.
   Ana es ______________________ la familia. (*younger than / taller / the tallest in*)
2. Yo no soy ______________________ Fernando. (*as intelligent as*)
3. Yo siempre ______________________ que yo tengo ______________________ él. (*tell him / as many classes as*)
4. Ellos ______________________ un libro porque ______________________ leer. (*bought her / she likes*)

Name ______________________ Section ____________ Date ____________

5. ______________________ trabaja aquí también. (*Our teacher's husband*)
6. ______________________ porque ______________________ en la universidad a las ocho. (*I'm in a hurry / I have to be*)
7. Nosotros ______________________ en español y ella ______________________ en inglés. (*speak to her / speaks to us*)

K. Circle the word or phrase that best completes each sentence. (30 pts.)

1. Uso talla diez y el vestido es talla doce. Me queda (chico, grande, bien).
2. ¿Es ancho o (rubio, alto, estrecho)?
3. Papá nunca usa (corbata, ropa, pantalones).
4. Los zapatos me quedan chicos; me (calzan, bañan, aprietan) mucho.
5. Si tienes frío, ¿por qué no te pones (la cartera, las sandalias, el abrigo)?
6. Pagué veinte dólares menos porque me dieron un (vestido, descuento, probador).
7. Siempre me (mudo, pruebo, baño) la ropa en la tienda.
8. Mi hijo se va a poner (el traje, el vestido, la falda) azul y la corbata roja.
9. Vamos a comer (un partido, queso, la verdad).
10. No quiero ir a la fiesta porque estoy (certificado, delgado, cansado).
11. No es barato; es (simpático, moreno, caro).
12. Es una fiesta de (bienvenida, cintas, sellos).
13. Quiero abrir una cuenta (en efectivo, de talonarios, corriente).
14. ¿Necesitas (el pelo, los ojos, el estéreo) para tu fiesta?
15. Voy a servir (café, números, discos).
16. Voy a la oficina de correos porque necesito comprar (vino, estampillas, ropa).
17. Mi amiga necesita dinero. Voy a mandarle (una tarjeta postal, un sello, un giro postal).
18. ¿Necesitas (la talla, el cuarto, el talonario) de cheques?
19. Voy a mandarle una (ventanilla, silla, tarjeta) postal.
20. Necesito dinero. Voy a pedir un (ponche, préstamo, probador).
21. ¿Aceptan Uds. cheques de (compañero, viajero, cajero)?
22. No es gordo; es (castaño, delgado, moreno).
23. Tiene mucho dinero; es (rubio, rico, menor).
24. Voy a (depositar, conseguir, perder) cien dólares en mi cuenta de ahorros.
25. Hay mucha gente en el banco. Tengo que hacer (diligencias, cola, ensalada).
26. Yo quiero ir a (patinar, nadar, vivir) en la piscina.
27. No está a la derecha; está a la (misma, izquierda, pasada).
28. Carlos compra su ropa en el departamento de (caballeros, bolsas, carteras).

29. Lo busqué, pero no lo (pensé, encontré, llegué).
30. Tiene ojos (morados, anaranjados, castaños).

L. Read the following story, and then circle **V** for **Verdadero** or **F** for **Falso** for each statement. (36 pts.)

Olga, Graciela y Magali son estudiantes de la Universidad de California en Los Ángeles. Las chicas son cubanas y llegaron a California en el año 1992. Olga es rubia, de estatura mediana, y tiene veinte años. Graciela es alta, morena, y tiene veintidós años. Magali es baja, muy bonita, y tiene diecinueve años.

Este fin de semana, las chicas van a dar una fiesta en su apartamento. La fiesta es para Eduardo, el hermano de Graciela, que está estudiando en Miami y viene a visitarlas.

Hoy se levantaron muy temprano para hacer varias diligencias. Olga fue al banco para pedir un préstamo para pagar la matrícula. Magali fue a la oficina de correos para comprar estampillas, y Graciela fue a la tienda para comprarse un vestido y un par de zapatos para la fiesta. También le compró una camisa y una corbata a Eduardo.

Ariel, el novio de Magali, va a traer unos discos compactos muy buenos para bailar.

¿Verdadero o falso?

1. El idioma de las chicas es el español. V F
2. Hace muchos años que las chicas viven en California. V F
3. Olga es la más baja de las tres. V F
4. Olga es mayor que Graciela. V F
5. Magali es la menor. V F
6. Las tres chicas son morenas. V F
7. Las chicas viven en una casa. V F
8. Las chicas viven en una ciudad grande. V F
9. Eduardo vive en Los Ángeles. V F
10. Eduardo es el novio de Graciela. V F
11. Hoy las chicas se levantaron a las once de la mañana. V F
12. Las tres chicas salieron a hacer diferentes diligencias. V F
13. Magali probablemente escribió unas cartas. V F
14. Graciela va a usar pantalones en la fiesta. V F
15. Graciela le compró ropa a su hermano. V F
16. Magali no tiene novio. V F
17. Las chicas tienen estéreo en su apartamento. V F
18. En la fiesta, solamente van a comer, beber y conversar. V F

Name ______________________ Section __________ Date __________

M. Write a dialogue or composition (100 words) about one of the following topics. (30 pts.)

Dialogue

1. En la tienda
2. En el banco
3. Dos estudiantes conversan

Composition

1. Mi rutina diaria
2. Un fin de semana perfecto
3. Mi familia

____

____

____

____

____

____

____

____

____

____

____

____

____

____

____

¡Extra! Circle the letter corresponding to the correct answer according to the cultural information you have learned. (6 pts.)

1. En muchos países hispanos, los abogados y otros profesionales que tienen el equivalente de un *Ph.D* tienen el título de
   a. profesor(a). b. doctor(a).
2. En la mayoría de los países hispanos, el año escolar dura
   a. nueve meses. b. dos semestres.
3. La unidad monetaria de Argentina, Chile, Colombia, Cuba, México, Uruguay y la República Dominicana es
   a. el colón. b. el peso.
4. Hoy, el Canal de Panamá es administrado por
   a. Estados Unidos. b. Panamá.
5. Costa Rica es un país situado en
   a. la América Central. b. Suramérica.
6. A los costarricenses se los llama
   a. ticos. b. porteños.

Name ______________________ Section __________ Date __________

Examen final B (Lecciones 1-7)

(300 points)

A. Answer the oral questions, using complete sentences. (60 pts.)

1. ______________________
2. ______________________
3. ______________________
4. ______________________
5. ______________________
6. ______________________
7. ______________________
8. ______________________
9. ______________________
10. ______________________
11. ______________________
12. ______________________

B. Complete the following exchanges, using the present indicative of the verbs given. (20 pts.)

1. —¿A qué hora ______________ (salir) tú de tu casa?

   —Yo ______________ (salir) a las siete y no ______________ (volver) hasta las seis porque ______________ (tener) que trabajar.

2. —¿Fernando ______________ (ir) a la fiesta que ______________ (dar) Nora y Luis?

   —No, no ______________ (poder) ir porque la fiesta ______________ (empezar) a las seis y él ______________ (terminar) de trabajar a las nueve.

3. —¿Ellos ______________ (querer) tomar café?

   —Sí, pero nosotros ______________ (preferir) tomar té y Silvia ______________ (preferir) tomar un refresco.

4. —¿A qué hora ______________ (servir) tú la cena?

   —La ______________ (servir) a las ocho.

5. —¿Cuánto ______________ (costar) los cheques de viajero?

   —Yo no lo ______________ (saber). Roberto los ______________ (comprar) en el banco.

6. —¿Ud. ______________ (decir) que Alberto no ______________ (recordar) mi dirección?

   —No, yo no ______________ (decir) eso...

C. Complete the following, using the present indicative of **ser** or **estar.** (10 pts.)

1. Elsa ______________ la novia de Fernando. ______________ una chica muy bonita.
2. El escritorio ______________ de Jorge. ______________ de metal.
3. Mi primo ______________ de Caracas, pero ahora ______________ en California. ______________ estudiando medicina.
4. Hoy ______________ sábado, ¿no? ¿Dónde ______________ la fiesta de Julio?
5. Mi padre ______________ profesor de español.

D. Using the cues provided, form sentences in the preterit. (24 pts.)

1. Ud. / cerrar ______________
2. los libros / costar ______________
3. tú / dar ______________
4. él / leer ______________
5. yo / pagar ______________
6. las chicas / ir ______________
7. yo / ser ______________
8. Ud. / vivir ______________
9. nosotros / aprender ______________
10. tú / volver ______________
11. yo / hablar ______________
12. Jorge / escribir ______________

E. Answer the following questions in the negative, substituting direct object pronouns for the underlined direct objects. (12 pts.)

1. ¿Tú traes <u>a tus amigas</u> a la universidad?

   ____

2. ¿Uds. <u>me</u> van a llamar esta tarde? (*Use* **tú** *form.*)

   ____

3. ¿Tú tienes <u>las plumas de Jorge</u>?

   ____

4. ¿Tus padres <u>los</u> llevan <u>a ustedes</u> al club los sábados?

   ____

5. ¿Uds. saben <u>la dirección de Teresa</u>?

   ____

6. ¿Tú necesitas <u>los discos compactos de Rodrigo</u>?

   ____

Name ______________________ Section ____________ Date __________

F. Using the reflexive verbs given, write sentences about the daily routines of the following people. (15 pts.)

1. yo / despertarse ______________________
2. mis padres / acostarse ______________________
3. tú / bañarse ______________________
4. mi hermano / afeitarse ______________________
5. mis hermanos y yo / levantarse ______________________

G. Write the following numerals in words in Spanish. (10 pts.)

1. 80.150 ______________________
2. 60.518 ______________________

H. Rewrite the following sentences, making the affirmative expressions negative. (8 pts.)

1. Yo siempre compro algo. ______________________
2. Nosotros tenemos algunos amigos españoles también. ______________________

____

3. Hay alguien en mi casa ahora. ______________________

I. Your mother went shopping. Use your imagination to say what she bought for whom. Use indirect object pronouns. (15 pts.)

1. a mí: ______________________
2. a mis hermanos: ______________________
3. a ti: ______________________
4. a Luisa: ______________________
5. a mi papá y a mí: ______________________

J. According to each situation, say what these people *are going to do.* (15 pts.)

1. Tú y yo tenemos un examen.
   Nosotros ______________________.
2. Yo estoy en un restaurante.
   Yo ______________________.
3. Tú estás en una fiesta.
   Tú ______________________.
4. Marisa necesita dinero.
   Marisa ______________________.
5. Los chicos tienen mucha sed.
   Los chicos ______________________.

Name ______________________ Section __________ Date __________

K. Give the Spanish equivalent of the words in parentheses. (27 pts.)

1. Yo soy ______________________ mi hermano, pero él es ______________________ yo. (*older than / much taller than*)
2. Nosotros no somos ______________________ mi hermana. Ella es ______________________ la familia. (*as intelligent as / the most intelligent in*)
3. Fernando no tiene ______________________ sus padres. (*as much money as*)
4. ______________________ trabaja ______________________. (*Mr. Vega's daughter / with me*)
5. ______________________ San Diego, pero ______________________ San Francisco. (*My mother likes / I like...better*)
6. Necesito ______________________ libro y ______________________ cuadernos. (*this / those*)

L. Circle the word or phrase that best completes each sentence. (30 pts.)

1. Eva tiene ojos (amarillos, rosados, azules).
2. Enero, febrero y marzo son meses (de verano, de primavera, de invierno).
3. Toma una clase de (cibernética, literatura, química) porque le gusta trabajar con computadoras.
4. ¿Tú necesitas el (vaso, horario, novio) de clases?
5. Ellos deben estudiar en (el estadio, la biblioteca, la fiesta).
6. La clase (necesita, termina, nada) a las cuatro.
7. Mi materia favorita es la (asignatura, química, copa).
8. Tengo que pasar la (lavadora, tostadora, aspiradora).
9. Mi (tío, abuelo, suegro) Antonio es el hermano de mi mamá.
10. Están (sacudiendo, lavando, barriendo) los muebles.
11. Necesito los platos para (cortar, limpiar, poner) la mesa.
12. Como (nada, nadie, siempre), ella está cansada.
13. No voy a comer porque no tengo (prisa, hambre, sed).
14. Deseo tomar algo porque tengo (miedo, sueño, sed).
15. Están en un café al aire (moreno, alto, libre).
16. Ellos nadan en (el cine, la piscina, la fruta).
17. Ernesto nunca dice (el partido, la verdad, el juego).
18. Vamos a la fiesta un (algo, después, rato).
19. Van a (conocer, hacer, jugar) al tenis.
20. No me gusta (el té, la cerveza, el refresco) porque tiene alcohol.
21. Ella es mi (amiga, tía, compañera) de cuarto.
22. Mi mamá tiene pelo (castaño, azul, verde).

Name ______________________________ Section ____________ Date __________

23. Un sinónimo de **casette** es (disco, carta, cinta).
24. ¿Es alta o de estatura (delgada, mediana, hermosa)?
25. Voy a mandarle un (número, correo, giro) postal.
26. Necesito (perder, recordar, cobrar) un cheque.
27. Voy a la oficina de correos para (comprar, depositar, abrir) sellos.
28. Los zapatos me quedan chicos. Me (calzan, aprietan, mudan) mucho.
29. Me voy a poner (la tienda, la cartera, el abrigo) porque tengo frío.
30. Yo (calzo, visto, quedo) el número ocho.

M. Read the following story, and then circle **V** for **Verdadero** or **F** for **Falso** for each statement. (24 pts.)

Ayer Marisol y Estrella fueron a la tienda "La Preferida" para comprar ropa, porque Marisol trabaja allí y le dan un descuento. Estrella compró una falda roja y una blusa blanca. Marisol compró una camisa para su esposo Julio y ropa interior para ella.

Mañana Marisol y su esposo van a ir al club a nadar y por la noche quieren ir a un partido de béisbol. Estrella y su novio planean muchas actividades para este fin de semana. Piensan ir al cine el viernes y a un concierto el sábado. El domingo van a ir con sus amigos a patinar, como siempre.

¿Verdadero o falso?

1. Marisol no trabaja. V F
2. Marisol tiene novio. V F
3. En "La Preferida" venden sellos. V F
4. La ropa interior es para Julio. V F
5. Marisol paga menos que las otras personas que van a la tienda. V F
6. La esposa de Julio se llama Marisol. V F
7. Marisol y su esposo no van a hacer nada mañana. V F
8. Marisol y Julio van a ir al estadio mañana. V F
9. El club tiene piscina. V F
10. A Estrella y a su novio les gusta salir. V F
11. Estrella no sabe patinar. V F
12. A Estrella y a su novio les gusta la música. V F

Name ______________________ Section ____________ Date ____________

N. Write a dialogue or a composition (100 words) on one of the following topics. (30 pts.)

Dialogue

1. En la oficina de correos
2. Mis clases en la universidad
3. Un día my ocupado

Composition

1. Mi rutina diaria
2. Un fin de semana perfecto
3. Mis amigos

¡Extra! Circle the correct answer according to the cultural information you learned. (6 pts.)

1. Puebla está a (8, 80) millas de la Ciudad de México.
2. El nombre María a veces se usa como segundo nombre (para los hombres, solamente para las mujeres).
3. Guadalajara es famosa por sus (actores, mariachis).
4. El béisbol es un deporte muy popular en (Cuba, Argentina).
5. Costa Rica es uno de los países más (grandes, pequeños) del continente americano.
6. La unidad básica del sistema métrico decimal es (el metro, la yarda).

Name ______________________________ Section ____________ Date __________

Lección 8 Prueba A

A. Answer the oral questions, using complete sentences. (25 pts.)

1. ______________________________
2. ______________________________
3. ______________________________
4. ______________________________
5. ______________________________

B. Complete the following exchanges, using the preterit of the verbs in parentheses. (14 pts.)

1. —¿Uds. ________________ (traer) los mapas?
   —No, nosotros los ________________ (poner) en tu cuarto.
2. —¿Qué ________________ (hacer) Jorge?
   —________________ (conducir) el coche de su papá.
3. —¿Dónde ________________ (estar) él?
   —En su casa. No ________________ (querer) venir.
4. —¿Tú ________________ (venir) a la clase?
   —No, ________________ (tener) que trabajar.
5. —¿Ellos ________________ (pedir) el préstamo?
   —Sí, pero no lo ________________ (conseguir).
6. —¿________________ (haber) un accidente?
   —Sí, y ________________ (morir) tres personas.
7. —¿Uds. ________________ (traducir) las cartas?
   —No, Ana las ________________ (traducir).

C. Answer the following questions, substituting direct object pronouns for the underlined direct objects. (15 pts.)

1. ¿Les trajeron a Uds. <u>los comestibles que Uds. necesitaban</u>?
   ____
2. ¿Le pidió Ud. <u>dinero</u> a su papá?
   ____
3. ¿Puedes comprarme las <u>frutas</u>? (*Use* **tú** *form.*)
   ____
4. ¿Tus profesores te dieron <u>los exámenes</u>?
   ____
5. ¿Ernesto te mandó <u>las revistas</u>?
   ____

Name ______________________ Section __________ Date __________

D. Complete the following exchanges, using the imperfect tense of the verbs listed. (10 pts.)

ver ir vivir hablar ser estudiar

1. —¿Dónde ______________ tú cuando ______________ niño?
   —______________ en Los Ángeles.
2. —¿Uds. ______________ al mercado frecuentemente?
   —Sí, ______________ todos los sábados.
3. —¿______________ Ud. a sus amigos en la playa (*beach*)?
   —Sí, los ______________ siempre.
4. —¿Tus padres te ______________ en inglés o en español cuando tú ______________ niño?
   —En inglés, pero yo ______________ español en la escuela (*school*).

E. What would you say in the following situations? (13 pts.)

1. You tell your Spanish-speaking friend that he has to speak slowly and clearly.

   ____
2. You are telling your friend about six types of fruit that she needs to prepare your famous fruit salad.

   ____

F. Complete the following sentences, using vocabulary from **Lección 8.** (15 pts.)

1. ¿Quieres chuletas de ternera o de ______________?
2. Necesito detergente y ______________ para lavar la ropa.
3. Tengo que ir al ______________ para comprar comestibles.
4. Tengo que ir a la carnicería para comprar ______________ y a la pescadería para comprar ______________.
5. Tienes que ______________ prisa porque ya es tarde.
6. Un sinónimo de **periódico** es ______________.
7. Un sinónimo de **melocotón** es ______________.
8. Aceptan ______________ de crédito.
9. Necesito una ______________ de huevos y ______________ higiénico.
10. El cangrejo, los ______________ y la ______________ son mariscos.
11. Voy a preparar una ensalada de ______________ y tomate.
12. Necesito el ______________ para bañarme.

G. Read the following dialogue and then circle **V** for **Verdadero** or **F** for **Falso** for each statement. (8 pts.)

Julio —¿Quieres helado de fresas?

Estrella —No, prefiero torta de chocolate.

Julio —Desgraciadamente, no hay. ¿Quieres una manzana?

Name ______________________ Section ____________ Date __________

Estrella —No, gracias. No me gusta la fruta.

Julio —¡Ah! Tenemos que ir a la pescadería.

Estrella —Siempre que vas a la pescadería gastas mucho dinero. Además, yo prefiero perros calientes.

Julio —Bueno, podemos comprarlos en el mercado. ¿Quieres ir?

Estrella —No, prefiero quedarme en casa.

¿Verdadero o falso?

1. A Estrella le gusta más la torta que el helado. V F
2. No hay torta en la casa. V F
3. Estrella come mucha fruta. V F
4. Julio quiere comprar pescado. V F
5. Julio no gasta mucho en la pescadería. V F
6. A Estrella le gustan más los perros calientes que el pescado. V F
7. Julio piensa ir al mercado. V F
8. Estrella quiere ir con Julio. V F

¡Extra! Complete the following sentence with the appropriate cultural information. (2 pts)

____________________ es la antigua capital de los incas.

Name ______________________ Section ________ Date ________

Lección 8 Prueba B

A. Answer the oral questions, using complete sentences. (25 pts.)

1. ______________________
2. ______________________
3. ______________________
4. ______________________
5. ______________________

B. Listen to what your instructor reads about what Victoria did yesterday, and then circle **V** for **Verdadero** or **F** for **Falso** for each statement. (16 pts.)

1. V F
2. V F
3. V F
4. V F
5. V F
6. V F
7. V F
8. V F

C. The following sentences tell what these people do all the time. Change all the verbs to the preterit and indicate what they did differently yesterday. (12 pts.)

1. Ellos siempre ponen las frutas en la cocina, pero ayer ______________________.
2. Yo siempre vengo a las seis, pero ayer ______________________.
3. Papá siempre hace ensalada, pero ayer ______________________.
4. Tú siempre conduces tu coche, pero ayer ______________________.
5. Ellos siempre sirven carne, pero ayer ______________________.
6. Mi tía siempre duerme en su cuarto, pero ayer ______________________.

D. Answer the following questions in the negative, substituting direct object pronouns for the nouns given. (15 pts.)

1. ¿Le dieron Uds. las revistas a Roberto?
____
2. ¿Le conseguiste el libro a Marisa?
____
3. ¿Me mandaste los mapas? (*Use* **tú** *form.*)
____

Name ______________________ Section __________ Date __________

4. ¿Ana les trajo la torta a Uds.?

____

5. ¿Los chicos te compraron el pan ayer?

____

E. Following is a paragraph that Beto wrote when he was in the third grade. Rewrite the paragraph, changing all the verbs to the imperfect tense to say what Beto's life was like then. (10 pts.)

Todos los días me levanto a las seis, me baño, me visto, como y después voy a la escuela. Mi maestra es la señora Vierci. Por la tarde hago la tarea y juego un rato. Por la noche ceno y después veo la tele.

____

____

____

____

F. What would you say in the following situations? (12 pts.)

1. You tell a Spanish-speaking friend that he/she has to speak slowly and clearly because you don't understand Spanish very well.

____

____

2. Tell about two things that you used to do frequently when you were a child.

____

____

____

G. Give the correct word or phrase that corresponds to the following vocabulary from **Lección 8.** (10 pts.)

1. la ponemos en el café: ______________________
2. cosas para comer: ______________________
3. fruta cítrica: ______________________
4. diario: ______________________
5. fruta que se necesita para hacer vino: ______________________
6. algo que se usa para lavar la ropa blanca: ______________________
7. Visa o Mastercard, por ejemplo: ______________________
8. banana: ______________________
9. normalmente: ______________________
10. lo que uno hace cuando tiene prisa: ______________________

Name ______________________ Section __________ Date __________

¡Extra! Complete the following sentence with the appropriate cultural information. (2 pts.)

Muchos pueblos hispanos tienen ________________ centrales donde se pueden comprar comestibles.

Name ______________________ Section __________ Date __________

Lección 9 Prueba A

A. Answer the oral questions, using complete sentences. (25 pts.)

1. ________________________________
2. ________________________________
3. ________________________________
4. ________________________________
5. ________________________________

B. Complete the following dialogues, using **por** or **para.** (10 pts.)

1. —¿Los libros son __________ Hilda?
   —Sí, pagué cien dólares __________ ellos.
   —Tú haces mucho __________ ella. ¿Qué estudia ella?
   —Estudia __________ profesora.
2. —¿Cuándo sales __________ Colombia?
   —El sábado __________ la mañana. Voy __________ avión.
   —¿Cuánto tiempo vas a estar allí?
   —Voy a estar en Bogotá __________ una semana. Tengo que estar en la universidad __________ el 2 de agosto __________ empezar las clases.

C. Say what the weather is like according to the place and the time of year. (7 pts.)

1. Phoenix, Arizona / agosto ________________________________
2. Alaska / enero ________________________________
3. Chicago / octubre ________________________________
4. San Francisco / febrero ________________________________

D. Complete the following exchanges, using the preterit or the imperfect of the verbs in parentheses. (18 pts.)

1. —¿Dónde ____________________ (vivir) Uds. cuando ____________________ (ser) niños?
   —Nosotros ____________________ (vivir) en México.
   —¿Adónde ____________________ (ir) de vacaciones Uds.?
   —Al campo.
2. —¿Dónde ____________________ (estar) Ud. anoche?
   — ____________________ (ir) al restaurante.
   —¿Qué ____________________ (comer)?
   — ____________________ (comer) bistec, pero antes yo nunca ____________________ (comer) bistec porque no me ____________________ (gustar) la carne.

3. —Ana, ¿por qué no ________________ (venir) a clase ayer?
   —No ________________ (poder) venir porque ________________ (estar) muy cansada.
4. —¿Qué hora ________________ (ser) cuando ellos ________________ (llegar) anoche?
   — ________________ (Ser) las ocho.
5. —¿Qué les ________________ (decir) el mozo?
   —Que nos ________________ (recomendar) la especialidad de la casa.

E. Complete the following sentences with the translation of the words in parentheses. (10 pts.)

1. Mi esposa es de Ecuador. ________________ (*His*) es de El Salvador.
2. Su aniversario es en febrero. ________________ (*Ours*) es en agosto.
3. ¿Tu abuela vive aquí? ________________ (*Mine*) vive en Chile.
4. La reservación de Aurora es para el sábado. ________________ (*Yours*), Elena, es para el domingo.
5. Nuestros libros están aquí. ________________ (*Hers*) están en la mesa.

F. What would you say in the following situations? (10 pts.)

1. Tell a friend how long ago you started at this university.
   ____
   ____
2. Talk about two things you used to do in grade school and two things you did yesterday.
   ____
   ____

G. Fill in the appropriate word or phrase using vocabulary from **Lección 9.** (8 pts.)

1. opuesto de **ciudad** ________________
2. lo que dejamos para el mozo en un restaurante ________________
3. pan tostado ________________
4. opuesto de **llegar tarde;** llegar ________________
5. lo que necesitas para tomar sopa ________________
6. pedazo ________________
7. pequeño ________________
8. comida que comemos por la noche ________________

Name ______________________________ Section ____________ Date __________

H. Write a short dialogue (4 or 5 lines) between you and a waiter at a restaurant. (12 pts.)

____

____

____

____

____

¡Extra! Complete the following sentence with the appropriate cultural information. (2 pts.)

Las ______________________ de Colombia están consideradas entre las mejores del mundo.

Name ______________________ Section __________ Date __________

Lección 9 Prueba B

A. Answer the oral questions, using complete sentences. (25 pts.)

1. ______________________
2. ______________________
3. ______________________
4. ______________________
5. ______________________

B. Listen to what your instructor reads about Lucía and Eduardo, and then circle **V** for **Verdadero** or **F** for **Falso** for each statement. (16 pts.)

1. V F
2. V F
3. V F
4. V F
5. V F
6. V F
7. V F
8. V F

C. Complete the following dialogues, using **por** or **para.** (10 pts.)

1. —¿Cuándo sales __________ México?
—Mañana __________ la mañana.
—¿Vas __________ avión?
—Sí, y pagué solamente $200 __________ el pasaje (*ticket*).
—¿Vas a estar en Guadalajara __________ un mes?
—No, dos semanas.
2. —Llegamos tarde __________ el tráfico, pero traemos el postre y frutas.
—¿Las frutas son __________ mí?
—Sí.
3. —¿Tu novia estudia __________ psicóloga?
—Sí, y mañana va a la universidad __________ hablar con sus profesores.
4. —¿Saliste __________ la ventana?
—¡Sí!

D. Say what the weather is like in the following places according to what season it is. (10 pts.)

1. Alaska en invierno: __________ y __________.
2. Phoenix en verano: __________
3. Oregón en otoño: __________
4. San Francisco o Londres (*London*) en invierno: __________

E. Complete the following paragraph, using the preterit or the imperfect of the verbs given. (8 pts.)

__________ (Ser) las seis de la mañana cuando yo __________ (salir) de casa hoy. Yo __________ (estar) un poco cansada. Cuando __________ (ir) a la universidad, __________ (ver) un accidente en la calle Olmos. Cuando __________ (llegar) a la universidad, le __________ (decir) a mi profesor que __________ (necesitar) hablar con él.

F. Complete the following sentences, using the Spanish equivalent of the words in parentheses. (8 pts.)

1. La profesora de ellos es de Cuba. __________ (*Ours*) es de Costa Rica.
2. Los libros de Amalia están en el escritorio. ¿Dónde están __________ (*yours*), Anita?
3. Yo tengo mi pluma, pero no tengo __________ (*his*).
4. Marisa tiene sus maletas, pero yo no tengo __________ (*mine*).

G. What would you say in the following situations? (13 pts.)

1. Tell someone how long ago you started to drive (or to work).

   ____

2. At a restaurant, you ask the waiter what the specialty of the house is.

   ____

3. You order a complete meal at a restaurant, including a drink and dessert.

   ____

   ____

H. Match the questions in column A with the answers in column B. (10 pts.)

A	B
1. ¿Qué quieres de postre?	a. No, al horno.
2. ¿Quieres chorizo?	b. A las ocho de la noche.
3. ¿Te gustan las chuletas de cordero?	c. Sí, para la sopa.
4. ¿A qué hora cenan?	d. El pedido.
5. ¿A qué hora desayunan?	e. Sí, va a llover.
6. ¿Qué anota el mozo?	f. Flan.
7. ¿Quieres papas fritas?	g. No, seco.
8. ¿Necesitas cucharas?	h. No, prefiero las de cerdo.
9. ¿El clima es húmedo?	i. A las siete de la mañana.
10. ¿El cielo está nublado?	j. No, tocino.

¡Extra! Complete the following sentences with the appropriate cultural information. (2 pts.)

En la mayoría de los países hispanos el almuerzo es la comida __________ del día.

Name ______________________ Section __________ Date __________

Lección 10 Prueba A

A. Answer the oral questions, using complete sentences. (25 pts.)

1. ______________________
2. ______________________
3. ______________________
4. ______________________
5. ______________________

B. Complete the following sentences, using past participles as adjectives. Use a different adjective in each sentence. (10 pts.)

1. Las ventanas están ______________________.
2. Las radiografías están ______________________.
3. El brazo está ______________________.
4. La herida está ______________________.
5. Los libros están ______________________.

C. Complete the following sentences, using the Spanish equivalent of the words in parentheses. (10 pts.)

1. Alfredo nunca ______________ en Quito. (*has been*)
2. Los chicos ______________ nada. (*haven't done*)
3. Yo ______________ la carta. (*have written*)
4. ¿Tú ______________ al hospital? (*have gone*)
5. Nosotros ______________ que estamos cansados. (*have said*)

D. Complete the following sentences, telling what these people had already done in the hospital. (10 pts.)

1. El médico ______________________.
2. Yo ______________________.
3. La enfermera ______________________.
4. Tú ______________________.
5. Mis padres ______________________.

E. You are a doctor giving instructions to the nurse. Tell him or her to do the following things. (12 pts.)

1. ponerle una inyección al señor Vera ______________________
2. vendarle la herida a la señorita Vélez ______________________
3. ir a la sala de emergencias ______________________
4. no darle las pastillas a la señora Rojas hasta las dos ______________________

____

Name ______________________ Section __________ Date __________

5. estar en el hospital mañana a las siete y ser muy paciente con el señor Rojas ______________________

6. llevarle las radiografías al Dr. Mora y dejarlas en su consultorio ______________________

F. What would you say in the following situations? (15 pts.)

1. Some children seem hurt. Ask them to tell you what happened to them.

____

2. You are at the doctor's office. Tell him you fell and tell him where it hurts.

____

3. You want to make an appointment for next week.

____

G. Fill in the correct word or words, using vocabulary from **Lección 10.** (8 pts.)

1. lugar donde trabajan los médicos ______________________
2. trabaja con el médico ______________________
3. se usan para caminar cuando tenemos una pierna rota ______________________
4. lugar donde hacen radiografías ______________________
5. fracturarse ______________________
6. perder el conocimiento ______________________
7. órgano vital ______________________
8. coche ______________________

H. Read the following, and then circle **V** for **Verdadero** or **F** for **Falso** for each statement. (10 pts.)

Nélida y Magali, dos chicas costarricenses, fueron de vacaciones a Acapulco. Nunca habían estado allí, pero siempre habían querido ir. Se divirtieron mucho y se quedaron más tiempo del que habían planeado. Un día Magali tuvo problemas con el estómago. En el hotel donde estaban ellas había un médico joven, guapo y muy simpático que le recetó un buen antiácido y después la invitó a bailar a un club.

Nélida conoció a un muchacho de California en la piscina y por la tarde fueron a la playa. Los cuatro muchachos visitaron muchos lugares interesantes y ahora el médico y el muchacho de California quieren visitar Costa Rica.

¿Verdadero o falso?

1. Magali y Nélida estaban trabajando en México. V F
2. Las chicas habían estado en Acapulco muchas veces. V F
3. A Nélida y a Magali les gusta mucho Acapulco. V F
4. Las chicas decidieron volver a Costa Rica en seguida. V F
5. Ninguna de las dos chicas tuvo problemas de salud. V F

6. Magali tuvo que tomar medicinas. V F
7. Nélida conoció al muchacho en una fiesta. V F
8. El muchacho que Nélida conoció era norteamericano. V F
9. Nélida y su nuevo amigo probablemente estaban nadando cuando se conocieron. V F
10. El médico y el muchacho de California quieren ir a Costa Rica. V F

¡Extra! Complete the following sentence with the appropriate cultural information. (2 pts.)

Se puede ____________________ en las montañas que están cerca de la ciudad de Santiago.

Name ______________________ Section __________ Date __________

Lección 10 Prueba B

A. Answer the oral questions, using complete sentences. (25 pts.)

1. ____________________
2. ____________________
3. ____________________
4. ____________________
5. ____________________

B. Listen to what your instructor reads about Anita, and then circle **V** for **Verdadero** or **F** for **Falso** for each statement. (14 pts.)

1. V F
2. V F
3. V F
4. V F
5. V F
6. V F
7. V F

C. Use the present perfect of the verbs that follow to complete the following statements. (16 pts.)

poner comer escribir estar decir tener ver venir

1. Luis nunca ____________ en México.
2. Yo ____________ un accidente.
3. Amalia no ____________ a la universidad hoy.
4. Mi mamá me ____________ que necesita ir al médico.
5. Tú les ____________ varias cartas a tus padres.
6. Usted ____________ el dinero en el banco.
7. Los muchachos ____________ una película (*movie*) muy buena.
8. Nosotros ____________ en ese restaurante.

D. Using the cues provided, say what the following people had already done before Carlos got home. (10 pts.)

1. tú / ya / limpiar la casa
____
2. los chicos / ya / volver de la universidad
____
3. yo / ya / hacer una ensalada
____
4. Marisa / ya / traer la fruta
____
5. nosotros / ya / estudiar
____

Name ______________________ Section ____________ Date ____________

E. Provide one affirmative and one negative command that the following people might give. (18 pts.)

1. un médico a la enfermera

____

____

2. un médico a un(a) paciente

____

____

3. una madre a sus dos hijos

____

____

F. Complete the following sentences, using vocabulary from **Lección 10.** (17 pts.)

1. Le pusieron una ______________________ antitetánica.
2. Un sinónimo de **carro** es ______________________.
3. Está en la ______________________ de las calles Olmos y Magnolia.
4. El niño está ______________________ en la camilla.
5. Se rompió una pierna y ahora tiene que usar ______________________ para caminar.
6. Tengo que vendarle la ______________________.
7. Tuvo un accidente. Lo trajeron al hospital en una ______________________. Ahora está en la ______________________ de emergencia.
8. Tengo que pagar porque no tengo ______________________ médico.
9. Yo me torcí el ______________________. Me duele mucho.
10. ¿Van ahora ______________________ o ______________________ tarde?
11. Tengo que pedir turno para la semana que ______________________.
12. Cuando me caí, perdí el ______________________.
13. Tengo dolor de cabeza. Voy a tomar una de estas ______________________.
14. Tomo un antiácido cuando tengo problemas con el ______________________.
15. Saque (*Stick out*) la ______________________ y diga "Ah".

¡Extra! Complete the following sentence with the appropriate cultural information. (2 pts.)

Los servicios médicos son ______________________ en la mayoría de los países hispanos.

Name ______________________ Section __________ Date __________

Examen parcial A (Lecciones 8-10)

(200 points)

A. Answer the oral questions, using complete sentences. (50 pts.)

1. ____________________
2. ____________________
3. ____________________
4. ____________________
5. ____________________
6. ____________________
7. ____________________
8. ____________________
9. ____________________
10. ____________________

B. Complete the following dialogues, using the preterit or the imperfect of the verbs given. (20 pts.)

1. —¿Dónde ____________ (vivir) Uds. cuando ____________ (ser) niños?

   —Nosotros ____________ (vivir) en California.

   —¿____________ (Ir) a Disneylandia?

   —Sí, (nosotros) ____________ (ir) todos los veranos.

2. —¿Qué te ____________ (decir) tus padres ayer?

   —Nada. Papá no ____________ (estar) en casa en todo el día y mamá ____________ (tener) que trabajar.

   —¿Y tu tía?

   —Ella me ____________ (decir) que no ____________ (poder) llevarme a la biblioteca.

   —¿Y qué ____________ (hacer) tú?

   —____________ (ir) a casa de Teresa para estudiar.

3 —¿Qué hora ____________ (ser) cuando tú ____________ (llegar) a casa ayer?

   —Las seis. Cuando ____________ (venir) para casa, ____________ (ver) un accidente en la calle Sexta. Dos personas ____________ (morir).

4. —¿____________ (Hacer) mucho frío cuando Uds. ____________ (salir) de su casa esta mañana?

   —Sí, por eso (nosotros) ____________ (ponerse) el abrigo.

Name ______________________ Section __________ Date __________

C. Complete the following, saying what each person *has done* today. Use the verbs in the list. (18 pts.)

abrir **poner** **escribir** **recibir** **hablar** **estar**

1. Nosotros ______________________.
2. Mis amigos ______________________.
3. Tú ______________________.
4. El profesor ______________________.
5. Yo ______________________.
6. Uds. ______________________.

D. Answer the following questions in the negative, substituting direct object pronouns for the underlined direct objects. (15 pts.)

1. ¿Sus amigos les trajeron las revistas?
____
2. ¿El profesor les dio a Uds. el examen el viernes?
____
3. ¿Tú me mandaste los periódicos? (*Use* **tú** *form.*)
____
4. ¿Ellos le dieron el dinero a su hijo?
____
5. ¿Tú les vas a dar la lavadora a tus hermanos?
____

E. Complete the following sentences with **por** or **para.** (10 pts.)

El lunes salgo __________ Chile. Voy __________ avión. Pienso estar allí __________ tres semanas. Compré muchas cosas __________ mis amigos chilenos. Tengo que volver __________ el dos de julio, __________ empezar las clases de verano.

Mi prima no puede ir conmigo __________ no tener dinero. Esta noche la voy a llamar __________ teléfono __________ decirle que me voy. ¡No puedo creerlo! Mañana __________ la noche voy a estar en Santiago.

F. Give the following commands, using **Ud.** or **Uds.** (15 pts.)

1. Ud. tiene que traerme las cartas y ponerlas en mi escritorio.
____
2. Uds. tienen que ir a la biblioteca y sacar los libros que necesitan.
____
3. Ud. tiene que estar aquí a las ocho, pero no debe decírselo a Sara.
____

4. Uds. tienen que darnos el dinero, pero no deben mandarle nada a Ana.

____

G. Tell what the weather is like in the following places, according to what month it is. Use different expressions each time. (10 pts.)

1. Alaska en enero ______________________
2. Phoenix en agosto ______________________
3. Chicago en octubre ______________________
4. Oregón casi siempre ______________________
5. San Francisco en febrero ______________________

H. Give the Spanish equivalent of the words in parentheses. (26 pts.)

1. Teresa llegó ______________________. Jorge ya ______________________. (*2 hours ago / had left*)
2. Los bancos estaban ______________________, pero las tiendas estaban ______________________. (*closed / open*)
3. Ella habló ______________________. (*slowly and clearly*)
4. Ellos ______________________ sus libros, pero nosotros ______________________. (*had brought / had not brought ours*)
5. Jorge tiene sus libros, pero yo no tengo ______________________. ¿Ud. tiene ______________________, Srta. Peña? (*mine / yours*)
6. ______________________, las cartas ______________________ en español. (*Generally / are written*)
7. Ellos ______________________, pero yo no los vi. (*came two weeks ago*)

I. Circle the word or phrase that best completes each sentence. (36 pts.)

1. Necesito huevos, papas y (lejía, zanahorias, jabón) para la cena.
2. No puedo preparar la ensalada porque no tengo (papel higiénico, detergente, lechuga).
3. Eva siempre (gasta, limpia, cocina) mucho dinero.
4. Son las seis y la clase empieza a las seis y diez. Tengo que (romperme, caerme, apurarme).
5. Necesito huevos y (melocotones, pescados, semanas) para hacer el pastel.
6. Voy a leer (las uvas, la naranja, el periódico).
7. No me gusta vivir en la ciudad; prefiero vivir en (la cocina, el campo, el club nocturno).
8. ¿Te gustan las (cuentas, propinas, chuletas) de cordero?
9. De postre quiero (langosta, chorizo, helado).
10. Vamos a (almorzar, desayunar, cenar) a las siete de la mañana.
11. ¿Quieres papas fritas o papas (lo mismo, casi, al horno)?
12. Me caí y ahora me duele mucho (la pastilla, el brazo, la escalera).

Name ______________________ Section __________ Date __________

13. El enfermero me va a (perder el conocimiento, recetar una medicina, poner una inyección).
14. Se fracturó la pierna. Va a necesitar (mantequilla, muletas, esquinas) para caminar.
15. Tengo que pagar yo porque no tengo (segundo, seguro, dolor) médico.
16. Me torcí (la herida, la radiografía, el tobillo).
17. (Desgraciadamente, Menos mal, Anoche) estoy enfermo.
18. No puedo caminar porque me duele mucho (la espalda, la mano, la pierna).
19. Fui al mercado y compré (comestibles, camareros, campo).
20. El mozo (cenó, compró, anotó) el pedido.
21. Le puse (cucharitas, pimienta, platillos) a la ensalada.
22. Ese hotel no es caro; es muy (enfermo, frito, barato).
23. Hoy es mi (flan, cumpleaños, tenedor).
24. Fui a la carnicería para comprar (piña, azúcar, chuletas de cerdo).
25. Es muy importante tener buena (salud, esquina, herida).
26. Hoy es jueves; anteayer fue (domingo, martes, lunes).
27. Para comer biftec necesito (una copa, un tenedor, un mantel).
28. No puedo tomar la sopa porque no tengo (cuchillo, platillo, cuchara).
29. En la pescadería compré (cerdo, cerezas, salmón).
30. No quiero camarones porque no me gustan (los mariscos, las frutas, los vegetales).
31. Mi fruta favorita es la (langosta, sandía, papa).
32. Quiero helado de (gambas, fresas, ternera).
33. Yo le pongo (azúcar, zanahoria, uvas) al café.
34. Voy a (llorar, pedir, torcerme) turno para ir al médico.
35. Necesito las (servilletas, muñecas, piernas) para poner la mesa.
36. Paco está (vestido, cerrado, sentado) en la camilla.

¡Extra! Circle the correct answer according to the cultural information you learned. (4 pts.)

1. Lima fue fundada por el conquistador español (Francisco Pizarro, Hernán Cortés).
2. Machu Picchu fue construida por los (españoles, incas).
3. En Colombia, el transporte entre Bogotá y el resto del país es principalmente por (aire, tren).
4. En los países hispanos mucha gente toma la (merienda, cena) a las cuatro de la tarde.

Name ______________________________ Section ____________ Date ____________

Examen parcial B (Lecciones 8-10)

(200 points)

A. Answer the oral questions, using complete sentences. (50 pts.)

1. ______________________________
2. ______________________________
3. ______________________________
4. ______________________________
5. ______________________________
6. ______________________________
7. ______________________________
8. ______________________________
9. ______________________________
10. ______________________________

B. Complete the following dialogues, using the preterit or the imperfect of the verbs given. (22 pts.)

1. —¿Qué hora ____________ (ser) cuando tú ____________ (llegar) a la universidad?

   —____________ (ser) las nueve. El profesor no ____________ (estar) en la clase todavía (*yet*).

   —¿Qué te ____________ (decir) él?

   —Que ____________ (deber) estudiar más.

2. —¿____________ (Llover) mucho cuando Uds. ____________ (salir) anoche?

   —No, pero ____________ (hacer) mucho frío. Yo ____________ (tener) que ponerme un abrigo.

3. —Cuando Uds. ____________ (ser) niños, ¿____________ (vivir) en Chile?

   —Sí, pero cuando yo ____________ (tener) quince años nosotros ____________ (venir) a vivir aquí.

4. —Ayer cuando nosotros ____________ (ir) para nuestra casa ____________ (ver) un accidente en la calle Cuarta.

   —¿____________ (Haber) heridos?

   —Sí, y ____________ (morir) una persona.

5. —¿Adónde ____________ (ir) Uds. de vacaciones cuando ____________ (vivir) en México?

   —Siempre ____________ (ir) a Acapulco, pero el año pasado ____________ (ir) a Cancún.

Name ______________________________ Section __________ Date __________

C. Answer the following questions in the affirmative, substituting direct object pronouns for the underlined direct objects. (15 pts.)

1. ¿Me compraste los comestibles? (*Use* **tú** *form.*)
   Sí, ______________________________.
2. ¿Vas a traernos las revistas hoy?
   Sí, ______________________________.
3. ¿El doctor te recetó un jarabe?
   Sí, ______________________________.
4. ¿Ellos les sirvieron la cena anoche a Uds.?
   Sí, ______________________________.
5. ¿La enfermera les dio las radiografías a ellos?
   Sí, ______________________________.

D. You are the doctor; tell the nurse to do the following things. (20 pts.)

1. desinfectarle y vendarle la herida al señor Vargas
   ____
2. ponerle una inyección a la señora Díaz, pero no ponérsela antes de las diez
   ____
3. pedir las radiografías y llevrlas a mi oficina; no dárselas a la secretaria
   ____
4. llamar al Dr. Arias y decirle que venga
   ____
5. estar en la sala de emergencias a las once
   ____

E. Using your imagination, write about things that the following people have never done. (15 pts.)

1. Mis padres y yo ______________________________.
2. Mi familia ______________________________.
3. Yo ______________________________.
4. Mis amigos ______________________________.
5. Tú ______________________________.

F. Fill in the blanks in the following paragraph with **por** or **para.** (10 pts.)

Ramiro me llamó __________ teléfono anoche __________ decirme que mañana __________ la tarde salía __________ México y que iba a estar allí sólo __________ dos semanas porque tenía que volver __________ el 10 de septiembre __________ empezar las clases. Ramiro va a viajar __________ tren y por eso pagó muy poco __________ el pasaje. Él me dijo que iba a comprar algo __________ su novia en México.

Name ________________________________ Section ____________ Date __________

G. Tell what the weather is according to what these people need or what is happening. (8 pts.)

1. Marta necesita un suéter. ______________________________
2. Raúl y yo necesitamos un impermeable. ______________________________
3. Tú necesitas una sombrilla. ______________________________
4. En San Francisco no hay vuelos (*flights*) hoy. ______________________________

H. Give the Spanish equivalent of the words in parentheses. (35 pts.)

1. Carmen llegó ______________________, pero Carlos, ______________________, ya ______________________. (*2 days ago / unfortunately / had left*)
2. ______________________ viven en Caracas. ¿Dónde viven ______________________, Irene? (*My parents / yours*)
3. El niño escribe ______________________. (*slowly and clearly*)
4. Ellos ya ______________________ sus libros, pero nosotros no ______________________. (*had bought / had bought ours*)
5. Las ventanas ______________________, pero la puerta ______________________. (*were open / was closed*)
6. Nosotros ______________________ que ellos tienen que ______________________. (*have told them / hurry up*)
7. Ellos ______________________ y ______________________ ver al médico. (*have been late / have not been able*)
8. La enfermera ______________________ una inyección. (*had given me*)

I. Circle the word or phrase that best completes each sentence. (25 pts.)

1. Quiero helado de (fresa, langosta, azúcar).
2. El clima de Arizona es (seco, nublado, despejado).
3. El niño está sentado en (la camilla, el corazón, la muñeca).
4. Me duele (la gamba, la piña, el cuerpo).
5. Vemos con los (dientes, ojos, pies).
6. La boca es parte (de la cara, del brazo, de la pierna).
7. Tuvo un accidente. Lo trajeron al hospital en una (medicina, esquina, ambulancia).
8. Se fracturó la pierna. Se la van a (recetar, torcer, enyesar).
9. La enfermera le va a (romper, vendar, chocar) la herida.
10. Se cayó y perdió el (conocimiento, cordero, dolor).
11. Voy a necesitar muletas para (parecer, caminar, doler).
12. En la sala de rayos X, me hicieron una (radiografía, espalda, escalera).
13. No tuvo que pagar porque tenía (tobillo, seguro, segundo) médico.

14. Necesitamos (mercado, durazno, papel) higiénico para el baño.
15. Quiero comer (jabón, lechuga, chorizo) con huevos.
16. Necesito (cebolla, azúcar, comida) para el café.
17. Para lavar la ropa uso (detergente, comestibles, pan).
18. Quiero (pan tostado, carne, arroz) con mermelada.
19. Para tomar la sopa, necesito (un cuchillo, un tenedor, una cuchara).
20. Quiero una chuleta de (vainilla, fresas, cerdo).
21. No quiero (patatas, uvas, lejía) porque no me gustan las frutas.
22. Comemos en restaurantes porque no nos gusta (celebrar, preguntar, cocinar).
23. De postre, quiero (langosta, helado, tocino).
24. Pagó la cuenta y dejó una buena (chuleta, papa al horno, propina).
25. El mozo anotó (la cola, la pera, el pedido).

¡Extra! Circle the correct answer according to the cultural information you learned. (4 pts.)

1. Cuzco todavía conserva sus murallas (incaicas, coloniales).
2. En el Museo de Oro de Lima, hay muchos objetos (precolombinos, modernos) de oro y de plata.
3. Santiago es la capital de (Chile, Perú).
4. Avianca es una (ciudad, línea aérea) de Colombia.

Name ______________________ Section ____________ Date __________

Lección 11 Prueba A

A. Answer the oral questions, using complete sentences. (25 pts.)

1. ____________________
2. ____________________
3. ____________________
4. ____________________
5. ____________________

B. Complete the following exchanges, using the infinitive or the present subjunctive of the verbs given. (15 pts.)

1. —¿Adónde vas a ir? Yo quiero ir a Asunción, pero mi padre quiere que ______________ (ir) a Buenos Aires.

   —Yo espero ______________ (ir) a Buenos Aires en febrero.

2. —¿Tienes fiebre? Yo te sugiero que ______________ (tomar) dos aspirinas.

   —Yo prefiero no ______________ (tomar) aspirinas.

3. —Te recomiendo que ______________ (ir) al médico.

   —Ojalá que el consultorio ______________ (estar) abierto hoy.

4. —Temo no ______________ (poder) ir de vacaciones con ellos.

   —Siento mucho que tú no ______________ (poder) ir.

   —Espero que Uds. ______________ (divertirse) mucho.

5. —Él nos aconseja que ______________ (volver) al hospital mañana, porque el doctor nos quiere ______________ (ver).

   —Nosotros no queremos ______________ (venir) mañana.

6. —Me alegro de que Uds. ______________ (estar) aquí hoy.

   —Y nosotros nos alegramos de ______________ (estar) con Uds., pero sentimos que Juan no ______________ (poder) estar aquí también.

C. Complete the following sentences in your own words, using either the infinitive or the subjunctive. (20 pts.)

1. Temo que este año mis padres ______________________________

   ______________________________.

2. Me alegro de ______________________________

   ______________________________.

3. Espero que la profesora ______________________________

   ______________________________.

4. Yo quiero que mis amigos ______________________________

   ______________________________.

5. Mis amigos quieren que yo ____
____.

6. Yo le pido a mi amiga que ____
____.

7. Este verano yo quiero ____
____.

8. Tememos que ____
____.

9. Yo siento no ____
____.

10. Mis padres esperan que yo ____
____.

D. Complete the following sentences, using the prepositions **a, de,** or **en,** as appropriate. (10 pts.)

1. Llegaron _____ Asunción _____ las ocho _____ la mañana.
2. Jorge está ____ su casa. Él y Eva están hablando ______ su familia.
3. Sergio es rubio, _____ ojos azules. Es el más guapo _____ la familia.
4. Pedro empieza _____ estudiar el lunes. Quiere aprender ______ hablar francés.
5. Los chicos fueron a California ______ ómnibus.

E. What would you say in the following situations? (20 pts.)

1. You're at the doctor's office with a bad cold and a fever. You describe your symptoms and ask whether you need a shot.

____

____

____

2. A friend of yours feels very sick. Give him some advice on how he should take care of himself.

____

____

____

F. Complete the following sentences, using vocabulary from **Lección 11.** (10 pts.)

1. Voy a comprar unas ________________ para la nariz. Espero que no sean muy ________________.
2. José está enfermo. Espero que se ________________ pronto.
3. No puedo hablar porque me duele mucho la ________________.
4. Tengo una fiebre de 102 ________________.

Name ______________________________ Section ____________ Date ____________

5. Me desperté a las cuatro de la ______________________ pero no me levanté hasta las seis de la mañana.
6. ¿Tienes solamente catarro o es ______________________?
7. Voy a la farmacia. Espero que el ______________________ esté allí.
8. Fueron al hospital el lunes y volvieron al día ______________________.
9. Está enfermo. En ese ______________________ voy a llevarlo al médico.

¡Extra! Complete the following sentence with the appropriate cultural information. (2 pts.)

El primer país que le concedió el voto a la mujer fue ______________________.

Name ______________________ Section __________ Date __________

Lección 11 Prueba B

A. Answer the oral questions, using complete sentences. (25 pts.)

1. ______________________________
2. ______________________________
3. ______________________________
4. ______________________________
5. ______________________________

B. Listen to what your instructor reads about Sandra's health problems, and then circle **V** for **Verdadero** or **F** for **Falso** for each statement. (12 pts.)

1. V F
2. V F
3. V F
4. V F
5. V F
6. V F

C. Complete the following sentences, using the present subjunctive or the infinitive of the verbs given. (10 pts.)

1. Yo estoy enfermo. Marta me aconseja que __________ (ir) al médico.
2. Ana espera __________ (poder) ir al hospital hoy, pero teme que nosotros no __________ (poder) ir con ella.
3. Él me quiere __________ (dar) Tylenol, pero yo quiero que me __________ (dar) Advil.
4. Yo me alegro de __________ (estar) con Uds. hoy. Siento que los chicos no __________ (tener) tiempo para venir a verlos.
5. Teresa les pide que la __________ (llevar) al hospital, pero ellos no pueden ir.
6. Ella necesita __________ (saber) qué medicinas toma Mauricio. Espero que tú lo __________ (saber).

D. Complete the following sentences, using the prepositions **a, de,** or **en,** as appropriate. (8 pts.)

1. Mario es moreno ______ ojos castaños. Es el más guapo ______ su familia.
2. Juan está ______ su casa con Pedro. Ellos están hablando ______ las clases de la universidad.
3. Yo empiezo ______ trabajar ______ las ocho.
4. Nosotros vamos ______ Quito ______ coche.

E. What would you say in the following situations? (35 pts.)

1. You have a fever and ask your doctor what he/she wants you to do if the fever doesn't go down.

____

____

Name ______________________ Section __________ Date __________

2. You want to buy aspirin. Ask someone if there is a pharmacy nearby.

____

3. Your doctor prescribed some pills. Ask her if you have to take them before or after meals.

____

____

4. You tell a friend about two things that your parents, your spouse, or your friends want you to do.

____

____

E. Match the questions in column A with the answers in column B. (10 pts.)

	A	B
______	1. ¿Tienes una infección?	a. A la madrugada.
______	2. ¿Necesitas algodón?	b. Pronto.
______	3. ¿Dónde está el médico?	c. Mal.
______	4. ¿Cuándo vienen?	d. Al farmacéutico.
______	5. ¿Qué te duele?	e. Sí, va a tener el bebé en mayo.
______	6. ¿A qué hora llegó Luis?	f. En su consultorio.
______	7. ¿A quién le diste la receta?	g. Sí, pero tengo suficiente dinero.
______	8. ¿Es caro?	h. Sí, el médico me recetó penicilina.
______	9. ¿Está embarazada?	i. La garganta.
______	10. ¿Cómo se siente Eva?	j. Sí, y una curita.

¡Extra! Complete the following sentence with the appropriate cultural information. (2 pts.)

En las botánicas se pueden comprar diferentes clases de ____________________, raíces y polvos vegetales.

Name ______________________ Section __________ Date __________

Lección 12 Prueba A

A. Answer the oral questions, using complete sentences. (25 pts.)

1. ______________________
2. ______________________
3. ______________________
4. ______________________
5. ______________________

B. Finish the following sentences in your own words, using the present indicative or present subjunctive. (20 pts.)

1. Busco una excursión que ______________________.
2. Preferimos un vuelo que ______________________.
3. Tengo un bolso de mano que ______________________.
4. En mi familia no hay nadie que ______________________.
5. En esta agencia hay muchos empleados que ______________________.
6. ¿Hay alguien aquí que ______________________?
7. Yo conozco a una señorita que ______________________.
8. No hay ningún folleto que ______________________.
9. Busco a las chicas que ______________________.
10. Necesito un pasaje que ______________________.

C. Complete the following note that a friend of yours left for her sister. Use the **tú** command form. (15 pts.)

______________ (Salir) temprano y ______________ (ir) a la agencia de viajes.

______________ (Pedir) folletos sobre los viajes a Canadá y ______________ (preguntarle) al agente cuánto cuesta el viaje.

______________ (Hacer) las reservaciones y ______________ (decirle) al agente que no queremos tener que trasbordar.

______________ (Poner) en el banco el dinero que dejé en la mesa y ______________ (comprar) cheques de viajero.

______________ (Llamar) a Raúl, pero no ______________ (decirle) que tenemos una fiesta mañana. ______________ (Ser) buena y ______________ (venir) a buscarme a las cinco.

D. Complete the following sentences, using the Spanish equivalent of the words in parentheses. (18 pts.)

1. Julián ____________ Marisa en enero, y ____________ ella en abril. (*got engaged to / married*)
2. Mi suegra ____________ viajar con nosotros. (*insists on*)
3. Tú siempre ____________ los documentos. (*remember to bring*)
4. Yo ____________ él. (*trust*)
5. Yo ____________ que ella no era su hija ____________ su esposa. (*didn't realize / but*)

E. Match the questions in column A with the answers in column B. (14 pts.)

A	B
1. ¿Sabes que mañana salgo para Lima?	a. Ayer.
2. ¿Quieres un asiento de ventanilla?	b. Dentro de quince días.
3. ¿A quién le doy la tarjeta de embarque?	c. No, sola.
4. ¿Cuándo regresaste?	d. En la puerta de salida.
5. ¿Tuvieron que hacer escala?	e. No, el domingo.
6. ¿Viajas acompañada?	f. No, de pasillo.
7. ¿Dónde pusiste el bolso de mano?	g. Mil dólares.
8. ¿Cuándo piensan volver?	h. El pasaporte.
9. ¿Dónde están los pasajeros?	i. A la auxiliar de vuelo.
10. ¿Qué incluye la excursión?	j. En la agencia de viajes.
11. ¿Cuánto cobran por los billetes?	k. Sí, pero no tuvimos que trasbordar.
12. ¿Viajas entre semana?	l. Sí. ¡Buen viaje!
13. ¿Dónde conseguiste los folletos?	m. El pasaje y el hotel.
14. ¿Qué necesito para viajar a Chile?	n. Debajo del asiento.

F. Read the following dialogue and then circle **V** for **Verdadero** or **F** for **Falso** for each statement. (8 pts.)

Jorge —¿Cuándo regresaste de tu viaje, Silvia? ¿Te divertiste?

Silvia —Hace dos días. No me divertí nada porque estuve enferma todo el tiempo.

Jorge —¿Viajaste sola?

Silvia —No, con dos amigas. Pagamos 2.000 dólares por la excursión y el hotel donde nos hospedamos era muy malo.

Jorge —Yo sé que no te gusta viajar en avión. ¿Tuvieron que hacer escala?

Silvia —Sí, y tuvimos que trasbordar. ¡Cuando llegamos, nuestro equipaje había ido a otra ciudad!

Jorge —¿Adónde piensas ir de vacaciones el año que viene?

Silvia —He decidido quedarme en casa.

¿Verdadero o falso?

1. Hace mucho tiempo que Silvia volvió de su viaje. V F
2. Silvia no se sintió bien durante el viaje. V F
3. Silvia viajó acompañada. V F
4. El hotel donde se hospedó era de cinco estrellas (*stars*). V F
5. Silvia prefiere viajar en avión. V F
6. Silvia tuvo que cambiar de avión. V F
7. Cuando llegaron las chicas no tenían sus maletas. V F
8. Silvia ha decidido viajar a Cancún el año próximo. V F

¡Extra! Complete the following sentence with the appropriate cultural information. (2 pts.)

Mucha gente que vive en Buenos Aires es de origen ________________.

Name ______________________ Section __________ Date __________

Lección 12 Prueba B

A. Answer the oral questions, using complete sentences. (25 pts.)

1. ______________________
2. ______________________
3. ______________________
4. ______________________
5. ______________________

B. Listen to what your instructor reads about Sara and Miguel Ángel, and then circle **V** for **Verdadero** or **F** for **Falso** for each statement. (14 pts.)

1. V F
2. V F
3. V F
4. V F
5. V F
6. V F
7. V F

C. Complete the following dialogues, using the present indicative or the present subjunctive of the verbs given. (10 pts.)

1. —¿Hay alguna excursión que __________ (incluir) el hotel?
   —Sí, hay dos que __________ (incluir) el hotel.
2. —Busco empleados que __________ (saber) español y alemán.
   —Conozco a un señor que __________ (hablar) español, pero no conozco a nadie que __________ (hablar) alemán.
3. —¿Hay alguna aerolínea que __________ (dar) descuentos los fines de semana?
   —No, pero hay algunas excursiones que __________ (ser) muy baratas.
4. —Aquí no hay nadie que __________ (ir) a San Francisco los sábados.
   —No, pero hay una señora que __________ (ir) los viernes.
5. —¿Hay alguien aquí que __________ (ser) de Buenos Aires?
   —No.

D. Change the following statements to **tú** commands. (18 pts.)

1. Tienes que venir mañana y traerme los billetes. Tienes que ponerlos en mi escritorio. No debes dárselos a mi secretaria.

   ____

   ____

2. Tienes que ir a casa de Rogelio y decirle que lo esperamos. No debes decirle nada a Luis.

   ____

   ____

3. Tienes que levantarte a las seis y salir de tu casa a las siete. No debes quedarte en la oficina después de las cinco.

____

____

____

E. Complete the following, using the Spanish equivalent of the words in parentheses. (8 pts.)

1. Elena ______________________ Roberto. (*married*)
2. Yo ______________________ que ésa era la sección de fumar. (*realized*)
3. No salen el martes, ______________________ el miércoles. (*but*)

F. What would you say in the following situations? (15 pts.)

1. You tell your traveling companion to put his/her carry-on bag under the seat.

____

2. You tell the travel agent that you want a round-trip ticket to Buenos Aires.

____

G. Give the correct word or phrase that corresponds to the following, using vocabulary from **Lección 12.** (10 pts.)

1. lugar de donde salen los aviones: ______________________
2. documento que necesitamos para viajar a otro país: ______________________
3. persona que sirve la comida en el avión: ______________________
4. maleta: ______________________
5. mostrar: ______________________
6. lo que damos antes de subir al avión: ______________________
7. lo que le decimos a alguien que viaja: ______________________
8. opuesto de **confirmar:** ______________________
9. bolso de mano: ______________________
10. cambiar de avión: ______________________

¡Extra! Complete the following sentence with the appropriate cultural information. (2 pts.)

En algunos países de habla hispana, se usa la forma ______________________ en lugar de la forma **tú** en la conversación.

Name ______________________ Section __________ Date __________

Lección 13 Prueba A

A. Answer the oral questions, using complete sentences. (25 pts.)

1. ______________________
2. ______________________
3. ______________________
4. ______________________
5. ______________________

B. Finish the following sentences in your own words, using the present indicative or the present subjunctive appropriately. (14 pts.)

1. Yo creo que el hotel Hilton ______________________.
2. No dudo que mis amigos ______________________.
3. No es verdad que una pensión ______________________.
4. Mis padres no creen que yo ______________________.
5. Yo estoy seguro de que los pasajes ______________________.
6. Yo dudo que las vacaciones de mi amigo ______________________.
7. Es cierto que la clase de español ______________________.

C. Complete the following sentences, using the present indicative or the present subjunctive of the verbs given. (9 pts.)

1. Necesito hablar con el gerente. Voy a esperarlo hasta que ______________ (venir) y voy a hablar con él en cuanto lo ______________ (ver).
2. Nosotros siempre llevamos dos maletas cuando ______________ (viajar), a menos que el viaje ______________ (ser) muy corto.
3. Tan pronto como ellos ______________ (terminar) el trabajo, van a hablar con el gerente.
4. Yo puedo comprar los pasajes con tal de que tú me ______________ (dar) el dinero.
5. Siempre lo esperamos hasta que ______________ (llegar) para que nos ______________ (llevar) a la universidad.
6. No puedo salir antes de que mis padres me ______________ (llamar).

D. You and a friend are going to a restaurant together. Let him know your preferences by answering his questions with first-person plural commands. (15 pts.)

1. ¿A qué restaurante vamos?

____

2. ¿Dónde nos sentamos?

____

Name ______________________ Section __________ Date __________

3. ¿Qué pedimos para comer?

____

4. ¿Cuánto le dejamos de propina al mozo?

____

5. ¿A qué hora volvemos a casa?

____

E. Complete the following, using **qué** or **cuál,** as appropriate. (5 pts.)

1. ¿__________ es la dirección del hotel?
2. ¿__________ es el guaraní?
3. ¿__________ es un balneario?
4. ¿__________ es el número de teléfono del gerente?
5. ¿__________ es el apellido de Juan Carlos?

F. You are traveling in Mexico and want to get a room at a hotel. Write four questions that you would ask the desk clerk. (12 pts.)

1. ______________________________
2. ______________________________
3. ______________________________
4. ______________________________

G. Complete the following sentences, using vocabulary from **Lección 13.** (10 pts.)

1. El __________ es al mediodía y el desayuno es a las siete.
2. Queremos una __________ matrimonial.
3. El hotel está en la __________ Quinta, número 124.
4. El hotel es de él. Él es el __________.
5. Siempre comemos en el __________ de la pensión.
6. Dejamos las joyas en la caja de __________.
7. Necesito la __________ para abrir la puerta.
8. Fuimos al cine y vimos una __________ muy buena.
9. Voy a __________ de terminar el trabajo hoy.
10. Anita, no te __________ de traer tu pasaporte.

Name ______________________________ Section __________ Date __________

H. Write a short paragraph, describing your idea of a five-star hotel. Talk about location, prices, and the accommodations you expect. (10 pts.)

____

____

____

____

____

____

____

____

¡Extra! Complete the following sentence with the appropriate cultural information. (2 pts.)

Paraguay es el principal exportador de energía ____________________ del mundo.

Name ______________________ Section __________ Date __________

Lección 13 Prueba B

A. Answer the oral questions, using complete sentences. (25 pts.)

1. ______________________
2. ______________________
3. ______________________
4. ______________________
5. ______________________

B. Complete the following sentences, using the present indicative or the present subjunctive, as appropriate. (16 pts.)

1. Vamos a hablar con el gerente tan pronto como lo ______________ (ver).
2. No podemos salir de viaje a menos que mi padre nos ______________ (dar) el dinero.
3. Yo no creo que las habitaciones ______________ (tener) aire acondicionado, pero estoy segura de que ______________ (tener) calefacción.
4. Dudo que el restaurante ______________ (servir) la cena después de las diez, pero no dudo que usted ______________ (poder) comer en el cuarto.
5. En cuanto ellos ______________ (llegar) a Asunción, me van a llamar para que yo ______________ (ir) a verlos.
6. Ana y Eva van a ir con tal de que nosotros ______________ (ir) con ellas.
7. Es verdad que ellos ______________ (cobrar) cien dólares por el cuarto, pero no es verdad que el precio ______________ (incluir) la cena.
8. No pueden limpiar la habitación antes de que tú la ______________ (desocupar).
9. Nosotros siempre llevamos cheques cuando ______________ (viajar), y creo que ustedes ______________ (deber) llevarlos también.
10. Marta siempre me espera hasta que yo ______________ (terminar) de trabajar.
11. Alberto siempre viene cuando tú lo ______________ (llamar).

C. You and your family are planning a trip. Using the first-person plural commands, give suggestions about what to do and where to go. (12 pts.)

1. adónde vamos ______________________
2. lugar donde nos hospedamos ______________________
3. tipo de habitación que reservamos ______________________
4. tiempo que vamos a quedarnos ______________________

Name ______________________ Section __________ Date __________

D. You are traveling in Asunción and want to get a room at a hotel. Write four questions you would ask the desk clerk. (12 pts.)

1. ______________________
2. ______________________
3. ______________________
4. ______________________

E. Complete the following exchanges, using the Spanish equivalent of the words in parentheses. (15 pts.)

1. —Tenemos que salir a las ocho.
   —Entonces, ______________________. (*let's get up at seven*)
2. —¿Tienen que esperar?
   —Sí, hasta que ______________________. (*they vacate the room*)
3. —¿Vas a hablar con el gerente?
   —Sí, ______________________. (*unless he arrives late*)
4. —¿______________________ la dirección del hotel? (*What is*)
   —Calle Quinta, número 124.
5. —¿Qué vas a hacer?
   —Voy a limpiar mi casa en caso de que mi suegra ______________________. (*comes to visit us*)

F. Give the correct word or phrase that corresponds to the following vocabulary from **Lección 13.** (12 pts.)

1. ducha ______________________
2. habitación ______________________
3. en cuanto ______________________
4. elevador ______________________
5. opuesto de **bajar** ______________________
6. lo que necesito para abrir la puerta ______________________
7. no creer en algo ______________________
8. opuesto de **caliente** ______________________
9. lo que vemos en el cine ______________________
10. quedarse en un hotel, por ejemplo ______________________
11. propietario, persona que tiene un negocio ______________________
12. las doce del día ______________________

Name ______________________ Section ____________ Date ____________

G. Read the following information and then circle **V** for **Verdadero** or **F** for **Falso** for each statement. (8 pts.)

Carmen y Rosa están de vacaciones en Paraguay. Están en el hotel Asunción, que es uno de los mejores de la ciudad. Tienen una habitación con vista al jardín. Como las chicas tienen hambre y están muy cansadas, deciden comer en la habitación. Carmen y Rosa piensan quedarse en Asunción por una semana y después ir a visitar a unos amigos que viven en Mar del Plata.

¿Verdadero o falso?

1. Carmen y Rosa viven en Paraguay. V F
2. El hotel Asunción es muy bueno. V F
3. La habitación que tienen las chicas es interior. V F
4. El hotel tiene servicio de habitación. V F
5. Las chicas van a quedarse en Asunción siete días. V F
6. Carmen y Rosa van a estar solamente en Asunción. V F
7. Carmen y Rosa no conocen a nadie en Mar del Plata. V F
8. Piensan pasar mucho tiempo en Mar de Plata. V F

¡Extra! Complete the following sentence with the appropriate cultural information. (2 pts.)

En una pensión, el precio incluye el cuarto y las ______________________.

Name ______________________ Section __________ Date __________

Lección 14 Prueba A

A. Answer the oral questions, using complete sentences. (25 pts.)

1. ______________________
2. ______________________
3. ______________________
4. ______________________
5. ______________________

B. Change all verbs to the future tense. (10 pts.)

1. Salimos de mi casa a las siete y llegamos a las ocho.
____
2. ¿A qué hora vienen ellos mañana? ¿Tienen que trabajar?
____
3. Tú no puedes quedarte; debes volver en enero.
____
4. Pongo el dinero en el banco y no digo nada.
____
5. Hoy hay una fiesta.
____
6. ¿Qué hace Ud. hoy?
____

C. What would you and the following people do in these situations? Respond using the conditional tense. (15 pts.)

1. A ti te dan cien dólares.
____
2. A tus amigos los invitan a una fiesta, pero ellos tienen un examen.
____
3. Tú y tu familia van a tener una visita importante.
____

D. Change the following sentences, according to the new beginnings. (8 pts.)

1. Quieren que yo vaya. Querían que ______________________.
2. Esperan que nosotros lo hagamos. Esperaban que nosotros lo ______________________.
3. No creo que ella venga. No creí que ______________________.
4. No hay nadie que lo sepa. No había nadie que lo ______________________.
5. Dudo que ellos puedan ir. Dudaban que ______________________ ir.

Name ______________________ Section ____________ Date ____________

6. ¿Hay alguien que quiere comprarlo? ¿Había alguien que ____________ comprarlo?
7. Te sugiero que se lo digas. Te sugerí que se lo ____________.
8. Temen que yo llegue tarde. Temían que ____________ tarde.

E. Complete the following sentences in your own words, using the imperfect subjunctive or the present indicative. (18 pts.)

1. Nosotros iríamos a Buenos Aires si ____________.
2. Yo voy a alquilar la casa si ____________.
3. Tú podrías tener una "A" en esta clase si ____________.
4. Nosotros nos casaríamos si ____________.
5. Tú tendrías dinero si ____________.
6. Ella gasta dinero como si ____________.
7. Yo te voy a comprar un auto si tú ____________.
8. Los estudiantes aprenderían más si ____________.
9. Él come como si ____________.

F. Match the questions in column A with the answers in column B. (12 pts.)

A	B
1. ¿Es el hijo de tu padrastro?_____	a. Sí, es mi madrastra.
2. ¿Qué tienes que armar?_____	b. No, voy a cazar.
3. ¿Es un río?_____	c. No, estamos aburridos.
4. ¿Dónde vamos a dormir?_____	d. Un par de días.
5. ¿Es la esposa de tu papá?_____	e. Tomar el sol.
6. ¿Se están divirtiendo?_____	f. La tienda de campaña.
7. ¿Qué van a hacer en la playa?_____	g. No, en un apartamento.
8. ¿Vas de pesca?_____	h. No, es un lago.
9. ¿Es tu bisabuelo?_____	i. Un sofá.
10. ¿Cuánto tiempo vas a estar allí?_____	j. Sí, es mi hermanastro.
11. ¿Qué compraste para la sala?_____	k. Sí, yo soy su bisnieto.
12. Viven en una casa?_____	l. En el cuarto de huéspedes.

Name ______________________ Section __________ Date __________

G. Write a dialogue between two friends who are planning a weekend together. Discuss several outdoor activities that you want to do. (12 pts.)

____

____

____

____

____

____

____

____

¡Extra! Complete the following sentence with the appropriate cultural information. (2 pts.)

La ____________________ del Sol es el centro tradicional de la ciudad de Madrid.

Name ______________________ Section __________ Date __________

Lección 14 Prueba B

A. Answer the oral questions, using complete sentences. (25 pts.)

1. ______________________
2. ______________________
3. ______________________
4. ______________________
5. ______________________

B. Change the following questions to the future tense. (8 pts.)

1. ¿A qué hora vas a salir?
____
2. ¿Con quién van a venir ellos?
____
3. ¿Le vas a decir que sí o que no?
____
4. ¿Qué van a hacer Uds. de postre?
____
5. ¿Dónde va a poner las flores Marta?
____
6. ¿Cuándo van a tener la fiesta tus amigos?
____
7. ¿Cuándo pueden ir Uds. al taller de mecánica?
____
8. ¿Cuándo hay un examen en esta clase?
____

C. Using the cues provided, say what the following people *would do* differently from you. (16 pts.)

1. Yo me levanto temprano. Uds. ______________________.
2. Yo desayuno a las ocho. Tú ______________________.
3. Yo salgo de casa a las diez. Ellos ______________________.
4. Yo voy a la universidad en autobús. Mi mamá ______________________.
5. Yo almuerzo en la cafetería. Pedro ______________________.
6. Yo pongo los platos en el fregadero. Ud. ______________________.
7. Yo vuelvo a mi casa a las nueve. Nosotros ______________________.
8. Yo me acuesto a las once. Ana y Juan ______________________.

Name ______________________ Section __________ Date __________

D. Complete the following dialogues, using the imperfect subjunctive of the verbs given. (10 pts.)

1. —¿Qué te dijo tu padre que __________ (hacer)?
   —Me dijo que __________ (ir) al mercado y __________ (comprar) fruta, y que __________ (volver) enseguida.
2. —¿Qué querías tú?
   —Yo quería que mis amigos __________ (venir) a verme y que me __________ (traer) la bolsa de dormir.
3. —¿Había alguien que __________ (poder) hacer el trabajo?
   —Sí, pero no había nadie que __________ (querer) hacerlo.
4. —Yo no creí que tu tío __________ (saber) esquiar.
   —Y yo no creí que __________ (tener) tiempo para ir con nosotros.

E. Complete the following statements, using the present indicative or the imperfect subjunctive. (10 pts.)

1. Yo iría a Barcelona si ______________________.
2. Ellos comen como si ______________________.
3. Tú irías con ellos si ______________________.
4. Nosotros los llamaríamos si ______________________.
5. Pedro va a comprar la casa si ______________________.

F. What would you say in the following situations? (13 pts.)

1. You ask a friend if he/she would like to go hiking or to go fishing.

   ____

2. You ask a friend if he/she can put up a tent.

   ____

G. Complete the following sentences, using vocabulary from **Lección 14.** (12 pts.)

1. Si haces eso, vas a __________ dos __________ de un tiro.
2. ¿Me preguntas si quiero ir a Hawaii? ¡Por __________!
3. Vamos a pasar un __________ de días en la playa y vamos a tomar el __________.
4. Ella es la esposa de mi papá, pero no es mi mamá; es mi __________.
5. Me gustan las __________ al aire __________.
6. No puedo ir en canoa porque no sé __________.
7. Vamos a ir a __________ una montaña.
8. Yo duermo en el cuarto de __________ y ella duerme en la sala de __________.

Name ______________________ Section ____________ Date __________

H. Read the following dialogue, and then circle **V** for **Verdadero** or **F** for **Falso** for each statement. (6 pts.)

Jorge —Me voy a mudar. La casa de mis padres es muy pequeña.

Oscar —Si yo fuera tú no me mudaría. Tú no tienes muebles.

Jorge —Pero tengo una bolsa de dormir.

Oscar —¿Y qué vas a comer?

Jorge —Puedo ir de pesca...

Oscar —Y comerías pescado todos los días.

Jorge —Tienes razón... Si me mudo, voy a tener muchos problemas.

¿Verdadero o falso?

1. A Jorge no le gusta la casa de sus padres. V F
2. Oscar cree que no es una buena idea que Jorge se mude. V F
3. Jorge puede dormir en su cama. V F
4. Jorge piensa que puede ir a cazar. V F
5. Oscar ha convencido a Jorge. V F
6. Jorge decide mudarse. V F

¡Extra! Complete the following sentence with the appropriate cultural information. (2 pts.)

En Barcelona hablan español y ____________________.

Name ______________________ Section ____________ Date __________

Examen final A (Lecciones 8-14)

(300 points)

A. Answer the oral questions, using complete sentences. (60 pts.)

1. ______________________
2. ______________________
3. ______________________
4. ______________________
5. ______________________
6. ______________________
7. ______________________
8. ______________________
9. ______________________
10. ______________________
11. ______________________
12. ______________________

B. Give your friend the following commands, using the **tú** form. (20 pts.)

1. **Ir** al mercado, **comprar** vegetales y **ponerlos** en la cocina. No **dejarlos** en el comedor.

____

____

2. **Levantarse** temprano y **hacer** la comida. **Llamar** a Esteban y **decirle** que la fiesta es el sábado, pero no **decírselo** a Raúl.

____

____

3. **Venir** a mi casa y **traerme** los discos, pero no **traerme** la cintas.

____

____

C. Write four things that your parents told you *to do*, and four things they told you *not to do*. Be sure to use the imperfect subjunctive. (16 pts.)

Mis padres me dijeron que

1. ______________________
2. ______________________
3. ______________________
4. ______________________

Mis padres me dijeron que no

1. ______________________

Name ______________________ Section __________ Date __________

2. ______________________________
3. ______________________________
4. ______________________________

D. Complete the following sentences in your own words, using the subjunctive or indicative as appropriate. (20 pts.)

1. Yo quiero que tú ______________________________.
2. Dudo que mis amigos ______________________________.
3. Conozco a una chica que ______________________________.
4. Busco un restaurante que ______________________________.
5. No es verdad que Uds. ______________________________.
6. Mis padres esperaban que yo ______________________________.
7. Aquí no hay nadie que ______________________________.
8. Iré a nadar a menos que ______________________________.
9. Lo voy a llamar en cuanto ______________________________.
10. Creo que mi amiga ______________________________.

E. You and a friend are going to a restaurant for dinner. Suggest four things that you and he/she should do. Use the first-person plural command. (12 pts.)

1. ______________________________
2. ______________________________
3. ______________________________
4. ______________________________

F. Complete the following passages, using **por** or **para.** (10 pts.)

1. Los chicos vinieron ayer __________ la noche. Llegaron muy tarde __________ el tráfico. Tuvieron que manejar a veinte kilómetros __________ hora. Yo había preparado la comida __________ ellos, pero no comieron. Me dijeron que la próxima vez vendrían __________ avión y que se quedarían conmigo __________ dos semanas.
2. Yo pagué cien dólares __________ el vestido que compré __________ ir a la fiesta. Lo necesito __________ el sábado. No compré las sandalias que quería __________ no tener dinero.

G. Read the sentences that describe what happened yesterday, and rewrite them to say that the same things will happen in the future. (12 pts.)

1. Ella se levantó temprano y salió. Mañana ______________________________.
2. Fuimos al banco y pusimos dinero en la cuenta. La próxima semana ______________________________
______________________________.

Name ______________________ Section __________ Date __________

3. Ellos me invitaron a salir y les dije que no. El sábado próximo______________________________
______________________________.
4. Yo hice la tarea y se la di al profesor. El próximo lunes______________________________
______________________________.
5. Tú diste una fiesta y tuviste muchos invitados. Vinieron todos tus amigos y se divirtieron mucho. Mañana______________________________
______________________________.

H. The following sentences describe what Marta does. Rewrite them, using the conditional tense to describe what the people indicates would do differently. (10 pts.)

1. Compra un Ford. Yo ______________________________
2. Se levanta a las ocho de la mañana. Tú ______________________________
3. No invita a nadie a sus fiestas. Nosotros ______________________________
4. Siempre dice que no. Uds. ______________________________
5. Sale muy tarde de su casa. Ellos ______________________________

I. Complete the following passages, using the preterit or the imperfect of the verbs given. (12 pts.)

1. Cuando yo __________ (ser) chica, mi familia y yo __________ (vivir) en Colorado. Todos los inviernos __________ (ir) a esquiar. Cuando yo __________ (tener) quince años, nos __________ (mudar) a California.
2. Ayer el profesor nos __________ (decir) que nosotros __________ (tener) que estudiar más. Ana y yo __________ (ir) a la biblioteca anoche y __________ (estar) allí hasta las diez. Cuando __________ (volver) a casa, __________ (ser) las once y __________ (llover) mucho.

J. Complete the following sentences with the Spanish equivalent of the words in parentheses. (33 pts.)

1. Mis hijos gastan dinero ______________________. (*as if they were rich*)
2. ______________________, no compraría ese coche. (*If I were you*)
3. Nosotros ______________________ de ir al supermercado. (*haven't had time*)
4, Ella ______________________ llevarnos al club. (*insists on*)
5. Yo ______________________ que ella estaba enferma. (*didn't realize*)
6. Ellos ______________ del hospital antes de que ______________. (*went out / we arrived*)
7. Dale esta carta a Olga ______________________. (*as soon as she arrives*)
8. Yo lo voy a llamar para que él ______________. (*will come to see me*)
9. Yo no necesito tu dirección ______________ tu número de teléfono. (*but*)

Name ______________________ Section ____________ Date ____________

10. ¿______________ el apellido de Sergio? Se lo voy a preguntar en cuanto ______________. (*What is / I see him*)

K. Complete the following sentences with the correct vocabulary words. (30 pts.)

1. Tide y Fab son los ______________ que uso para ______________ la ropa.
2. Ellos van a celebrar su ______________ de bodas con una fiesta.
3. El mozo nos ______________ la especialidad de la casa: biftec con ______________ fritas.
4. Vamos a llevarlo a la sala de rayos X para hacerle una ______________, para ver si se ha ______________ la pierna.
5. Tiene una ______________ de 39 grados y también tiene ______________ de cabeza.
6. No puedo recetarle penicilina porque él es ______________ a esa medicina.
7. ¿Tiene Ud. alguna excursión que ______________ el hotel y las comidas?
8. Deben darle la tarjeta de ______________ a la ______________ de vuelo y poner los bolsos de mano ______________ del asiento.
9. Tenemos muchas maletas. Tenemos demasiado ______________.
10. Queremos una habitación con ______________ privado, con una ______________ doble y con ______________ a la playa.
11. Vamos a dejar las joyas en la caja de ______________ del hotel.
12. Voy a ______________ la aspiradora y también necesito la ______________ para barrer la cocina.
13. Necesito los platos y el ______________ para ______________ la mesa.
14. Voy a comprar una ______________ de dormir para ir a acampar.
15. Tus padres nos van a regalar los muebles para la sala de ______________.
16. ¿Tú sabes armar la ______________ de campaña?
17. Compré esta blusa en la ______________ de regalos.
18. Es la esposa de mi papá, pero no es mi mamá; es mi ______________.
19. ¿Lavas los platos en el fregadero o en el ______________?
20. El cielo está ______________; va a llover.

L. Read the following story, and then circle **V** for **Verdadero** or **F** for **Falso** for each statement. (30 pts.)

Hoy Marta y Luis van a celebrar su segundo aniversario de bodas con una fiesta en su casa; por eso están muy ocupados limpiando la casa, porque muchos de sus amigos vendrán a celebrar con ellos.

Como regalo de aniversario, los padres de Marta les compraron los pasajes para ir de vacaciones a Puerto Rico. Ellos van a hacer el viaje en agosto, porque en ese mes ni Marta ni Luis tiene que tomar clases en la universidad.

Name ______________________ Section __________ Date __________

Marta y Luis van a viajar en avión, y piensan estar en Puerto Rico por dos semanas. Allí van a pasar el tiempo nadando en la playa y en la piscina del hotel. También van a comprar muchos regalos para sus amigos y para su familia.

La hermana de Marta se va a casar en septiembre y Marta les sugiere que vayan a Puerto Rico. A ella le gusta la isla. Luis les ha dicho que les va a traer algunos folletos de las distintas (*different*) excursiones para que puedan decidir. Muchas excursiones incluyen el hotel.

¿Verdadero o falso?

1. Hace dos años que Marta y Luis se casaron. V F
2. Hoy Marta y Luis no tienen mucho trabajo. V F
3. Hoy ellos van a tener muchos invitados. V F
4. Marta y Luis no recibieron ningún regalo en su aniversario. V F
5. Marta y Luis son estudiantes. V F
6. Ellos pagaron mucho dinero por los pasajes a Puerto Rico. V F
7. Ellos van a viajar en invierno. V F
8. Ellos van a volar para ir a Puerto Rico. V F
9. A Marta y a Luis no les gusta nadar. V F
10. En Puerto Rico ellos no van a ir de compras. V F
11. Marta va a estar en Puerto Rico cuando su hermana se case. V F
12. Marta cree que Puerto Rico es el lugar ideal para unas vacaciones. V F
13. A Marta no le gusta Puerto Rico. V F
14. Luis no piensa traerle nada a su familia. V F
15. No hay ninguna excursión que incluya el hotel. V F

Name ______________________ Section ____________ Date ____________

M. Write a dialogue or composition (60 to 80 words) on one of the following topics. (35 pts.)

Dialogue

1. En la agencia de viajes
2. Hablando con el farmacéutico
3. En la pensión

Composition

1. La mujer (El hombre) ideal
2. Mis vacaciones

____

____

____

____

____

____

____

____

____

____

____

____

____

____

____

¡Extra! Cultural information. Circle the correct answer. (6 pts.)

1. Los servicios médicos son (gratis, muy caros) en la mayoría de los países hispanos.
2. La ciudad de Quito está situada muy (lejos, cerca) de la línea del ecuador.
3. Cuzco fue la capital de los (aztecas, incas).
4. La ciudad más grande del hemisferio sur es (Bogotá, Buenos Aires).
5. Paraguay (tiene, no tiene) salida al mar.
6. El Museo del Prado está en (Barcelona, Madrid).

Name ______________________ Section ____________ Date __________

Examen final B (Lecciones 8-14)

(300 points)

A. Answer the oral questions, using complete sentences. (60 pts.)

1. ______________________
2. ______________________
3. ______________________
4. ______________________
5. ______________________
6. ______________________
7. ______________________
8. ______________________
9. ______________________
10. ______________________
11. ______________________
12. ______________________

B. Respond to the following questions, using the **tú** command form. (30 pts.)

1. Tengo hambre y en mi casa no hay nada para comer. ¿Qué hago?

   ____

2. Mi hija quiere un coche muy caro. ¿Se lo compro o no?

   ____

3. Un(a) chico(a) muy antipático(a) me invitó a salir. ¿Le digo que sí o que no?

   ____

4. Mañana tengo un examen muy difícil. ¿Qué hago?

   ____

5. Hace mucho calor. ¿Me pongo un suéter?

   ____

6. Tengo invitados esta noche. ¿Qué hago de postre?

   ____

7. Me trajeron flores. ¿Dónde las pongo?

   ____

8. El domingo no tengo nada que hacer. ¿Me levanto temprano o no?

   ____

9. ¿A qué hora vengo mañana?

   ____

10. Mi hermana está enferma. ¿Adónde la llevo?

   ____

Name ______________________ Section __________ Date __________

C. Complete the following sentences in your own words. (36 pts.)

1. Yo quiero que tú ______________________.
2. Dudo que mis padres ______________________.
3. Busco una casa que ______________________.
4. Estoy seguro de que tú ______________________.
5. En la clase no hay nadie que ______________________.
6. Yo iría a España si ______________________.
7. El profesor quería que yo ______________________.
8. Mi mejor amiga gasta dinero como si ______________________.
9. Iremos de vacaciones a menos que ______________________.
10. Me va a llamar en cuanto ______________________.
11. Siempre compro muchas cosas cuando ______________________.
12. Voy a llamar a mi mamá para que ______________________.

D. You and a friend are spending the weekend together. Suggest four things that you can do. Use first-person plural commands. (12 pts.)

1. ______________________
2. ______________________
3. ______________________
4. ______________________

E. What will these people do tomorrow? Use the future tense of the verbs given. (12 pts.)

1. Yo / tener ______________________
2. Ud. / hacer ______________________
3. Nosotros / salir ______________________
4. Mi papá / no poder ______________________
5. Tú / ir ______________________
6. Uds. / traer ______________________

F. The following sentences describe what Marisol does. Using the conditional, describe what the others would do differently. (12 pts.)

1. Sale temprano de su casa.

   Tú ______________________.
2. Va a la playa por la mañana.

   Nosotros ______________________.
3. Viene a la universidad por la tarde.

   Yo ______________________.

4. No pone su dinero en el banco.
   Ellos ______________________________.
5. Cuando la invitan a una fiesta dice que no.
   Carmen ______________________________.
6. Viaja en avión.
   Uds. ______________________________.

G. Complete the following sentences, using the preterit or the imperfect of the verbs given. (13 pts.)

1. Yo ______________ (vivir) con mis abuelos cuando ______________ (ser) niña, pero cuando ______________ (tener) quince años ______________ (mudarse) con mi hermana.
2. Ayer mi mamá me ______________ (decir) que yo ______________ (necesitar) ir al médico y que mi hermano ______________ (poder) llevarme.
3. ______________ (Ser) las diez cuando nosotros ______________ (salir) de casa anoche. ______________ (Haber) mucha niebla y por eso ______________ (tener) un accidente.
4. Tú siempre ______________ (ir) a la playa en el verano, pero el año pasado no ______________ (ir).

H. Finish these sentences in an original manner. Use the imperfect subjunctive. (12 pts.)

1. Yo iría a México si ______________________________.
2. Mis padres vendrían si ______________________________.
3. Mi amigo estudiaría si ______________________________.
4. Tú me aconsejas como si ______________________________.
5. Nosotros le regalaríamos un auto si ______________________________.
6. Uds. gastan dinero como si ______________________________.

I. Complete the following sentences with **por** or **para.** (10 pts.)

1. Necesito el dinero __________ mañana __________ la mañana. Tengo que comprar un vestido __________ mi hija, que lo necesita __________ ir a una fiesta. Espero no tener que pagar mucho __________ el vestido.
2. Mis amigos van a estar en mi casa __________ dos semanas. Van a viajar __________ avión y me van a llamar __________ teléfono cuando lleguen __________ que yo vaya __________ ellos.

Name ______________________________ Section ____________ Date ____________

J. Give the Spanish equivalent of the words in parentheses. (33 pts.)

1. Pedro comió ______________________. (*as if he were very hungry*)
2. Yo no saldría con él ______________________. (*if I were you*)
3. Yo ______________________ de ir a la tintorería. (*haven't had time*)
4. Ellas ______________________ verse mañana. (*agreed on*)
5. Tú ______________________ que ellos no tenían dinero. (*didn't realize*)
6. Marisa ____________ de la universidad antes de que ellos ____________. (*left / arrived*)
7. Dile a Silvia que venga ______________________. (*as soon as she calls*)
8. Lo llevaron al hospital porque ______________________. (*he has a broken leg*)
9. No necesito su dirección ______________________ su número de teléfono. (*but*)
10. ¿______________________ la dirección de tus padres? (*What was*)

K. Complete the following sentences with the appropriate vocabulary word. (20 pts.)

1. Necesito tu bolsa de ____________.
2. Compré una ____________ de pescar.
3. Me gusta el ____________ acuático.
4. Necesito tu tienda de ____________.
5. De ____________ quiero helado.
6. Pagué la cuenta y le dejé una buena ____________ al mozo.
7. ¿Quiere un asiento de pasillo o un asiento de ____________?
8. Si tiene cuatro maletas, tiene que pagar exceso de ____________.
9. Compré los billetes en la agencia de ____________.
10. No es un vuelo directo. El avión hace ____________ en Caracas.
11. Compramos dos pasajes de ida y ____________.
12. El baño no tiene ducha; tiene ____________.
13. ¿A qué hora debemos ____________ el cuarto en el hotel?
14. Queremos un cuarto con ____________ a la calle.
15. La casa tiene calefacción y aire ____________.
16. Necesito la escoba para ____________ la cocina.
17. Maté dos ____________ de un tiro.
18. No me gusta mi casa. Me voy a ____________.
19. En la playa vamos a ____________ el sol.
20. Es el esposo de mi mamá, pero no es mi papá. Es mi ____________.

L. Read the following story, and then circle **V** for **Verdadero** or **F** for **Falso** for each statement. (20 pts.)

Carmen y Lolita fueron de vacaciones a Argentina. Salieron un sábado; el avión hizo escala en Panamá y llegaron a Buenos Aires el domingo. Fueron en una excursión que incluía el hotel. Carmen llevó dos maletas, pero Lolita llevó cuatro y un bolso de mano.

Cuando llegaron al hotel, comieron en el cuarto y se acostaron porque estaban muy cansadas.

Las chicas estuvieron dos semanas en Buenos Aires y se divirtieron muchísimo. Volvieron a Los Ángeles para asistir a la boda del hermano de Carmen.

¿Verdadero o falso?

1. Lolita viajó acompañada. V F
2. Las chicas viajaron entre semana. V F
3. El vuelo fue directo. V F
4. Fue un vuelo muy corto. V F
5. No tuvieron que pagar extra por el hotel. V F
6. Lolita llevó más equipaje que Carmen. V F
7. El hotel tenía servicio de habitación. V F
8. Lolita y Carmen salieron después de comer. V F
9. Las chicas pasaron más de un mes en Buenos Aires. V F
10. A las chicas no les gustó Buenos Aires. V F

Name ______________________ Section ____________ Date __________

M. Write a dialogue or composition (70 to 90 words) on one of the following topics. (30 pts.)

Dialogue	*Composition*
1. En el restaurante	1. Mis vacaciones
2. Hablando con el médico	2. Cuando yo era niño
3. En el hotel	

¡Extra! Cultural information. Circle the correct answer. (6 pts.)

1. En las botánicas se pueden comprar diferentes clases de (medicinas, hierbas) para curar los dolores.
2. En la mayoría de los países hispanos cuando una mujer se casa (pierde, retiene) su apellido de soltera.
3. La moneda de Paraguay es el (balboa, guaraní).
4. El Museo del Prado se encuentra en un edificio (moderno, antiguo).
5. La ciudad más grande del hemisferio sur es (Caracas, Buenos Aires).
6. La población de Buenos Aires es casi enteramente de origen (europeo, indio).

Answer Key

Lección 1, Prueba A

A. *Answers will vary*
1. ¿Cómo te llamas?
2. ¿De dónde eres tú?
3. ¿Uds. son profesores o estudiantes?
4. ¿Cuántas pizarras hay en la clase?
5. ¿Cómo se dice "*clock*" en español?

B. 1. 10 2. 7 3. 4 4 . 0 5. 5 6. 8

C. son / somos / soy / es / es

D. 1. la 2. el 3. los 4. las 5. el 6. la 7. los 8. los 9. el 10. los

E.
1. una _____ cubana
2. unos _____ simpáticos
3. una _____ nueva

F.
1. ¿Cómo se llama Ud.?
2. El gusto es mío.
3. De nada.
4. ¿Qué quiere decir "escritorio"?
5. ¿Cómo es tu nuevo(a) compañero(a) de clase?

G.
1. la tablilla de anuncios
2. la computadora
3. la pluma (el bolígrafo)
4. la puerta
5. el cesto de papeles
6. el mapa

H. 1. verde 2. anaranjado 3. gris 4. rosado

I. *Answers will vary.*

¡Extra! antiguas

Lección 1, Prueba B

A. *Answers will vary.*
1. ¿Cómo se llama usted?
2. ¿De dónde es usted?
3. ¿Son ustedes norteamericanos?
4. ¿Cómo se dice "purple" en español?
5. ¿Hay clases mañana?

B. To be read twice by instructor [Note: In listening activities of this type you may want to adjust the level of difficulty by giving the students the paragraph or the T/F statements in print.]

Carlos es el nuevo compañero de clase de Marisa. Carlos es de México. Es alto y delgado. No es muy guapo, pero es simpático y muy inteligente.
1. Carlos y Marisa son compañeros de clase. (V)
2. Carlos es cubano. (F)
3. Carlos es alto y delgado. (V)
4. Carlos es muy guapo. (F)
5. Carlos es simpático. (V)
6. Carlos no es inteligente. (F)

C. 1. unas 2. un 3. una 4. unos 5. unas 6. unos 7. unos 8. una

D. eres / soy / son / somos / es / son

E.
1. las _____ españolas
2 la _____ inglesa
3. las _____ azules

F. 1. cero 2. seis 3. diez 4. tres 5. uno 6. siete 7. dos 8. nueve

G.
1. El gusto es mío.
2. ¿Cómo te llamas?
3. ¿Cómo es tu nuevo(a) compañero(a) de clase?
4. ¿Qué quiere decir "ciudad"?
5. ¿Qué hay de nuevo?

H. hache-e-ce-te-o-ere de-i-a-zeta

I. 1. mapa 2. tablilla 3. borrador / tizas 4. cuadernos 5. lápices 6. cesto

¡Extra! María

Lección 2, Prueba A

A. *Answers will vary.*
1. ¿Qué día es hoy?
2. ¿A qué hora es la clase de español?
3. ¿Dónde trabajas tú?
4. ¿Cuántas asignaturas tomas tú?
5. ¿Dónde trabajas tú?

B. 1. 28 2. 100 3. 69 4. 56 5. 15 6. 18

C. 1. hablan / habla 2. conversamos 3. trabajan 4. deseo 5. necesitas

D.
1. Son las once menos cuarto.
2. Es la una y media.
3. Son las nueve y veinte.

E. 1. una 2. un 3. unas 4. un 5. unas 6. una 7. una 8. un

F.
1. el veinticinco de diciembre
2. el cuatro de julio
3. el treinta y uno de octubre
4. *Answers will vary.*

G. 1. invierno 2. otoño 3. primavera 4. verano

H. 1. mis 2. sus 3. sus 4. nuestra 5. tu

I. 1. No deseo tomar...
2. ¿Trabajas (Trabaja) en la universidad?

J. 1. taza / vaso 2. botella / vino 3. agua 4. cuarto (clase) 5. quién 6. asignatura

K. 1. F 2. V 3. F 4. V 5. V

¡Extra!: españoles

Lección 2, Prueba B

A. *Answers will vary.*
1. ¿Ud. estudia por la mañana, por la tarde o por la noche?
2. ¿Ud. toma clases en el verano?
3. ¿Qué desea tomar Ud.?
4. ¿Qué fecha es hoy?
5. ¿Qué hora es?

B. 1. 87 2. 92 3. 100 4. 49 5. 150

C. *To be read twice by the instructor:*

Daniel y Verónica son dos estudiantes latinoamericanos que estudian en la Universidad de California en San Diego. Daniel toma seis clases, pero las clases son fáciles y él no trabaja. Verónica toma cuatro clases y trabaja en la biblioteca. Daniel y Verónica toman una clase de historia a las ocho de la mañana.

1. Verónica es norteamericana. (F)
2. Daniel y Verónica estudian en Los Ángeles. (F)
3. Daniel toma seis clases. (V)
4. Las clases de Daniel son muy difíciles. (F)
5. Daniel estudia, pero no trabaja. (V)
6. Verónica no toma clases este semestre. (F)
7. Verónica trabaja en la cafetería. (F)
8. La clase de historia es a las ocho de la mañana. (V)

D. 1. necesitan / necesitamos 2. tomas / tomo 3. habla / hablan 4. termina

E. 1. mis 2. sus 3. nuestras 4. tu 5. su 6. nuestro

F. 1. la 2. las 3. los 4. el 5. la 6. los 7. el 8. el

G. 1. Es la una. 2. Son las cinco menos cuarto. 3. Son las ocho y veinte

H. 1. el treinta y uno de octubre
2. el cuatro de julio
3. el treinta y uno de diciembre
4. el catorce de febrero

I. 1. ¿Cuántas horas trabajas tú?
2. Ya es tarde. Me voy.

J. 1. horario 2. empresas 3. laboratorio 4. psicología 5. copa 6. jugo

¡Extra!: números

Lección 3, Prueba A

A. *Answers will vary.*
1. ¿Cuántos años tienes tú?
2. ¿Dónde vives tú?
3. ¿Tú vienes a la universidad los domingos?
4. ¿ Qué bebes tú cuando tienes calor?
5. ¿Quién lava la ropa en tu casa?

B. 1. 1.000 2. 590 3. 840 4. 670 5. 1.300 6. 11.600

C. 1. esta / estas 2. esos / esas 3. aquel / aquellas

D. *Answers will vary.*

E. 1. los libros de María
2. la novia de Pedro
3. las amigas de Silvia

F. 1. tengo hambre 2. tenemos calor 3. tienen sueño 4. tienes prisa 5. tiene sed

G. 1. ¿Dónde pasas los fines de semana?
2. ¿Deseas beber (tomar) un vaso de limonada?
3. ¿Qué hay para comer?

H. 1. aceite 2. escoba 3. poner 4. juego (partido) 5. tintorería 6. saca 7. cafetera 8. secadora 9. esta 10. refrigerador

I. *Answers will vary.*

¡Extra!: cultural

Lección 3, Prueba B

A. *Answers will vary.*
1. ¿Cuántos años tiene Ud?
2. ¿Ud. tiene que trabajar esta noche?
3. ¿Ud. viene a la universidad los sábados?
4. ¿Qué días limpia Ud. su casa?
5. ¿Qué come Ud. cuando tiene hambre?

B. *To be read twice by instructor:*

Hoy los padres de Alicia vienen a pasar el fin de semana con ella. La muchacha tiene muchas cosas que hacer: pasar la aspiradora, barrer la cocina y preparar la cena. Fernando, un amigo de Alicia, viene a cenar también. Alicia prepara comida cubana y una ensalada.

1. Los abuelos de Alicia vienen hoy. (F)
2. Los padres de la muchacha vienen a pasar el sábado y el domingo con ella. (V)
3. Hoy es un día muy ocupado para Alicia. (V)
4. Alicia tiene que barrer el garaje. (F)
5. Fernando es el hijo de Alicia. (F)
6. Alicia y sus padres comen comida cubana. (V)

C. 1. comes / como 2. beben / bebemos 3. viven / vivimos 4. escriben 5. tenemos / tienes 6. vienen / venimos / viene

D. 1. esta / estos 2. ese / esas 3. aquella / aquellos

E. 1. la amiga de Fernando
2. las camisas de mi padre

F. 1. tengo frío 2. tienes calor 3. tenemos sed
4. tiene prisa 5. tienen miedo

G. 1. tres mil quinientos
2. setecientos cincuenta
3. trescientos ochenta
4. dos mil novecientos setenta

H. *Answers will vary.*

I. 1. h 2. e 3. j 4. a 5. g 6. c 7. i 8. d
9. b 10. f

¡Extra!: fútbol

Examen parcial A (Lecciones 1-3)

A. *Answers will vary.*
1. ¿Qué fecha es hoy?
2. ¿Tú vienes a la universidad los sábados?
3. ¿A qué hora llegas tú a la universidad?
4. ¿Cómo se dice "*girl*" en español?
5. ¿De dónde eres tú?
6. ¿Cuántos años tienes tú?
7. ¿Tú vives con tus padres?
8. ¿Qué bebes tú cuando tienes sed?

B. 1. 580 2. 720 3. 960 4. 890 5. 213 6. 418
7. 630 8. 27.300 9. 15.120 10. 13.100

C. 1. son / somos / eres / Soy / es
2. vienes / vengo / viene / vienen
3. Tienen / tenemos / tiene / tienes
4. escriben / escribimos
5. necesitas / necesito
6. hablan / hablamos / habla

D. 1. los 2. la 3. la 4. el 5. las 6. la 7. las
8. la 9. el 10. las 11. los 12. los

E. 1. Es la una y media.
2. Son las nueve y cuarto.
3. Son las cinco menos veinte.

F. 1. Sí, (No,) mis padres son (no son) norteamericanos.
2. Nuestro(a) profesor(a) es de...
3. Sí, (No,) yo (no) tengo tus libros.
4. Sí, (No, no) estudio español con mi amigo(a).
5. Sí, (No, no) necesito la pluma de la profesora (su pluma).

G. 1. El primero de enero
2. El catorce de febrero
3. El cuatro de julio
4. El treinta y uno de octubre
5. El veinticinco de diciembre

H. 1. anaranjado 2. blanco 3. verde 4. rojo
5. gris 6. amarillo 7. negro

I. 1. unos / altos 2. unas / negras 3. las / españolas

J. 1. tiene frío 2. tiene sed 3. tenemos calor
4. tengo prisa 5. tienes sueño

K. 1. verano 2. invierno 3. primavera 4. otoño

L. 1. los padres de Marisa
2. la dirección de Raúl
3. tiene catorce años
4. Ud. tiene razón

M. 1. llama 2. jueves 3. el bolígrafo
4. asignatura 5. estudiamos 6. taza
7. Plancho 8. día 9. partido 10. beber
11. con 12. tiza 13. vaso 14. materia
15. sacar 16. Cortan 17. ensalada
18. pluma 19. también 20. cuaderno
21. mujer 22. cubano 23. estudia
24. cuarto 25. mío 26. porque
27. biblioteca 28. hora 29. los tazones
30. aceite 31. tomo 32. navegar

¡Extra!: 1. antiguas 2. públicas 3. un millón
4. béisbol

Examen parcial B (Lecciones 1-3)

A. *Answers will vary.*
1. ¿Uds. tienen que estudiar mucho?
2. ¿Qué día es hoy?
3. ¿Qué hora es?
4. ¿Ud. viene a la universidad con sus amigos?
5. ¿Cuántas asignaturas toma Ud. este semestre?
6. ¿Estudia Ud. por la mañana, por la tarde o por la noche?
7. ¿Dónde vive Ud.?
8. ¿Ud. escribe con un bolígrafo o con un lápiz?

B. 1. 485 2. 672 3. 812 4. 1.000 5. 2.004
6. 1.500 7. 11.200 8. 13.100 9. 18.700
10. 15.900

C. 1. son / es / somos / eres
2. vive / vivimos / viven
3. comemos / comen / come / come
4. viene / tiene / venimos / tenemos / tienes
5. trabajan / trabaja / trabajamos / trabajan
6. recibe / Tiene

D. 1. la 2. las 3. el 4. los 5. el 6. los 7. la
8. el 9. los 10. los 11. la 12. las

E. 1. Es la una y cuarto.
2. Son las doce.
3. Son las dos menos diez.

F. 1. tus / tu / mis 2. su / Nuestra 3. Nuestros / tus / Mis 4. sus / su / su / sus

G. 1. marzo, abril, mayo
2. diciembre, enero, febrero
3. junio, julio, agosto

H. 1. rosado 2. gris 3. morado 4. verde
5. anaranjado

I. 1. tenemos hambre 2. tenemos sed 3. tenemos calor 4. tenemos frío 5. tenemos prisa

J. 1. las plumas rojas 2. los hombres cubanos 3. el escritorio blanco 4. el señor español 5. las alumnas inteligentes 6. el cuaderno verde

K. 1. de la hija de su (tu) amigo(a)
2. la abuela de María
3. tiene veinticinco años
4. tengo que trabajar
5. tiene razón
6. tiene mucho sueño

L. 1. reloj 2. silla 3. Gracias 4. la clase 5. borrador 6. escritorio 7. cuaderno 8. lápiz 9. sábado 10. libro 11. ¿Cómo te llamas? 12. lo siento 13. inglés 14. llegar 15. barrer 16. escoba 17. primero 18. verano 19. tostadora 20. muebles 21. cesto de papeles 22. estudiar 23. cocina 24. impresora 25. pizarra 26. correr 27. amigo 28. mapa 29. luz 30. camisa 31. licuadora 32. agosto 33. amigo

¡Extra!: 1. doctor 2. 9 meses 3. son gratis 4. escuela secundaria

Lección 4, Prueba A

A. *Answers will vary.*
1. ¿A qué hora sales de tu casa?
2. ¿Qué tienes ganas de hacer hoy?
3. ¿Qué vas a hacer tú mañana?
4. ¿Tú das muchas fiestas en tu casa?
5. ¿Tú sabes bailar la salsa?

B. 1. van 2. dan 3. estoy 4. vamos / da 5. estamos

C. 1. hago 2. traigo 3. conduzco 4. traduzco 5. veo 6. pongo 7. salgo 8. conozco

D. *Answers will vary. Possible answers:*
1. Yo voy a comer.
2. Ellos van a estudiar.
3. Tú y yo vamos a beber agua.
4. Tú vas a bailar.
5. Elsa va a aprender inglés.

E. 1. Yo conozco Guadalajara.
2. Yo sé patinar.
3. Nosotros conocemos a Carlos.
4. Tú sabes mi número de teléfono.
5. Ellos saben un poema de memoria.
6. Aurora conoce las novelas de Cervantes.
7. Luis sabe hablar francés.

F. 1. Yo vengo del club.
2. ¿Estás invitada a la fiesta del señor Soto?
3. ¿Tú vas a ir al concierto?
4. ¿Cuántos hermanos tienes (tiene)?

G. 1. llevamos 2. Adónde 3. queso / refrescos 4. cuñado 5. primas 6. piscina 7. camarera 8. siguiente / jugar 9. para 10. nieta 11. cansado (ocupado) 12. quieren (piensan)

H. 1. V 2. V 3. V 4. V 5. F 6. V 7. F 8. F

¡Extra!: Mayores

Lección 4, Prueba B

A. *Answers will vary.*
1. ¿Qué tiene Ud. ganas de hacer hoy?
2. ¿Dónde va a comer Ud. mañana?
3. ¿Ud. desea ir al cine o al teatro este fin de semana?
4. ¿Va a dar Ud. una fiesta en su casa el sábado?
5. ¿Ud. ve a sus amigos los domingos?

B. *To be read twice by the instructor:*

Esta noche, Marisa está invitada a una fiesta en casa de su prima. Mañana planea ir a visitar a sus abuelos por la tarde y después va a ir a nadar con sus amigos.

Por la noche va con su novio a un concierto.

Ahora Marisa va a comer un sándwich de jamón y queso y fruta.

1. Marisa va a estar en casa esta noche. (F)
2. Marisa va a visitar a sus padres mañana. (F)
3. Marisa sabe nadar. (V)
4. Marisa tiene novio. (V)
5. Marisa tiene hambre. (V)
6. Marisa no come queso. (F)

C. 1. van / estamos / vas / estoy
2. dan / damos
3. va / voy

D. *Answers will vary. Verbs:* 1. salgo 2. hago 3. pongo 4. traduzco 5. traigo

E. 1. Yo voy a llevar a _____ a la fiesta.
2. Yo conozco al señor Rojas, pero no sé su número de teléfono.
3. Vengo del estadio.
4. Mis amigos y yo vamos a _____ este fin de semana.
5. ¿Te (Le) gusta jugar al tenis?

F. 1. conduzco 2. rato 3. refresco 4. piscina 5. algo 6. yerno 7. cuñado 8. sobrina 9. nieta 10. nieto 11. tío 12. Adónde 13. siguiente 14. aprender 15. libre

¡Extra!: papas (patatas)

Lección 5, Prueba A

A. *Answers will vary.*
1. ¿A qué hora empieza tu primera clase?
2. ¿Adónde piensas ir tú este fin de semana?
3. ¿Prefieres beber refresco o ponche?
4. ¿Tú eres mayor o menor que tu mejor amigo?

5. ¿Tú tienes tanto dinero como tus padres?

B. 1. La fiesta comienza...
2. Ellos cierran...
3. Tú prefieres...
4. Nosotros entendemos...
5. Yo pienso...

C. *Answers will vary.*

D. 1. es / está / es / está / Es 2. es / es / estoy 3. es / son

E. *Answers will vary.* 1. Quiero bailar contigo. 2. Eres tan guapo como Brad Pitt.

G. 1. e 2. h 3. b 4. g 5. a 6. d 7. f 8. c

H. *Answers will vary.*

¡Extra!: norte

Lección 5, Prueba B

A. *Answers will vary.*
1. ¿De qué color son tus ojos?
2. ¿Es Ud. mayor o menor que yo?
3. ¿Es Ud. tan inteligente como su padre?
4. ¿A quién piensa Ud. llamar por teléfono hoy?
5. ¿Ud. prefiere las cintas o los discos compactos?

B. *To be read twice by the instructor:*

Carolina es una chica muy bonita y muy inteligente. Es morena, delgada y de estatura mediana. Tiene ojos castaños.

Carolina piensa dar una fiesta de bienvenida para su prima Eva. La fiesta es el viernes por la noche y empieza a las ocho. Roberto, el novio de Carolina, va a traer sus discos compactos.

1. Carolina es alta y rubia. (F)
2. Los ojos de Carolina son castaños. (V)
3. Eva va a dar una fiesta. (F)
4. Eva es la prima de Carolina. (V)
5. La fiesta es el viernes. (V)
6. La fiesta empieza a las ocho. (V)
7. Roberto es el primo de Carolina. (F)
8. Roberto no tiene discos compactos. (F)

C. *Answers will vary. Possible answers:*
1. Están comiendo.
2. Estoy nadando.
3. Está durmiendo.
4. Está trabajando.
5. Estamos bailando.

D. 1. eres / soy / es / está 2. es / es / es / está 3. es / está 4. es 5. Están

E. 1. quieren / preferimos 2. empiezan (comienzan) 3. cierran 4. piensas / entiendo 5. empieza (comienza)

F. *Answers will vary. Possible answers:*
1. Texas es más grande que Arizona y que Rhode Island. (Rhode Island es más pequeño que Arizona y que Texas.) / Texas es el más grande de los tres. (Rhode Island es el más pequeño de los tres.)
2. Julia es tan alta como Verónica.
3. Billy Crystal es más bajo que Harrison Ford. (Michael Jordan es más alto que Harrison Ford.) Billy Crystal es el más bajo de los tres. (Michael Jordan es el más alto de los tres.)
4. El hotel Hilton es mejor que el Motel 6.

G. 1. ¿Quieres ir al cine conmigo?
2. Mi mejor amigo(a) es...

H. 1. i 2. f 3. d 4. a 5. j 6. c 7. b 8. e 9. g 10. h

¡Extra!: afrocubana

Lección 6, Prueba A

A. *Answers will vary.*
1. ¿Dónde almuerzas tú?
2. ¿Qué sirves tú en tus fiestas?
3. ¿A qué hora vuelves a tu casa?
4. ¿Qué días haces diligencias?
5. ¿Cuánto dinero vas a depositar en tu cuenta de ahorros?

B. 1. consigues / consigo 2. vuelven / vuelves 3. podemos / cuesta 4. digo / recuerdo 5. sirve / sirvo

C. 1. No, no necesito nada.
2. No, no hay nadie.
3. No quiero ni vino ni cerveza.
4. No, yo nunca compro cintas.
5. No, no hay ningún banco cerca de aquí.

D. 1. Sí, yo lo tengo.
2. Te llamo a las tres.
3. No, no los necesito.
4. Sí, las puedo llevar (puedo llevarlas).
5. Tienen que llamarme el sábado. (Me tienen que llamar el sábado.)
6. Francisco va a llevarnos (nos va a llevar).

E. 1. Quiero abrir una cuenta de ahorros y una cuenta corriente.
2. *Answers will vary.*
3. Hace _____ que vivo aquí.
4. Necesito cobrar un cheque.

F. 1. automático 2. correos / mandar (enviar) 3. carta / certificada 4. cola / gente 5. ventanilla 6. interés / ciento 7. cualquier 8. talonario

G. 1. V 2. F 3. V 4. F 5. V 6. V 7. V 8. V

¡Extra!: Suramérica

Lección 6, Prueba B

A. *Answers will vary.*

1. ¿Ud. almuerza con sus padres?
2. ¿Cuánto tiempo hace que Ud. estudia en esta universidad?
3. ¿Dónde puede conseguir Ud. cheques de viajero?
4. ¿Qué interés pagan en su banco?
5. ¿Tiene Ud. acceso a la red?

B. *To be read twice by the instructor:*

Nora entra en el banco a las nueve de la mañana. Hoy es viernes y hay mucha gente en el banco. Nora tiene que hacer cola. Abre una cuenta de ahorros y deposita quinientos dólares en su cuenta corriente.

Después Nora va a la oficina de correos para mandar dos cartas certificadas y comprar estampillas.

1. Son las nueve de la mañana cuando Nora entra en el banco. (V)
2. Hay mucha gente en el banco. (V)
3. Nora abre una cuenta corriente. (F)
4. Nora deposita quinientos dólares en su cuenta. (V)
5. Nora compra estampillas en el banco. (F)
6. Nora manda seis cartas certificadas. (F)

C. 1. cuesta 2. encuentra 3. recuerda 4. vuelves 5. duermo 6. pueden 7. consiguen 8. digo / dice 9. pide

D.

1. Los compramos en el banco.
2. Sí, la llamo.
3. Sí, lo estoy leyendo.
4. Sí, puedo llevarte (te puedo llevar).
5. Sí, nos lleva.

E.

1. Yo no tengo ningún amigo español.
2. Nosotros nunca vamos tampoco.
3. Ella no bebe ni café ni té.
4. No hay nadie en mi casa.
5. No necesitan comprar nada.

F.

1. Hace ______ que conozco a mi mejor amigo(a).
2. Necesito cobrar un cheque.
3. Quiero depositar _____ en mi cuenta de ahorros. ¿Puedo sacar mi dinero en cualquier momento?

G. 1. cajero 2. giro 3. oficina 4. talonario 5. buscando 6. otra 7. algo 8. efectivo 9. servirle 10. vía

¡Extra!: balboa

Lección 7, Prueba A

A. *Answers will vary.*

1. ¿Diste una fiesta en tu casa la semana pasada?
2. ¿Adónde fuiste el sábado pasado?
3. ¿A qué hora te acostaste ayer?
4. ¿Tú puedes bañarte y vestirte en diez minutos?
5. ¿En qué tienda te gusta comprar?

B. 1. fuiste / Fui / dieron / fue / trabajó
2. comiste / comí / comieron 3. llegó / llegué / empecé 4. cerraste / cerré
5. busqué / encontré

C. *Answers will vary. Verbs / pronouns:* 1. me compró 2. les compró 3. te compró 4. nos compró 5. les compró 6. le compró

D.

1. A ellas les gusta la leche.
2. A nosotros nos gusta el café.
3. A ti te gustan los sándwiches.
4. A él le gusta la ensalada.
5. A mí me gustan los refrescos.
6. A Ud. le gusta el té.

E. *Answers will vary. Possible answers:*

1. Rafael se levanta a las siete de la mañana.
2. Tú te pruebas los zapatos en la zapatería.
3. Yo me siento en la silla.
4. Nosotras nos probamos los vestidos en el probador.
5. Ellos se acuestan a las once de la noche.

F.

1. Los pantalones me quedan grandes.
2. ¿Quieres probarte (Te quieres probar) el vestido azul?

G. 1. f 2. e 3. d 4. a 5. h 6. c 7. g 8. b

H. *Answers will vary.*

¡Extra!: programas

Lección 7, Preuba B

A. *Answers will vary.*

1. ¿Fue usted de compras la semana pasada?
2. ¿A qué hora volvió usted a su casa ayer?
3. ¿Le escribió usted a alguien ayer?
4. ¿Se despertó usted tarde o temprano hoy?
5. ¿A usted le gusta más usar sandalias o botas?

B. *To be read twice by the instructor:*

Ayer Olga fue a la tienda con su amiga Estela. Olga se probó muchos vestidos pero no compró nada.

Fue a la zapatería y compró un par de sandalias rojas. También le compró un par de botas a su esposo para su cumpleaños. En la zapatería le dieron un quince por ciento de descuento.

Cuando salieron de la zapatería, Olga y Estela fueron a hacer varias diligencias.

1. Olga y Estela son amigas. (V)
2. Olga compró dos vestidos. (F)
3. Las sandalias que compró Olga son negras. (F)
4. Las botas son para su esposo. (V)

5. A Olga le dieron un descuento del cincuenta por ciento. (F)
6. Las chicas no fueron a hacer diligencias. (F)

C. *Answers will vary. Verbs:* 1. comimos 2. escribió 3. volvieron 4. empezaste 5. di 6. leyeron 7. fue

D. 1. A mi hermana le gusta más
2. les escribo
3. A nosotros nos gusta mucho
4. le dicen
5. Me gustan

E. *Answers will vary.*
1. Los sábados me gusta...
2. ¿A qué hora se despertaron ustedes esta mañana?
3. ¿Tú te bañas por la mañana o por la noche?
4. Nosotros nos divertimos en la clase de español.

F. 1. talla 2. caballeros 3. ropa 4. cargados 5. derecha / izquierda 6. aprietan 7. par / traje 8. camisón

¡Extra!: decimal

Examen final A (Lecciones 1-7)

A. *Answers will vary.*
1. ¿Adónde fuiste tú ayer?
2. ¿Dónde almorzaste ayer?
3. ¿A qué hora te acostaste tú ayer?
4. ¿Qué diligencia tienes que hacer mañana?
5. ¿Qué vas a hacer el domingo?
6. ¿Tú quieres beber café o prefieres beber leche?
7. ¿Qué sirves tú en tus fiestas?
8. ¿Cuánto tiempo hace que tú conoces a tu mejor amigo?
9. ¿Tú recibes muchos mensajes electrónicos?
10. ¿Tú hablas español tan bien como yo?
11. ¿A ti te gusta más el español o el francés?
12. ¿De qué color son tus ojos?

B. 1. vengo / tengo / voy / puede
2. digo / prefiero / es
3. quiere / prefiere / tienen / cuestan / da / sirve
4. dicen / consiguen / saben
5. vuelves / comes
6. comienzan / terminan

C. 1. son / están / es / es 2. es / es / está / Está 3. eres / es 4. es / estoy

D. *Answers will vary. Verbs:* 1. fui 2. estudiaron 3. fuiste 4. trabajaron 5. comió 6. llegué 7. la cerró 8. dimos 9. escribiste 10. volvieron 11. empecé 12. almorcé

E. 1. Sí, lo tengo. (No, no lo tengo.)
2. Sí, puedo llevarte. (No, no puedo llevarte.) o Sí, te puedo llevar. (No, no te puedo llevar.)
3. Sí, nos llaman todos los días. (No, no nos llaman todos los días.)
4. Sí, los recibí. (No, no los recibí.)
5. Sí, mis amigos me visitan. (No, mis amigos no me visitan.)
6. Sí, voy a llevarlos. (No, no voy a llevarlos.) o Sí, los voy a llevar. (No, no los voy a llevar.)

F. *Answers will vary.*

G. 1. cuarenta y cinco mil setecientos ochenta
2. quince mil quinientos noventa

H. 1. No, no necesitamos nada.
2. No, no llamo a nadie.
3. No, no hay ningún restaurante cubano por aquí.
4. No bebo (ni) café ni té.

I. *Answers will vary. Verbs:*
1. voy a comer
2. vamos a estudiar
3. va a salir
4. van a traer
5. vas a almorzar

J. 1. menor que / más alta / la más alta de
2. tan inteligente como
3. le digo / tantas clases como
4. le compraron / (a ella) le gusta
5. El esposo de nuestra profesora
6. Tengo prisa / tengo que estar
7. le hablamos

K. 1. grande 2. estrecho 3. corbata 4. aprietan 5. el abrigo 6. descuento 7. pruebo 8. el traje 9. queso 10. cansado 11. caro 12. bienvenida 13. corriente 14. el estéreo 15. café 16. estampillas 17. un giro postal 18. el talonario 19. tarjeta 20. préstamo 21. viajero 22. delgado 23. rico 24. depositar 25. cola 26. nadar 27. izquierda 28. caballeros 29. encontré 30. castaños

L. 1. V 2. V 3. F 4. F 5. V 6. F 7. F 8. V 9. F 10. F 11. F 12. V 13. V 14. F 15. V 16. F 17. V 18. F

M. *Answers will vary.*

¡Extra!: 1. b 2. a 3. b 4. b 5. a 6. a

Examen final B (Lecciones 1-7)

A. *Answers will vary.*
1. ¿Usted fue mi estudiante el semestre pasado?
2. ¿Dio usted una fiesta la semana pasada?
3. ¿A qué hora se despertó usted esta mañana?
4. ¿Compró usted algo esta mañana?

5. Generalmente, ¿a qué hora vuelve Ud. a su casa?
6. ¿A quién va a llamar usted mañana?
7. ¿Cuánto tiempo hace que usted estudia español?
8. ¿Yo soy más alto(a) o más bajo(a) que usted?
9. ¿De dónde es su padre?
10. ¿Quién es el más inteligente de su familia?
11. ¿En qué banco pone usted su dinero?
12. ¿Qué estación del año le gusta más a usted?

B. 1. sales / salgo / vuelvo / tengo
2. va / dan / puede / empieza / termina
3. quieren / preferimos / prefiere
4. sirves / sirvo
5. cuestan / sé / compra
6. dice / recuerda / digo

C. 1. es / Es 2. es / Es 3. es / está / Está 4. es / es 5. es

D. *Answers will vary. Verbs:* 1. cerró 2. costaron 3. diste 4. leyó 5. pagué 6. fueron 7. fui 8. vivió 9. aprendimos 10. volviste 11. hablé 12. escribió

E. 1. No, no los traigo.
2. No, no te vamos a llamar (no vamos a llamarte).
3. No, no las tengo.
4. No, no nos llevan.
5. No, no la sabemos.
6. No, no los necesito.

F. *Answers will vary. Verbs:* 1. me despierto 2. se acuestan 3. te bañas 4. se afeita 5. nos levantamos

G. 1. ochenta mil ciento cincuenta
2. sesenta mil quinientos dieciocho

H. 1. Yo nunca compro nada.
2. Nosotros no tenemos ningún amigo español tampoco.
3. No hay nadie en mi casa ahora.

I. *Answers will vary.*
1. A mí me compró...
2. A mis hermanos les compró...
3. A ti te compró...
4. A Luisa le compró...
5. A mi papá y a mí nos compró...

J. *Answers will vary. Possible answers.*
1. Nosotros vamos a estudiar.
2. Yo voy a comer.
3. Tú vas a bailar.
4. Marisa va a trabajar.
5. Los chicos van a beber algo.

K. 1. mayor que / mucho más alto que
2. tan inteligentes como / la más inteligente de
3. tanto dinero como
4. La hija del Sr. Vega / conmigo
5. A mi mamá (madre) le gusta / a mí me gusta más
6. este / esos

L. 1. azules 2. de invierno 3. cibernética 4. horario 5. la biblioteca 6. termina 7. química 8. aspiradora 9. tío 10. sacudiendo 11. poner 12. siempre 13. hambre 14. sed 15. libre 16. la piscina 17. la verdad 18. rato 19. jugar 20. la cerveza 21. compañera 22. castaño 23. cinta 24. mediana 25. giro 26. cobrar 27. comprar 28. aprietan 29. el abrigo 30. calzo

M. 1. F 2. F 3. F 4. F 5. V 6. V 7. F 8. V 9. V 10. V 11. F 12. V

N. *Answers will vary.*

¡Extra!: 1. 80 2. para los hombres 3. mariachis 4. Cuba 5. pequeños 6. el metro

Lección 8, Prueba A

A. *Answers will vary.*
1. ¿Qué te gustaba hacer cuando tenías diez años?
2. ¿Qué hiciste tú ayer?
3. ¿Dónde estuviste anoche?
4. ¿En qué banco pusiste tu dinero?
5. Cuando tú necesitas dinero, ¿a quién se lo pides?

B. 1. trajeron / pusimos
2. hizo / Condujo
3. estuvo / quiso
4. viniste / tuve
5. pidieron / consiguieron
6. Hubo / murieron
7. tradujeron / tradujo

C. 1. Sí, (No, no) nos los trajeron.
2. Sí, (No, no) se lo pedí.
3. Sí, (No, no) te las puedo comprar (puedo comprártelas).
4. Sí, (No, no) me los dieron.
5. Sí, (No, no) me las mandó.

D. 1. vivías / eras / Vivía
2. iban / íbamos
3. Veía / veía
4. hablaban / eras / estudiaba (hablaba)

E. 1. Tienes que hablar lenta y claramente.
2. *Answers will vary. Example:* Necesitas manzanas, naranjas, peras, uvas, duraznos (melocotones) y plátanos para preparar mi famosa ensalada de frutas.

F. 1. cerdo 2. lejía 3. mercado 4. carne / pescado 5. darte 6. diario 7. durazno 8. tarjetas 9. docena / papel 10. camarones / langosta 11. lechuga 12. jabón

G. 1. V 2. V 3. F 4. V 5. F 6. V 7. V 8 F

¡Extra!: Cuzco

Lección 8, Prueba B

A. *Answers will vary.*
1. ¿Dónde vivía Ud. cuando tenía 12 años?
2. ¿Cómo durmió Ud. anoche?
3. ¿Qué sirvió Ud. en el desayuno esta mañana?
4. ¿Con quién vino Ud. a la universidad hoy?
5. Si su mejor amigo necesita dinero, ¿Ud. se lo da?

B. *To be read twice by the instructor:*

Victoria estuvo en el supermercado ayer. Compró zanahorias, cebollas y pescado. Después hizo una torta para la fiesta de Héctor, uno de sus mejores amigos.

Por la tarde tuvo que limpiar su casa y después fue a la panadería. No tuvo tiempo de ir a visitar a su abuela, pero piensa ir mañana.

La abuela de Victoria es de México, y cuando Victoria era niña, iba a su casa todos los días.

1. Victoria se quedó en su casa ayer. (F)
2. Victoria compró vegetales y pescado en el supermercado. (V)
3. Victoria compró una torta en la panadería. (F)
4. Héctor es el novio de Victoria. (F)
5. Victoria limpió su casa por la tarde. (V)
6. La abuela de Victoria vino a su casa por la tarde. (F)
7. La abuela de Victoria no es norteamericana. (V)
8. Cuando Victoria era niña, vivía con sus abuelos. (F)

C. *Answers will vary. Verb forms:*

1. las pusieron… 2. vine a las… 3. hizo… 4. condujiste… 5. sirvieron… 6. durmió en…

D. 1. No, no se las dimos.
2. No, no se los conseguí.
3. No, no te los mandé.
4. No, no nos la trajo.
5. No, no me lo compraron.

E. Todos los días <u>me levantaba</u> a las seis, <u>me bañaba</u>, <u>me vestía</u>, <u>comía</u> y después <u>iba</u> a la escuela. Mi maestra <u>era</u> la señora Vierci. Por la tarde <u>hacía</u> la tarea y <u>jugaba</u> un rato. Por la noche <u>cenaba</u> y después <u>veía</u> la tele.

F. 1. Tiene(s) que hablar lenta y claramente, porque no entiendo muy bien el español.
2. Cuando yo era niño(a), yo frecuentemente…

G. 1. azúcar 2. comestibles 3. naranja 4. periódico 5. uva 6. lejía 7. tarjeta de crédito 8. plátano 9. generalmente 10. apurarse (darse prisa)

¡Extra!: mercados

Lección 9, Prueba A

A. *Answers will vary.*
1. ¿Cuánto tiempo hace que tú empezaste a estudiar español?
2. ¿Qué hora era cuando tú llegaste a la universidad hoy?
3. ¿Qué tiempo hace hoy?
4. Yo celebré mi cumpleaños. ¿Tú celebraste el tuyo?
5. ¿Qué te gusta comer de postre?

B. 1. para / por / por / para 2. para / por / por / por / para / para

C. *Answers may vary. Possible answers:* 1. Hace calor. 2. Hace frío. 3. Hace viento. 4. Llueve / Hay niebla.

D. 1. vivían / eran / vivíamos / iban 2. estuvo / Fui / comió / comí / comía / gustaba 3. viniste / pude / estaba 4. era / llegaron / Eran 5. dijo / recomendaba

E. 1. La suya 2. El nuestro 3. La mía 4. La tuya 5. Los suyos (Los de ella)

F. 1. Hace _____ que empecé en esta universidad.
2. *Answers will vary.*

G. 1. campo 2. propina 3. tostada 4. temprano 5. cuchara 6. trozo 7. chico 8. cena

H. *Answers will vary.*

¡Extra!: esmeraldas

Lección 9, Prueba B

A. *Answers will vary.*
1. ¿Qué desayunó Ud. ayer?
2. ¿A Ud. le gusta más el bistec o el pescado?
3. ¿Cuánto tiempo estuvo Ud. de vacaciones el verano pasado?
4. ¿En qué mes es el aniversario de bodas de sus padres?
5. ¿Qué tiempo hizo ayer?

B. *To be read twice by the instructor:*

Lucía y Eduardo celebraron su aniversario de bodas anoche. Fueron a un restaurante muy elegante para cenar.

Lucía pidió biftec con langosta y, de postre, flan. Eduardo pidió chuletas de cerdo, papa al horno y ensalada. Los dos bebieron vino tinto.

Cuando salieron del restaurante, hacía frío y el cielo estaba nublado. Tomaron un taxi y fueron al teatro.

1. Anoche Lucía y su esposo celebraron el cumpleaños de Eduardo. (F)

2. La cena probablemente costó cinco dólares. (F)
3. A Lucía le gusta la langosta. (V)
4. Lucía comió postre. (V)
5. Eduardo comió papas fritas. (F)
6. Lucía y Eduardo bebieron Coca-Cola. (F)
7. Cuando salieron del restaurante, el cielo estaba despejado. (F)
8. Eduardo no condujo su coche para ir al teatro. (V)

C. 1. para / por / por / por / por 2. por / para 3. para / para 4. por

D. *Answers may vary. Possible answers:* 1. Hace frío / nieva 2. Hace calor (hace sol) 3. Llueve 4. Hay niebla

E. Eran / salí / estaba / iba / vi / llegué / dije / necesitaba

F. 1. La nuestra 2. los tuyos 3. la suya (la de él) 4. las mías

G. 1. Hace _____ que yo empecé a conducir (trabajar).
2. ¿Cuál es la especialidad de la casa?
3. *Answers will vary.*

H. 1. f 2. j 3. h 4. b 5. i 6. d 7. a 8. c 9. g 10. e

¡Extra!: principal

Lección 10, Prueba A

A. *Answers will vary.*
1. Cuando llegaste a tu casa ayer, ¿ya alguien había preparado la cena?
2. ¿Cómo te sientes hoy?
3. ¿Qué haces tú cuando te duele la cabeza?
4. ¿Has tenido un accidente alguna vez?
5. ¿Cuándo fue la última vez que te pusieron una inyección antitetánica?

B. *Answers will vary. Possible answers:* 1. abiertas (cerradas) 2. hechas 3. roto (fracturado) 4. vendada (desinfectada) 5. abiertos (cerrados)

C. 1. ha estado 2. no han hecho 3. he escrito 4. has ido 5. hemos dicho

D. *Answers will vary.*

E. 1. Póngale una inyección al Sr. Vera.
2. Véndele la herida a la señorita Vélez.
3. Vaya a la sala de emergencia.
4. No le dé las pastillas a la Sra. Rojas hasta las dos.
5. Esté en el hospital mañana a las siete y sea muy paciente con el Sr. Rojas.
6. Llévele las radiografías al Dr. Mora y déjelas en su consultorio.

F. 1. Díganme qué les pasó.
2. Me caí y me duele(n)...
3. Quiero pedir turno para la semana próxima.

G. 1. hospital (consultorio) 2. enfermero(a) 3. muletas 4. la sala de rayos X 5. romperse 6. desmayarse 7. corazón 8. automóvil (auto / carro)

H. 1. F 2. F 3. V 4. F 5. F 6. V 7. F 8. V 9. V 10. V

¡Extra!: esquiar

Lección 10, Prueba B

A. *Answers will vary.*
1. Cuando Ud. se levantó esta mañana, ¿ya había preparado alguien el desayuno?
2. ¿Ha pedido Ud. turno para el médico recientemente?
3. ¿Cuándo fue la última vez que usted fue al médico?
4. ¿Qué toma usted cuando le duele el estómago?
5. ¿Se ha desmayado Ud. alguna vez?

B. *To be read twice by the instructor:*

Anita se cayó y su mamá tuvo que llevarla al hospital. La llevaron a la sala de rayos X y el doctor dijo que tenía un brazo fracturado. El médico le enyesó el brazo.

Estuvieron en el hospital hasta las tres de la tarde y después fueron a la farmacia para comprar unas pastillas que el médico le había recetado para el dolor.

1. La mamá de Anita llevó a su hija al hospital. (V)
2. Le hicieron radiografías a Anita. (V)
3. Anita no se rompió nada. (F)
4. Anita le enyesó el brazo al médico. (F)
5. A las tres, Anita y su mamá salieron del hospital. (V)
6. En la farmacia, la mamá de Anita compró un antibiótico. (F)
7. El médico le había recetado algo para el dolor. (V)

C. 1. ha estado 2. he tenido 3. ha venido 4. ha dicho 5. has escrito 6. ha puesto 7. han visto 8. hemos comido

D. 1. Tú ya habías limpiado la casa.
2. Los chicos ya habían vuelto de la universidad.
3. Yo ya había hecho la ensalada.
4. Marisa ya había traído las frutas.
5. Nosotros ya habíamos estudiado.

E. *Answers will vary.*

F. 1. inyección 2. coche (automóvil) 3. esquina 4. sentado 5. muletas 6. herida

7. ambulancia / sala 8. seguro 9. tobillo 10. mismo / más 11. viene 12. conocimiento 13. pastillas 14. estómago 15. lengua

¡Extra!: gratis

Examen parcial A (Lecciones 8-10)

A. *Answers will vary.*
1. ¿Dónde vivías tú cuando eras niño (niña)?
2. ¿En qué idioma te hablaban tus padres?
3. ¿Tú has estado en Chile alguna vez?
4. ¿Qué tiempo hizo ayer?
5. ¿Qué frutas compraste en el mercado? Nombra tres.
6. ¿Qué hiciste tú anoche?
7. ¿Qué hora era cuando tú viniste a la universidad hoy?
8. Yo traje mi libro de español, ¿tú trajiste el tuyo?
9. ¿Cómo te sientes tú hoy?
10. ¿Qué haces tú cuando te duele la cabeza?

B. 1. vivían / eran / vivíamos / Iban / íbamos 2. dijeron / estuvo / tuvo / dijo / podía / hiciste / Fui 3. era / llegaste / venía / vi / murieron 4. Hacía / salieron / nos pusimos

C. *Answers will vary.*

D.
1. No, no nos las trajeron.
2. No, no nos lo dio.
3. No, no te los mandé.
4. No, no se lo dieron.
5. No, no se la voy a dar. (No, no voy a dársela.)

E. para / por / por / para / para / para / por / por / para / por

F.
1. Tráigame las cartas y póngalas en mi escritorio.
2. Vayan a la biblioteca y saquen los libros que necesitan.
3. Esté aquí a las ocho, pero no se lo diga a Sara.
4. Dennos el dinero, pero no le manden nada a Ana.

G. *Answers may vary. Possible answers:*
1. Nieva y hace frío.
2. Hace mucho calor.
3. Hace mucho viento.
4. Llueve mucho.
5. Hace frío y hay niebla.

H.
1. hace dos horas / se había ido
2. cerrados / abiertas
3. lenta y claramente
4. habían traído / no habíamos traído los nuestros
5. los míos / los suyos
6. Generalmente / están escritas
7. vinieron hace dos semanas

I. 1. zanahorias 2. lechuga 3. gasta 4. apurarme 5. melocotones 6. el periódico 7. el campo 8. chuletas 9. helado 10. desayunar 11. al horno 12. el brazo 13. poner una inyección 14. muletas 15. seguro 16. el tobillo 17. Desgraciadamente 18. la pierna 19. comestibles 20. anotó 21. pimienta 22. barato 23. cumpleaños 24. chuletas de cerdo 25. salud 26. martes 27. un tenedor 28. cuchara 29. salmón 30. los mariscos 31. sandía 32. fresas 33. azúcar 34. pedir 35. servilletas 36. sentado

¡Extra!: 1. Francisco Pizarro 2. incas 3. aire 4. merienda

Examen parcial B (Lecciones 8-10)

A. *Answers will vary.*
1. ¿Ud. prefiere comprar en un supermercado o en un mercado al aire libre?
2. ¿Qué vegetales compró Ud. en el mercado? Nombre tres.
3. ¿Ha comido Ud. comida cubana alguna vez?
4. ¿Qué necesita Ud. para lavar la ropa blanca? Nombre 2 cosas.
5. ¿Ha comprado Ud. seguro médico?
6. ¿Ud. se ha roto un brazo alguna vez?
7. Cuando comenzaron las clases, ¿ya había comprado Ud. los libros?
8. Necesito sus libros, ¿Ud. me los puede traer mañana?
9. ¿Qué tiempo hacía cuando Ud. salió de su casa hoy?
10. Mi padre es de California, ¿de dónde es el de Ud.?

B.
1. era / llegaste / Eran / estaba / dijo / debía
2. Llovía / salieron / hacía / tuve
3. eran / vivían / tenía / vinimos
4. íbamos / vimos / Hubo / murió
5. iban / vivían / íbamos / fuimos

C. 1. te los compré 2. se las voy a traer (voy a traérselas) 3. me lo recetó 4. ellos nos la sirvieron 5. se las dio

D.
1. Desinféctele y véndele la herida al Sr. Vargas.
2. Póngale una inyección a la Sra. Díaz, pero no se la ponga antes de las diez.
3. Pida las radiografías y llévelas a mi oficina; no se las dé a la secretaria.
4. Llame al Dr. Arias y dígale que venga.
5. Esté en la sala de emergencia a las once.

E. *Answers will vary.*

F. por / para / por / para / por / para / para / por / por / para

G. 1. Hace frío. 2. Llueve. 3. Hace sol. 4. Hay niebla.

H. 1. hace dos días / desgraciadamente / se había ido
2. Mis padres / los tuyos
3. lenta y claramente
4. habían comprado / habíamos comprado los nuestros
5. estaban abiertas / estaba cerrada
6. les hemos dicho / apurarse (darse prisa)
7. han llegado tarde / no han podido
8. me había puesto

I. 1. fresa 2. seco 3. la camilla 4. el cuerpo 5. ojos 6. cara 7. ambulancia 8. enyesar 9. vendar 10. conocimiento 11. caminar 12. radiografía 13. seguro 14. papel 15. chorizo 16. azúcar 17. detergente 18. pan tostado 19. una cuchara 20. cerdo 21. uvas 22. cocinar 23. helado 24. propina 25. el pedido

¡Extra!: 1. incaicas 2. precolombinos 3. Chile 4. línea aerea

Lección 11, Prueba A

A. *Answers will vary.*
1. No me siento bien, ¿qué me aconsejas que haga?
2. Tengo tos, ¿qué me sugieres que tome?
3. ¿Hay alguna farmacia cerca de tu casa?
4. ¿Tu mamá es alérgica a alguna medicina?
5. Si un niño está enfermo, ¿a qué especialista debes llevarlo?

B. 1. vaya / ir 2. tome / tomar 3. vayas / esté 4. poder / puedas / se diviertan 5. volvamos / ver / venir 6. estén / estar / pueda

C. *Answers will vary.*

D. 1. a / a / de 2. en / de 3. de / de 4. a / a 5. en

E. *Answers will vary.*

F. 1. gotas / caras 2. mejore 3. garganta 4. grados 5. madrugada 6. gripe 7. farmacéutico 8. siguiente 9. caso

¡Extra!: Ecuador

Lección 11, Prueba B

A. *Answers will vary.*
1. ¿Es Ud. alérgico o alérgica a alguna medicina?
2. ¿Cuándo toma Ud. aspirinas?
3. ¿Ha tenido Ud. pulmonía alguna vez?
4. Tengo una temperatura de 102 grados. ¿Qué me aconseja Ud. que haga?
5. Me duele la espalda. ¿Qué me sugiere Ud. que haga?

B. *To be read twice by the instructor:*

Sandra no se siente bien y tiene catarro. Su mamá le dice que vaya al médico, pero ella no quiere ir porque tiene que estudiar para un examen.

El papá de Sandra teme que su hija tenga pulmonía y quiere llevarla al hospital. Sandra decide ir a la farmacia y comprar unas gotas para la nariz. El farmacéutico también le sugiere que vaya al médico.

1. Sandra está enferma. (V)
2. La mamá de Sandra quiere que su hija vaya al médico. (V)
3. Sandra tiene una fiesta hoy. (F)
4. El papá de Sandra cree que su hija está muy bien. (F)
5. El médico de Sandra compra gotas para la nariz. (F)
6. El farmacéutico le aconseja a Sandra que vea al médico. (V)

C. 1. vaya 2. poder / podamos 3. dar / dé 4. estar / tengan 5. lleven 6. saber / sepas

D. 1. de / de 2. en / de 3. a / a 4. a / en

E. 1. Tengo fiebre. ¿Qué quiere que haga si la fiebre no baja?
2. ¿Hay una farmacia cerca de aquí?
3. ¿Tengo que tomar las pastillas antes o después de las comidas?
4. *Answers will vary.*

F. 1. h 2. j 3. f 4. b 5. i 6. a 7. d 8. g 9. e 10. c

¡Extra!: hierbas

Lección 12, Prueba A

A. *Answers will vary.*
1. ¿Te gusta más viajar en avión o en coche?
2. ¿Cuántas maletas llevas cuando viajas?
3. ¿Has tenido que pagar exceso de equipaje alguna vez?
4. ¿Conoces tú a alguien que sea de Buenos Aires?
5. En esta ciudad, ¿hay algún restaurante que sirva comida argentina?

B. *Answers will vary.*

C. Sal / ve / Pide / pregúntale / Haz / dile / Pon / compra / Llama / le digas / Sé / ven

D. 1. se comprometió con / se casó con
2. insiste en
3. te acuerdas de
4. confío en
5. no me di cuenta de / sino

E. 1. l 2. f 3. i 4. a 5. k 6. c 7. n 8. b 9. d 10. m 11. g 12. e 13. j 14. h

F. 1. F 2. V 3. V 4. F 5. F 6. V 7. V 8. F

¡Extra!: europeo

Lección 12, Prueba B

A. *Answers will vary.*

1. ¿Prefiere Ud. viajar entre semana o un sábado?
2. ¿Ud. prefiere un vuelo que haga escala o un vuelo directo?
3. ¿Prefiere Ud. veranear en un balneario o hacer un crucero?
4. Si yo viajo con cinco maletas, ¿qué tengo que pagar?
5. ¿Conoce Ud. a alguien que sea auxiliar de vuelo?

B. *To be read twice by the instructor:*

Sara y su esposo Miguel Ángel van a la agencia de viajes para comprar dos pasajes de ida y vuelta a Buenos Aires. Van a viajar en primera clase y quieren salir el veinte de junio. Hay un vuelo ese día que sale a las dos de la tarde y hace escala en Caracas. Ellos piensan estar en Buenos Aires por un mes.

1. Miguel Ángel es el hermano de Sara. (F)
2. Sara y Miguel Ángel compran un pasaje de ida. (F)
3. Los dos van a viajar a Argentina. (V)
4. Hay un vuelo el 20 de junio. (V)
5. Ellos viajan en clase turista. (F)
6. El avión no hace escala. (F)
7. Miguel Ángel y Sara piensan estar en Buenos Aires por unos treinta días. (V)

C. 1. incluya / incluyen 2. sepan / habla / hable 3. dé / son 4. vaya / va 5. sea

D.
1. Ven mañana y tráeme los billetes. Ponlos en mi escritorio. No se los des a mi secretaria.
2. Ve a casa de Rogelio y dile que lo esperamos. No le digas nada a Luis.
3. Levántate a las seis y sal de tu casa a las siete. No te quedes en la oficina después de las cinco.

E. 1. se casó con 2. me di cuenta de 3. sino

F.
1. Pon tu bolso de mano debajo del asiento.
2. Quiero un pasaje (billete) de ida y vuelta a Buenos Aires.

G. 1. aeropuerto 2. pasaporte 3. auxiliar de vuelo 4. valija 5. enseñar 6. tarjeta de embarque 7. ¡Buen viaje! 8. cancelar 9. maletín 10. trasbordar

¡Extra!: vos

Lección 13, Prueba A

A. *Answers will vary.*

1. ¿En qué hotel te hospedaste la última vez que viajaste?
2. ¿Tú crees que un motel barato tiene servicio de habitación?
3. ¿Qué vas a hacer hoy en cuanto llegues a tu casa?
4. ¿Es verdad que tú te levantas al mediodía?
5. ¿Qué vas a comprar cuando tengas mucho dinero?

B. *Answers will vary.* 1. indicative 2. indicative 3. subjunctive 4. subjunctive 5. indicative 6. subjunctive 7. indicative

C. 1. venga / vea 2. viajamos / sea 3. terminen 4. des 5. llega / lleve 6. llamen

D. *Answers will vary. Verbs:* 1. Vamos... 2. Sentémonos... 3. Pidamos... 4. Dejémosle... 5. Volvamos...

E. 1. Cuál 2. Qué 3. Qué 4. Cuál 5. Cuál

F. *Answers will vary.*

G. 1. almuerzo 2. cama 3. calle 4. dueño 5. comedor 6. seguridad 7. llave 8. película 9. tratar 10. olvides

H. *Answers will vary.*

¡Extra!: hidroeléctrica

Lección 13, Prueba B

A. *Answers will vary.*

1. ¿Es verdad que usted se levanta a las cuatro de la mañana?
2. ¿Qué va a hacer usted tan pronto como salga de la clase?
3. Cuando usted viaja, ¿prefiere quedarse en casa de un amigo o en un hotel?
4. En un hotel, ¿Ud. prefiere una habitación con vista a la calle o al jardín?
5. ¿Cree usted que todas las pensiones tienen baños privados?

B. 1. veamos 2. dé 3. tengan / tienen 4. sirva / puede 5. lleguen / vaya 6. vayamos 7. cobran / incluya 8. desocupes 9. viajamos / deben 10. termino 11. llamas

C. *Answers will vary. Verbs:* 1. Vamos... 2. Hospedémonos... 3. Reservemos... 4. Quedémonos...

D. *Answers will vary.*

E. 1. levantémonos a las siete 2. ellos desocupen el cuarto (la habitación) 3. a menos que llegue tarde 4. Cuál es 5. venga a visitarnos

F. 1. regadera 2. cuarto 3. tan pronto como 4. ascensor 5. subir 6. llave 7. dudar 8. frío 9. película 10. hospedarse 11. dueño 12. mediodía

G. 1. F 2. V 3. F 4. V 5. V 6. F 7. F 8. F

¡Extra!: comidas

Lección 14, Prueba A

A. *Answers will vary.*
1. ¿Adónde irás de vacaciones el verano próximo?
2. ¿Adónde viajarías tú si tuvieras mucho dinero?
3. ¿Qué actividades al aire libre te gustan? Nombra dos.
4. Si tuvieras que mudarte, ¿a qué ciudad irías?
5. ¿Qué tendrás que hacer tú mañana?

B. 1. Saldremos / llegaremos 2. vendrán / Tendrán 3. podrás / volverás 4. Pondré / diré 5. habrá 6. hará

C. *Answers will vary.*

D. 1. fuera 2. hiciéramos 3. viniera 4. supiera 5. pudieran 6. quisiera 7. dijeras 8. llegara

E. *Answers will vary.*

F. 1. j 2. f 3. h 4. l 5. a 6. c 7. e 8. b 9. k 10. d 11. i 12. g

G. *Answers will vary.*

¡Extra!: Puerta

Lección 14, Prueba B

A. *Answers will vary.*
1. ¿Qué hará Ud. mañana?
2. ¿Qué le gustaría hacer este fin de semana?
3. ¿Cuándo tendrá Ud. vacaciones?
4. Si Ud. tuviera dos meses de vacaciones, ¿dónde los pasaría?
5. ¿Ud. preferiría acampar o quedarse en un hotel?

B. 1. Saldré a las... 2. Vendrán con... 3. Le diré que sí (no). 4. Haremos... 5. Las pondrá en... 6. La tendrán... 7. Podremos ir... 8. Habrá un examen el...

C. 1. se levantarían... 2. desayunarías... 3. saldrían... 4. iría... 5. almorzaría... 6. los pondría... 7. volveríamos... 8. se acostarían...

D.
1. hicieras / fuera / comprara / volviera
2. vinieran / trajeran
3. pudiera / quisiera
4. supiera / tuviera

E. *Answers will vary.*

F.
1. ¿Te gustaría hacer una caminata o ir de pesca?
2. ¿Puedes armar una tienda de campaña?

G. 1. matar / pájaros 2. supuesto 3. par / sol 4. madrastra 5. actividades / libre 6. nadar 7. escalar 8. huéspedes / estar

H. 1. V 2. V 3. F 4. F 5. V 6. F

¡Extra!: catalán

Examen final A (Lecciones 8-14)

A. *Answers will vary.*
1. ¿Qué harías tú si tuvieras mucho tiempo libre?
2. Si tú tuvieras mucho dinero, ¿en qué hotel te hospedarías?
3. ¿Qué estarías haciendo si no estuvieras tomando este examen?
4. ¿Qué piensas hacer tú en cuanto terminen las clases?
5. ¿Crees que Uds. han aprendido mucho en esta clase?
6. ¿Es verdad que tú sabes hablar tres idiomas?
7. ¿Qué te gustaría aprender a hacer?
8. ¿Qué harán tú y tus amigos este fin de semana?
9. ¿Es verdad que todos tus amigos son mayores que tú?
10. ¿Qué no tuviste tiempo de hacer ayer?
11. ¿Qué esperas tú que tus padres te regalen para tu cumpleaños?
12. Si tú ves un accidente en la calle, ¿a quién llamas?

B.
1. Ve / compra / ponlos / los dejes
2. Levántate / haz / Llama / dile/ se lo digas
3. Ven / tráeme / me traigas

C. *Answers will vary.*

D. *Answers will vary.*

E. *Answers will vary.*

F. 1. por / por / por / para / por / por 2. por / para / para / por

G.
1. se levantará temprano y saldrá.
2. iremos al banco y pondremos dinero en la cuenta.
3. me invitarán a salir y les diré que no.
4. haré la tarea y se la daré al profesor.
5. darás una fiesta y tendrás muchos invitados. Vendrán todos tus amigos y se divertirán mucho.

H. *Answers will vary. Verbs:* 1. compraría 2. te levantarías 3. invitaríamos 4. dirían 5. saldrían

I.
1. era / vivíamos / íbamos / tenía / mudamos
2. dijo / teníamos / fuimos /estuvimos / volvimos / eran / llovía

J.
1. como si fueran ricos
2. Si yo fuera tú
3. no hemos tenido tiempo
4. insiste en
5. no me di cuenta de
6. salieron / nosotros llegáramos
7. tan pronto como ella llegue
8. venga a verme
9. sino
10. Cuál es / lo vea

K. 1. detergentes / lavar 2. aniversario 3. recomienda / papas 4. radiografía / roto (fracturado) 5. temperatura / dolor 6. alérgico 7. incluya 8. embarque / auxiliar / debajo 9. equipaje 10. baño / cama / vista 11. seguridad 12. pasar / escoba 13. mantel / poner 14. bolsa 15. estar 16. tienda 17. tienda 18. madrastra 19. lavaplatos 20. nublado

L. 1. V 2. F 3. V 4. F 5. V 6. F 7. F 8. V 9. F 10. F 11. F 12. V 13. F 14. F 15. F

M. *Answers will vary.*

¡Extra!: 1. gratis 2. cerca 3. incas 4. Buenos Aires 5. no tiene 6. Madrid

Examen final B (Lecciones 8-14)

A. *Answers will vary.*

1. ¿Quién le sugirió que tomara esta clase?
2. ¿Qué les dije yo que hicieran antes de tomar este examen?
3. ¿Es verdad que Ud. habla cuatro idiomas?
4. ¿Qué le gustaba hacer cuando tenía quince años?
5. ¿Cuántos son Uds. en su familia?
6. ¿Conoce Ud. a alguien que sea de Madrid?
7. ¿Adónde le gustaría ir de vacaciones este verano?
8. ¿Dónde prefiere Ud. hospedarse, en un hotel o en una pensión?
9. Si Ud. estuviera en la playa ahora mismo, ¿qué estaría haciendo?
10. ¿Preferiría Ud. ir a bucear o hacer esquí acuático?
11. ¿Qué haría Ud. si estuviera enfermo (enferma)?
12. Si yo le pidiera dinero a Ud., ¿me lo daría?

B. *Answers will vary.*

C. *Answers will vary.*

D. *Answers will vary.*

E. *Answers will vary. Verb forms:* 1. tendré 2. hará 3. saldremos 4. no podrá 5. irás 6. traerán

F. *Answers will vary. Verb forms:* 1. saldrías 2. iríamos 3. vendría 4. pondrían 5. diría 6. viajarían

G. 1. vivía / era / tenía / me mudé
2. dijo / necesitaba / podía
3. Eran / salimos / Había / tuvimos
4. ibas / fuiste

H. *Answers will vary.*

I. 1. para / por / para / para / por
2. por / por / por / para / por

J.
1. como si tuviera mucho hambre
2. si (yo) fuera tú
3. no he tenido tiempo
4. convinieron en
5. no te diste cuenta de
6. salió / llegaron
7. tan pronto como ella llame
8. tiene una pierna rota
9. sino
10. Cuál era

K. 1. dormir 2. caña 3. esquí 4. campaña 5. postre 6. propina 7. ventanilla 8. equipaje 9. viajes 10. escala 11. vuelta 12. bañadera 13. desocupar 14. vista 15. acondicionado 16. barrer 17. pájaros 18. mudar 19. tomar 20. padrastro

L. 1. V 2. F 3. F 4. F 5. V 6. V 7. V 8. F 9. F 10. F

M. *Answers will vary.*

¡Extra!: 1. hierbas 2. retiene 3. guaraní 4. antiguo 5. Buenos Aires 6. europeo

TRANSPARENCY MASTERS

la pizarra
la puerta
el reloj
el borrador
la tiza
el mapa
la ventana
la tablilla de anuncios
la silla
la luz
la computadora
el libro
el reloj
el papel
el escritorio
la pluma, el bolígrafo
el cuaderno
el cesto de papeles
el lápiz
la mochila

LECCIÓN 2

620
Don Quixote
Cervantes
18.300
775
12
3
6
9
408
5.997
209
VINO
3.500
4.830

1. Tú...

2. Yo...

3. Ellos

4. Eva...

5. la profesora...

6 Nosotros... y el chico...

1. veinte minutos

2. tres años

3. una hora

4. dos horas

5. seis meses

6. cinco días

PROBADOR

LECCIÓN 7

1. Yo...

2. Mi papá...

3. Yo...

LOS SÁBADOS

4. Nosotros no...

5 MINUTOS

5. Mamá...

1 HORA

6. Elena...

7. Nosotros...

8. Yo...

9. ¿Tú...?

PESCADERÍA
CARNICERÍA
PANADERÍA

1.
2.
3.
4.
5.
6.

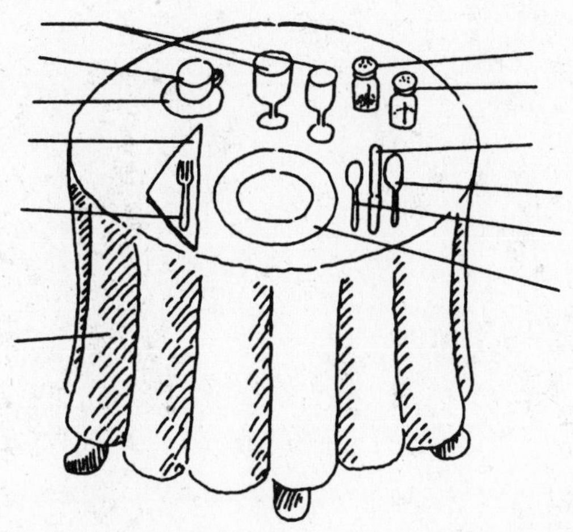

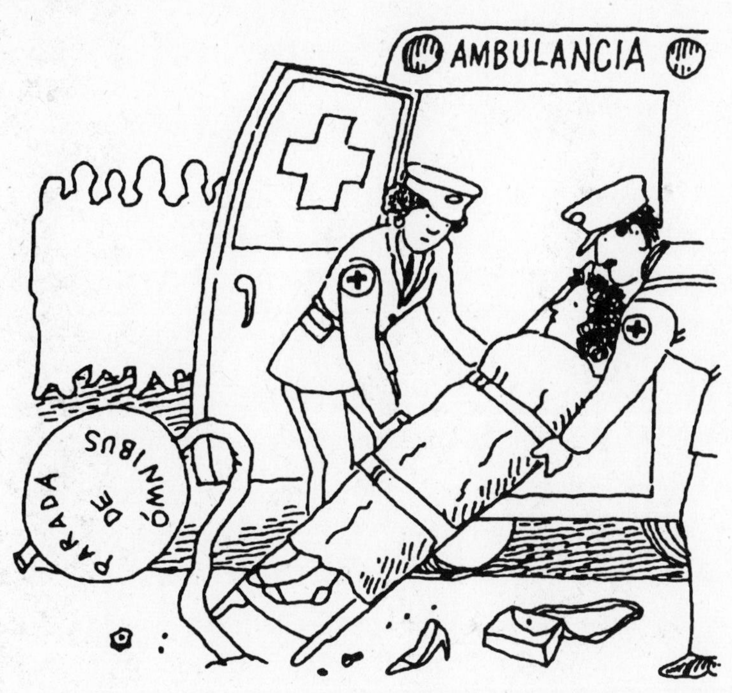
AMBULANCIA
PARADA DE ÓMNIBUS

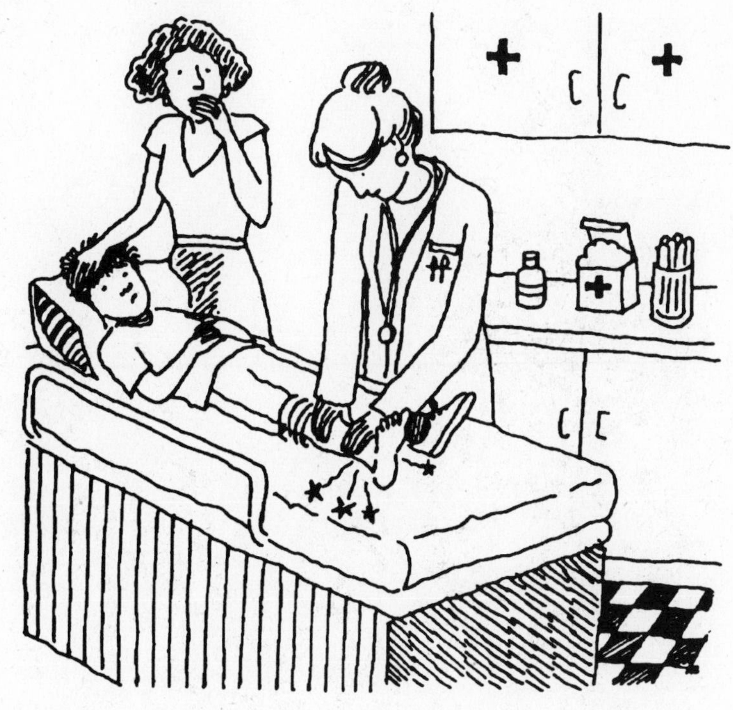

LECCIÓN 11

1. Ana quiere ________________.

2. Te sugiero ________________.

3. Te aconsejo ________________.

4. Olga quiere que Paco le __________.

5. La doctora le recomienda __________.

6. Pablo no quiere que el enfermero ________________.

AGENCIA
DE VIAJES
Caracas

LECCIÓN 13